CHRONIQUES DU BOUT DU MONDE

Chroniques du bout du monde

Le cycle de Quint

1. *La Malédiction du luminard*
2. *Les Chevaliers de l'hiver*
3. *Les Guerriers du ciel* (à paraître)

Le cycle de Spic

1. *Par-delà les Grands Bois*
2. *Le Chasseur de tempête*
3. *Minuit sur Sanctaphrax*

Le cycle de Rémiz

1. *Le Dernier des pirates du ciel*
2. *Vox le Terrible*
3. *Le Chevalier des Clairières franches*

Titre original : *The Edge Chronicles/The Winter Knights*
Text & illustrations copyright
© 2005 by Paul Stewart and Chris Riddell
The rights of Paul Stewart and Chris Riddell to be identified
as the authors of this work have been asserted in accordance
with the Copyright, Designs and Patents Act 1988.
This edition is published by arrangement
with Transworld Publishers, a division
of The Random House Group Ltd. All rights reserved.

Pour l'édition française :
© 2006, Éditions Milan, pour le texte et l'illustration
300, rue Léon-Joulin, 31101 Toulouse Cedex 9, France
Loi 49-956 du 16 juillet 1949
sur les publications destinées à la jeunesse
ISBN 10 : 2-7459-2229-7
ISBN 13 : 978-2-7459-2229-8
www.editionsmilan.com

PAUL STEWART & CHRIS RIDDELL

Chroniques du bout du monde

Les Chevaliers de l'hiver

Traduit de l'anglais
par Jacqueline Odin

Milan

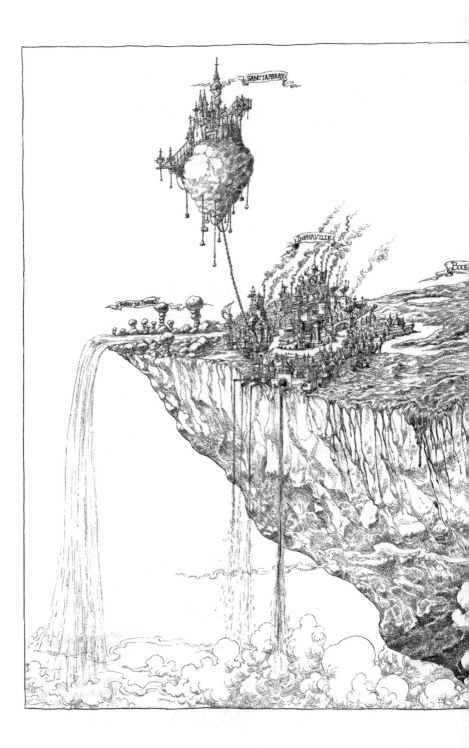

GRANDS BOIS

FORÊT DU CLAIR-OBSCUR

LANDE

LA FALAISE

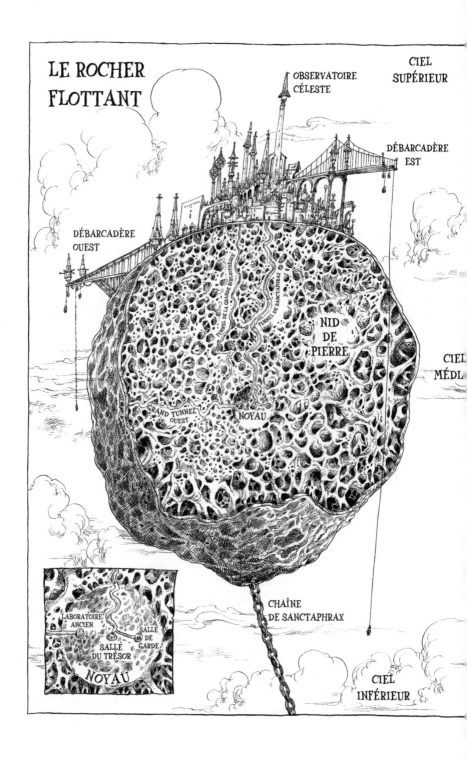

LE ROCHER
FLOTTANT

CIEL
SUPÉRIEUR

OBSERVATOIRE
CÉLESTE

DÉBARCADÈRE
EST

DÉBARCADÈRE
OUEST

TUNNEL DE LA GRANDE BIBLIOTHÈQUE

TUNNEL DE SANCTAPHRAX

NID
DE
PIERRE

CIEL
MÉDL

GRAND TUNNEL
OUEST

NOYAU

CHAÎNE
DE SANCTAPHRAX

LABORATOIRE
ANCIEN

SALLE
DE
GARDE

SALLE
DU TRÉSOR

NOYAU

CIEL
INFÉRIEUR

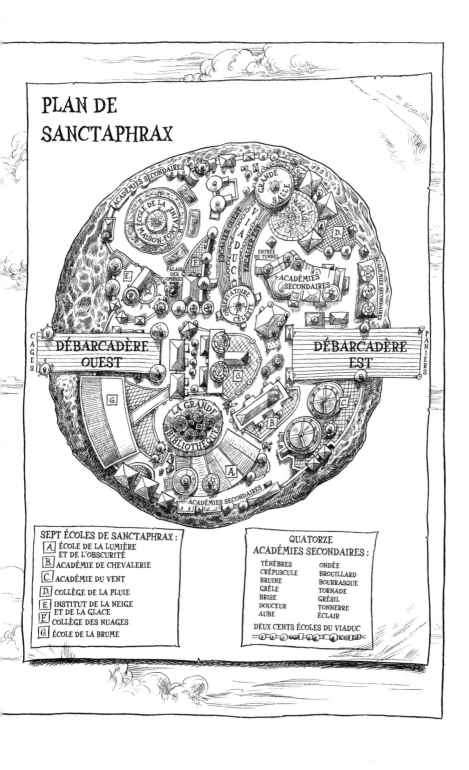

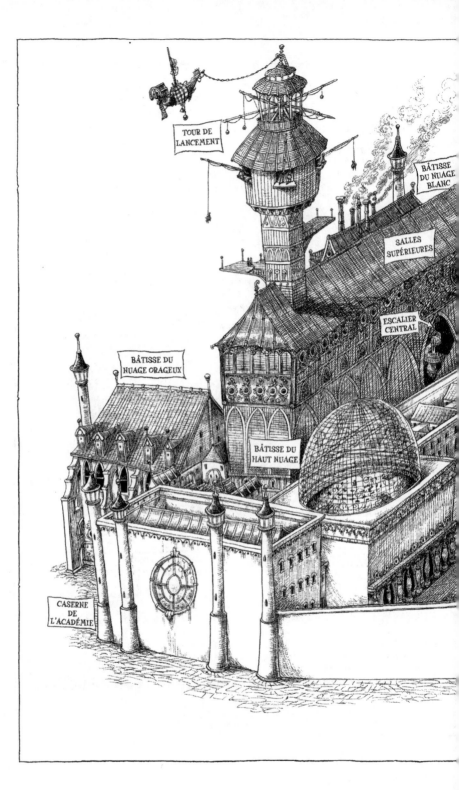

TOUR DE
LANCEMENT

BÂTISSE
DU NUAGE
BLANC

SALLES
SUPÉRIEURES

ESCALIER
CENTRAL

BÂTISSE DU
NUAGE ORAGEUX

BÂTISSE DU
HAUT NUAGE

CASERNE
DE
L'ACADÉMIE

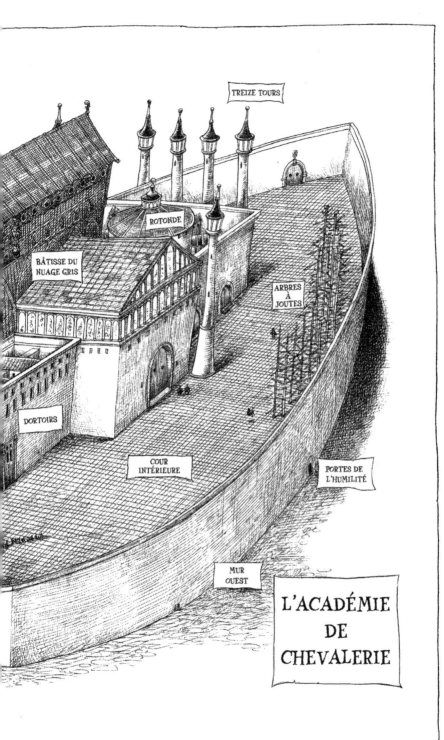

TREIZE TOURS

ROTONDE

BÂTISSE DU
NUAGE GRIS

ARBRES
À
JOUTES

DORTOIRS

COUR
INTÉRIEURE

PORTES DE
L'HUMILITÉ

MUR
OUEST

L'ACADÉMIE
DE
CHEVALERIE

Pour William, Joseph, Anna, Katy et Jack

Introduction

U N NUAGE D'INCERTITUDE PLANE SUR SANCTAPHRAX, magnifique centre de l'érudition céleste. Perchée au sommet du gros rocher flottant, la cité traverse une crise depuis le jour où son Dignitaire suprême, Linius Pallitax, est mystérieusement tombé malade.

Cette énigme constitue presque l'unique sujet de discussion des universitaires. Les rumeurs abondent, selon lesquelles Linius Pallitax aurait transgressé une série de tabous : ayant glané des connaissances terrestres interdites dans la Grande Bibliothèque, il se serait aventuré à l'intérieur du rocher, puis introduit dans le laboratoire ancien, dont les premiers érudits avaient pris soin de barrer l'accès ; il aurait utilisé leur matériel scientifique et, dans un geste de folie terrible, tenté de créer la vie.

Naturellement, personne n'a la preuve que l'histoire s'est bel et bien déroulée ainsi, mais les rumeurs paraissent plus fondées à mesure qu'elles se répandent... S'il est aujourd'hui malade, pensent tous les habitants, Linius Pallitax ne peut s'en prendre qu'à lui-même. D'ailleurs, que faisait-il donc, là-haut sur les toits du Palais des ombres, la nuit où les flammes ont dévoré l'édifice ?

Deux personnages sont très préoccupés par la santé défaillante du Dignitaire suprême. D'abord, sa fille Maria, qui l'aime infiniment et n'ose envisager ce qu'elle deviendrait s'il venait à mourir. Ensuite, Quint Verginix, fils du Chacal des vents, capitaine pirate, et ancien apprenti du professeur.

En tant que protégé de Linius Pallitax, le jeune garçon avait la promesse d'une place dans la prestigieuse Académie de chevalerie. Sans soutien, Quint devra quitter définitivement Sanctaphrax et se tourner vers une carrière de pirate du ciel.

Carrière nullement déshonorante, bien sûr. Lorsqu'il était petit, Quint a souvent rêvé de piloter auprès de son père, le vent dans les cheveux et le soleil dans les yeux, loin au-dessus de la Falaise. En effet, tous deux ont déjà vécu ensemble de nombreuses aventures, durant leurs traversées entre les Grands Bois sombres et la trépidante Infraville, la cale du *Cavalier de la tourmente* emplie de toutes sortes de marchandises clandestines.

Mais Quint a découvert la griserie d'une existence dans la cité flottante au service du Dignitaire suprême, et il sait que c'est juste le début. Il voudrait entrer à l'Académie et recevoir la formation qui ferait de lui un véritable chevalier, susceptible de partir un jour vers la forêt du Clair-Obscur chasser la tempête – la plus grande aventure de toutes.

Car, pour sa survie même, la grande cité dépend des étonnantes propriétés du phrax de tempête, ces petites particules de foudre que renferme la lointaine forêt du Clair-Obscur et qui, dans l'obscurité, pèsent plus lourd que mille pins ferreux. Employé à lester le rocher flottant, le phrax est l'objet de la quête solitaire des chevaliers de l'Académie partant à la poursuite d'une tempête, ce depuis l'époque du célèbre instigateur de cette pratique, le grand Corentin Quisitix.

Maintenant que la vie de Linius Pallitax ne tient plus qu'à un fil, tout cet avenir est soudain compromis. Pour son bonheur et celui de Maria, pour le bien de Sanctaphrax elle-même, Quint en est réduit à un seul espoir, à un seul souhait : la guérison du Dignitaire suprême. Mais les yeux ternes de Linius et sa respiration difficile semblent de fort mauvais augure...

Les Grands Bois, le Jardin de pierres, l'Orée. Infraville et Sanctaphrax. Autant de noms sur une carte.

Pourtant, chaque nom recèle un millier d'histoires consignées sur des manuscrits ancestraux, des récits transmis oralement de génération en génération – des récits que l'on raconte encore aujourd'hui.

Comme en témoigne ce qui suit.

Première partie

Les Salles

inférieures

CHAPITRE 1

L'École d'art pictural

D
E SA MAIN LIBRE, L'UNIVERSITAIRE EN ROBES SALES, maculées de peinture, couleur bleu «Viaduc» passé, actionna la manivelle. Loin au-dessus de lui, les rouages de la tour rotative vibrèrent et grincèrent comme des oisorats furibonds, et un rayon de lumière transperça l'air poussiéreux. L'universitaire leva le pinceau qu'il tenait dans son autre main et pencha la tête, ses yeux jaune pâle fixés sur le jeune garçon face à lui.

– Encore un petit peu vers la gauche, il me semble, maître Quint, dit-il d'une voix douce mais persuasive. Que vous soyez bien éclairé. Juste là...

Quint obéit. La lumière matinale qui entrait à flots par la haute fenêtre de la tour inonda son visage, scintillant sur ses pommettes, sur le bout de ses oreilles et de son nez, faisant aussi miroiter l'armure bosselée, aux jauges et aux tuyaux rouillés, qu'il portait.

– Excellent, mon jeune écuyer, murmura l'universitaire, approbateur.

Il plongea l'extrémité du pinceau en poil de hammel dans le blanc de sa palette et appliqua une petite touche au minuscule portrait placé sur le chevalet devant lui.

– Maintenant, nous devons laisser la lumière accomplir sa magie, marmonna-t-il.

Il continua d'appliquer de petites touches.

– Les rehauts parachèvent l'ensemble, maître Quint. Mais je dois vous rappeler de rester immobile.

Quint essayait de garder la pose, mais ce n'était pas facile. La tour était exiguë, l'atmosphère confinée, et les odeurs capiteuses que dégageaient les pigments, les huiles de pin des bois et les vernis diluants lui mettaient les larmes aux yeux et lui donnaient mal à la tête. La cuirasse rouillée, mal ajustée, frottait contre son cou ; sa jambe gauche était complètement endolorie. En outre, il mourait d'envie de voir le portrait achevé. Il avait toutes les peines du monde à ne pas se tourner sans plus attendre pour l'inspecter.

– La lumière de l'aube, se réjouit l'universitaire. Incomparable pour illuminer le sujet…

Ses yeux jaune pâle fouillaient en tous sens les traits de Quint.

– Et quel illustre sujet vous faites, mon jeune écuyer !

Il gloussa de rire, et Quint s'efforça de ne pas rougir.

– Le protégé du Dignitaire suprême de Sanctaphrax en personne…

Il se détourna et se mit à tambouriner sur la palette comme une grive des bois voulant déloger un paillecorise.

– Quelle chance vous avez, maître Quint ! Au lieu de vous démener avec nous autres dans les écoles secondaires, vous recevez une place dans la plus prestigieuse des académies. Je me demande… commença-t-il d'un ton soudain venimeux, je me demande ce que vous avez fait, en vérité, pour mériter cette faveur.

Les yeux de l'universitaire dévisageaient à nouveau Quint. Ils étaient si pâles qu'il n'y avait presque aucune différence entre les iris et le blanc jauni autour d'eux. C'était la conséquence de son activité, se dit Quint, réprimant un frisson. De même que les tourne-corde d'Infraville se retrouvaient, en fin de carrière, avec des doigts en forme de spatule, de même que les égorgeurs des Grands Bois, à force de tanner le cuir, finissaient avec une peau rouge sang, de même, au fil des ans, les yeux des portraitistes de Sanctaphrax se décoloraient sous l'effet des vapeurs de vernis qu'ils utilisaient – or Fulbert Luisin était portraitiste depuis de très nombreuses années.

– J'étais l'apprenti du Dignitaire suprême...

Quint baissa la tête, les joues empourprées au souvenir du monstrueux luminard et de la nuit du terrible incendie.

– Ne bougez pas! lança Luisin d'une voix aigre, appliquant des touches à gestes irrités. Oh, oui, dit-il avec un petit sourire. Le Palais des ombres a brûlé, n'est-ce pas? Étrange et horrible affaire... Comment se porte donc le Dignitaire suprême? Il se rétablit bien, j'espère.

Il braqua encore une fois ses yeux jaune pâle sur Quint.

– Aussi bien que l'on pouvait s'y attendre, répondit le jeune garçon, mais ses paroles sonnèrent creux à ses oreilles, tandis qu'il imaginait son mentor couché dans la chambre sombre de l'École de la brume.

Linius Pallitax avait beaucoup souffert aux mains du terrible luminard. Il avait frôlé la mort. Il aurait peut-être

mieux valu qu'il succombât, parce qu'il ne quittait plus son lit et que son regard tourmenté, perdu dans le lointain, ne distinguait ni son fidèle domestique, Gazouilli, ni Quint, son apprenti, ni même sa propre fille, Maria, qui le veillait de si longues heures durant, à espérer sa guérison.

Fulbert Luisin travailla en silence pendant un moment.

– Hum, aussi bien que l'on pouvait s'y attendre ? déclara-t-il enfin. Peu encourageant, semble-t-il... Il ne faudrait pas qu'il lui arrive malheur, mon bel et jeune écuyer. Pas dans votre situation.

– Ma situation ? demanda Quint, essayant de rester immobile.

– Vous êtes le protégé du Dignitaire suprême, nous sommes d'accord. Sans lui, vous ne croyez tout de même pas que l'Académie de chevalerie vous admettrait dans ses salles sanctifiées, dites-moi ? Bien sûr que non ! s'exclama Fulbert en secouant la tête. Né et élevé à Sanctaphrax, c'est la règle depuis toujours. Nous autres devons nous en tirer tant bien que mal avec les académies secondaires.

Il essuya son pinceau dans un chiffon et fit pivoter le chevalet.

– Voici, annonça-t-il.

Quint découvrit la miniature d'un jeune chevalier de l'Académie en cuirasse étincelante, aux yeux indigo foncé, le sourire aux lèvres. Fulbert Luisin, de l'École d'art pictural, avait réalisé une belle œuvre. Quint frissonna.

– Quelque chose ne va pas ? demanda Fulbert.

– Ce n'est rien, murmura Quint.

Il n'avait aucune intention de dévoiler à l'universitaire aux yeux pâles les souvenirs que le médaillon faisait resurgir – souvenirs de la première fois où un artiste avait peint son portrait.

Comme il était jeune alors ! Il avait quatre, peut-être cinq ans. Il était le benjamin de six garçons. Son père, le Chacal des vents, avait commandé une peinture murale de toute la famille pour la splendide salle de leur palais, sur les quais ouest. Quelle heureuse époque ! Mais bien éphémère, pensa-t-il avec amertume. Moins d'un an après l'exécution de la fresque, Turbot Smil (le perfide quartier-maître de son père) avait mis le feu à la maison du maître. La mère et les frères de Quint avaient péri dans l'incendie et, comme eux, la fresque avait disparu.

– Bien sûr, il y a une chose que vous n'avez pas rendue avec la moindre fidélité, s'empressa-t-il de dire.

– Ah bon ? s'étonna Luisin, haussant les sourcils.

Quint tapota les tuyaux et les jauges de la cuirasse sur sa poitrine, tous plus ternis et corrodés les uns que les autres ; puis il pointa le menton vers la miniature.

– La cuirasse représentée miroite comme du cuivre et de l'argent brunis, dit-il, nouvellement forgés, récemment polis. Tandis que celle-ci...

Il baissa les yeux sur le plastron.

Luisin éclata de rire, révélant une bouche pleine de dents fines, aussi pointues que des épingles.

– Vous avez raison, maître Quint. La cuirasse que vous portez a en effet connu des jours meilleurs. Elle me sert de simple accessoire. Lorsque vous entrerez à l'Académie de chevalerie, vous devrez travailler dur pour conquérir l'honneur de revêtir une armure aussi magnifique que celle que j'ai peinte; une armure digne d'un chevalier de l'Académie partant chasser la tempête. Voilà pourquoi chaque écuyer a son portrait: afin de lui rappeler sans cesse son objectif ultime.

Quint hocha gravement la tête et tendit le bras vers la miniature.

– Pas si vite! intervint Fulbert Luisin. Il manque encore l'arrière-plan. L'École de la brume est l'académie de votre mentor, si je ne m'abuse. Il faut que je monte sur le balcon au sommet pour ajouter les tours des analyse-brume avant que le soleil ne soit trop haut et que les ombres ne s'amenuisent.

Il entreprit de rassembler les couleurs et les pinceaux dans une petite boîte en plombinier.

– Voudriez-vous m'accompagner? proposa-t-il.

– Volontiers, répondit Quint en se frottant les yeux. J'ai grand besoin d'air frais.

Luisin tenant la lourde boîte dans une main, la minuscule peinture inachevée dans l'autre (du bout des doigts), et Quint portant le volumineux chevalet, tous deux gravirent l'escalier à vis jusqu'au balcon supérieur.

Là-haut, Quint se pencha par-dessus la balustrade et respira à pleins poumons. C'était une matinée claire et vivifiante; de gros nuages ballonnés glissaient, majestueux, dans le ciel, et une lumière dorée enveloppait les tours de Sanctaphrax.

Sur sa gauche et sur sa droite, bordant toute la longueur du gigantesque Viaduc, se dressaient les minarets et les tourelles des deux cents écoles secondaires. L'imposante Grande Salle occupait une extrémité, son dôme et son beffroi brillant dans la lumière matinale ; à l'opposé, dominant la cité entière, s'élevait le magnifique Observatoire céleste, avec, juste derrière, silhouettes reconnaissables entre toutes, les tours jumelles des analyse-brume.

Quint regarda de leur côté. Les énormes globes, telles deux grosses pelotes de ficelle, pivotaient et miroitaient dans la brise, et leur mouvement s'accompagnait d'une douce musique pénétrante, composée d'harmonies d'une exquise subtilité.

C'étaient les sons de Sanctaphrax, plus encore que le spectacle de ses édifices resplendissants, qui ne

cessaient d'enchanter Quint. Ici, sur le balcon de l'École d'art pictural, il était entouré de musique, les appareils de chaque tour enrichissant la puissante symphonie. Les aveugles ne pouvaient pas se perdre à Sanctaphrax, disait-on : il leur suffisait de tendre l'oreille pour connaître l'endroit précis où ils se trouvaient. Quint ne doutait pas un instant de la vérité de cette affirmation.

Il pencha la tête et ferma les yeux pour écouter, rêveur. Il y avait le bourdonnement des moulins à vent, le cliquetis des poids à grêlons, les timbales des éoliennes et des crécelles à brouillard. De l'Académie du vent venaient des notes flûtées, la brise soufflant sur les ouvertures gra- duées, ainsi que le fredonnement hypnotique des peignes tamiseurs ; la tour des goûte-pluie, elle, tintait en perma- nence, tandis que ses bouteilles collectrices, suspendues par grosses grappes aux portiques en surplomb, s'entre- choquaient doucement.

Toutefois, ce matin-là, l'ambiance sonore ne se limi- tait pas aux constructions. Pendant que Fulbert Luisin commençait de tracer l'esquisse des tours jumelles, Quint distingua un babil de voix montant du Viaduc en contre- bas.

Il ouvrit les yeux et regarda l'avenue qui s'étirait au loin, flanquée par les deux cents tours. Chacune d'elles était différente de toutes les autres : quelques-unes avaient des créneaux, plusieurs des flèches ; certaines avaient une forme de poivrière, certaines une forme de passoire. L'une, grande et conique, était ornée de petites lanternes suspendues à des crochets. Une autre était enguirlandée de carillons éoliens. Et une autre encore, remarqua-t-il, avait des colonnes striées, pastiche à petite échelle de la fameuse École de la Lumière et de l'Obscurité. Leur seul et unique point commun était le nombre d'individus affairés qui y pénétraient et en sortaient.

La plupart portaient une robe bleu «Viaduc», signe qu'ils appartenaient aux modestes écoles installées dans les tours. Le voisinage immédiat incluait l'École de la réfraction et de la réflexion, peuplée de spécialistes polissant et meulant des lentilles pour les lunettes des grandes académies, et l'École du filtrage visuel et olfactif, où les érudits filaient avec ardeur de la soie d'araignée et plongeaient de la gaze de papillon des bois dans des teintures parfumées, tissus destinés aux délicats instruments atmosphériques des illustres Écoles du vent, de la pluie, des nuages et de la brume.

Sur l'avenue, un groupe d'universitaires vêtus des capes rouges de l'École de la brume, avec cols à carreaux noirs et blancs, bousculaient les érudits en robe bleue. Une douzaine de professeurs en robe blanche et grise, originaires de l'Institut de la neige et de la glace, s'avançaient vers eux, nez levé, mine arrogante, et, dans leur sillage, une bande d'apprentis en cape jaune du Collège des nuages commérait et riait bruyamment.

– Une touche d'ocre supplémentaire, je crois, disait Luisin.

À cet instant, Quint remarqua un personnage à l'air sournois qui venait d'apparaître en face, au pied d'une tourelle délabrée. L'individu lança un coup d'œil à droite, un coup d'œil à gauche (oubliant de toute évidence que quelqu'un pouvait le voir d'en haut), et plongea une fiole brillante, emplie d'un liquide rouge sombre, dans sa poche, avant de s'éloigner en hâte. Il était maigre

et voûté ; à la toge verte qui claquait autour de lui, avec sa doublure en fourrure typique, Quint sut qu'il s'agissait d'un sous-professeur de l'Académie du vent.

Il examina la tourelle avec plus d'attention. Elle paraissait abandonnée. Les volets étaient tirés, il manquait des tuiles sur le toit, les murs, lézardés, auraient eu besoin de sérieuses réparations. Quint se demanda quelle école elle pouvait bien abriter. La clé de l'énigme résidait peut-être dans le cadavre desséché du cisailleur (cet oiseau de proie disgracieux au plumage ébouriffé, au bec acéré et aux serres tranchantes comme des rasoirs) suspendu à un crochet au-dessus de la porte.

– Qu'étudie-t-on dans cette tour ? s'informa-t-il auprès de Luisin, désignant du menton l'étrange édifice.

Le portraitiste regarda dans la direction indiquée et secoua la tête.

– Un bel et jeune écuyer de l'Académie de chevalerie ne saurait se soucier de telles écoles, répondit-il avec un léger sourire. Ou des services qu'elles offrent.

Il leva le médaillon de bois et Quint découvrit, à l'arrière-plan, les deux tours de l'École de la brume.

– Lorsqu'il sera sec, dit l'universitaire, rassemblant ses pinceaux et ses couleurs, vous pourrez le fixer à la poignée de votre épée. Vous avez une épée, je suppose ?

– Bien sûr, répondit Quint, dégainant la longue arme de pirate incurvée que lui avait donnée son père.

Luisin lança un rire détestable en la considérant d'un œil dédaigneux.

– Hum, oui… grimaça-t-il. Peu d'écuyers de l'Académie auront une épée pareille, je vous le garantis.

Quint se décomposa.

– Une chance que vous soyez le protégé du Dignitaire suprême, vraiment…

Alors, tandis que Fulbert s'apprêtait à partir, des coups de glas sonores retentirent. Levant la tête, Quint vit l'énorme cloche de la Grande Salle osciller. Comme en réponse, quittant le Jardin de pierres et emplissant le ciel de Sanctaphrax telle une formidable tempête de neige tourbillonnante, surgit une immense volée de corbeaux blancs. Les oiseaux virèrent, décrivant une vaste boucle loin au-dessus des tours du Viaduc, et encerclèrent la Grande Salle et l'Observatoire céleste. À mesure que leur nombre augmentait, les croassements rauques devinrent une cacophonie assourdissante et noyèrent la sonnerie du glas qui semblait avoir provoqué leur apparition.

Quint empoigna la balustrade, le visage blême.

– Non ! s'écria-t-il. Ce n'est pas possible ! Pas maintenant, après tous ces efforts...

Fulbert Luisin se tourna et secoua la tête, une lueur dans ses yeux jaunes, un sourire mauvais sur ses lèvres minces.

– Le glas ; les corbeaux blancs... Une seule signification possible.

Il tendit la miniature à Quint.

– Votre mentor, le Dignitaire suprême... a cessé de vivre.

CHAPITRE 2

Le chœur des morts

DEPUIS L'AUBE, LES GOBELINETS ET LES NABOTONS préposés aux paniers suspendus s'activaient, transportant inlassablement des foules d'érudits entre les débarcadères est et ouest et Infraville en contre-bas. Par ce matin glacial, des passagers de toutes sortes se présentaient et avaient recours à leurs services. Vieux et jeunes, chevronnés ou débutants ; professeurs, apprentis, écuyers et chevaliers en attente – universitaires de tous les instituts, collèges et écoles de la grande cité flottante, incarnant tous les domaines et toutes les disciplines de la vie de Sanctaphrax.

Il y avait des analyse-brume empreints de gravité, leurs capuchons à carreaux rabattus sur le visage, de sorte que seul leur faux nez en métal dépassait, comme un bec de cisailleur. Il y avait des sous-professeurs de l'École de la Lumière et de l'Obscurité, en robes grises aux nuances variées, du blanc cendré au noir orageux. Il y avait des scrute-nuages qui, malgré les circonstances, avaient vraiment piètre allure.

Venaient ensuite les universitaires du Collège de la pluie, en rangs serrés, sous des ombrelles et des parapluies

de toutes les formes et de toutes les tailles, depuis les immenses dais à pointe jusqu'aux petits cônes délicats. Les apprentis des différentes facultés de l'Académie du vent marchaient au pas, dix de front. Derrière eux, leurs frêles cerfs-volants noirs voletaient comme une nuée d'oisorats agités.

Après les représentants des sept écoles principales de Sanctaphrax défilaient les érudits des quatorze académies secondaires. Moins solennels, ils bavardaient et se bousculaient, leurs robes aux couleurs vives se mêlaient, se mélangeaient.

Ici, les capuchons blancs et jaunes des experts de l'ondée entouraient les robes orange foncé des connaisseurs de l'aube, créant un motif qui, d'en haut, ressemblait au soleil matinal lui-même. Là, derrière un groupe de bouillonnants apprentis du tourbillon, les manteaux décorés des spécialistes de la brise, de la grêle et de la bourrasque s'amalgamaient comme les nuages d'une tempête en formation. Et, à l'arrière, telle une rivière débordante, les robes bleues typiques des écoles du Viaduc se détachaient dans la lumière pure du petit matin.

Lanternes, lampes et torches bien levées, la procession d'universitaires déambulait dans les rues sinueuses d'Infraville et empruntait les étroits sentiers jusqu'à l'extrémité de la Falaise. Ceux qui étaient trop âgés ou trop infirmes pour aller à pied montaient dans les brouettes des tractitrolls et les chariots des troglos ploucs, ou voyageaient dans des chars dorés tirés par des attelages de rôdailleurs en costume pailleté, aux coiffures emplumées.

Depuis que le jour avait point, la procession s'étirait entre Infraville et le Jardin de pierres. Des centaines d'universitaires de Sanctaphrax étaient déjà massés, pourtant il en arrivait toujours, chacun voulant qu'on le voie rendre un dernier hommage au défunt Dignitaire suprême – et désirant plus encore connaître son successeur.

Quint lui-même avait quitté bien avant l'aube son lit et sa petite pièce de l'École de la brume. Il s'était arrêté devant la chambre du Dignitaire suprême, à l'étage inférieur, et avait écouté les sanglots angoissés de Maria, hésitant sur la conduite à tenir.

Mais, avant qu'il ait pu se décider, une griffe translucide lui avait saisi l'épaule et, faisant volte-face, il avait découvert Gazouilli, debout derrière lui.

– Nous attendions ce malheur depuis des semaines déjà, avait déclaré l'échasson d'un air affligé, pourtant c'est un choc terrible. Laissez à Maria le temps d'accepter sa perte, Quint.

Quint avait hoché la tête mais, dans son for intérieur, l'agitation régnait. Il aurait voulu réconforter son amie, être avec elle dans cette épreuve difficile. Il savait néanmoins que Maria Pallitax, fille du défunt Dignitaire suprême de Sanctaphrax, avait également des devoirs officiels. À regret, il avait consenti : ils se retrouveraient plus tard pour parler, partager des souvenirs et se consoler mutuellement.

D'ici là, Quint avait ses propres obligations à remplir. Laissant derrière lui l'école des analyse-brume, il s'était éloigné en hâte vers les paniers du débarcadère ouest. Il avait trouvé Sanctaphrax en ébullition : la nouvelle du décès du Dignitaire suprême s'était répandue comme une traînée de poudre, et, quoiqu'il fût tôt, des dizaines d'universitaires, déjà dehors, fourmillaient et se rassemblaient, tandis que l'air bourdonnait de rumeurs et de suppositions.

Lorsque le soleil franchit la ligne d'horizon, Quint se tenait à l'entrée du Jardin de pierres, le regard anxieusement tourné vers la cité flottante. Il soufflait dans ses mains et tapait des pieds, car, malgré l'aube teintée de rose, un froid glacial sévissait et un vent mordant se déchaînait, venu de plus loin que la Falaise.

Les lieux s'emplissaient vite. Trop superstitieux pour pénétrer dans le Jardin de pierres, mais désireux de ne pas manquer le cortège funèbre, des groupes d'Infravillois se mêlaient aux universitaires alentour. Soudain, se frayant un chemin parmi la foule, un grand personnage droit, qui portait le long manteau et le tricorne des pirates du ciel, attira l'attention de Quint. Son cœur eut un raté.

– Père ! cria-t-il. Père ! Par ici !

Alors que le Chacal des vents s'approchait, Quint se jeta dans ses bras ouverts.

– J'avais dit au lever du soleil, et me voici, sourit le capitaine pirate, étreignant son fils. Simplement, j'aurais préféré que des circonstances plus heureuses nous réunissent.

33

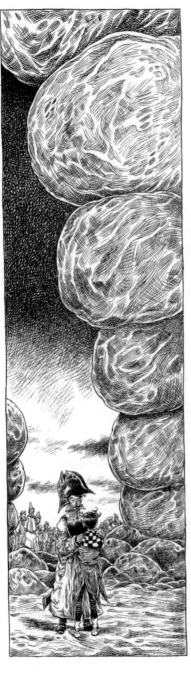

– Oh, Père ! s'écria Quint, le visage enfoui dans le manteau paternel. Il s'est passé tant de choses depuis que tu m'as laissé dans le Palais des ombres.

– Je sais, mon fils, répondit le Chacal des vents. Je pillais des navires ligueurs au-delà du Grand Marché aux esclaves des pies-grièches lorsque j'ai reçu le message des professeurs de Lumière et d'Obscurité. Je suis venu immédiatement.

Il enlaça les épaules de Quint.

– Tu as été très courageux, mon garçon.

Autour d'eux, la foule des universitaires augmentait de minute en minute. Le pirate du ciel pressa son fils.

– Viens, Quint, l'invita-t-il, nous aurons tout le temps de parler du passé, ainsi que de l'avenir ; nous devons d'abord rendre hommage à celui qui fut mon ami et ton mentor.

Quint acquiesça et, s'essuyant les yeux du revers de la main, traversa le Jardin de pierres au côté de son père, en direction des gros empilements rocheux. Ils arrivèrent bientôt à proximité du plus haut d'entre eux, immense colonne de roches qui allaient en s'élargissant, couronnée par une vaste dalle aplatie. Autour d'elle, selon des cercles concentriques obéissant à une stricte hiérarchie, le vaste cortège des universitaires s'amassait.

Il y eut des murmures et des grognements désapprobateurs lorsque le Chacal des vents s'avança dans la multitude, mais personne ne le défia, car Sanctaphrax entière connaissait (par ouï-dire au moins) le pirate du ciel, ami d'enfance du défunt Dignitaire suprême. Le père et le fils s'arrêtèrent et prirent place au premier rang, au milieu des sous-professeurs de l'École de la Lumière et de l'Obscurité, qui s'écartèrent avec des saluts guindés.

– Ce ne sera plus très long, chuchota le Chacal des vents, lançant un coup d'œil en arrière.

Quint suivit son regard vers le rocher de Sanctaphrax, qui se découpait sur le ciel. Là-haut dans le lointain, tout juste visible au-dessus de l'immense Observatoire céleste, apparaissait un magnifique navire aux voiles noires gonflées.

– C'est un chasseur de tempête, souffla Quint, frissonnant alors que le vent glacial redoublait de vigueur.

Sous son regard, le chasseur de tempête (navire des chevaliers de l'Académie) prit de la vitesse et mit le cap sur le Jardin de pierres, le sommet de son grand mât voilé par un blizzard de corbeaux blancs tournoyants. Et, comme le vaisseau funèbre approchait, Quint aperçut chacun des personnages à son bord.

Dans leur armure brillante et polie, les treize chevaliers en attente, membres de l'Académie, composaient l'équipage. Sur le pont avant se tenait Maria, encadrée par les silhouettes bien reconnaissables des professeurs de Lumière et d'Obscurité. Enfin, devant eux sur une estrade, tissu pâle contre le bois sombre, le corps de Linius Pallitax gisait dans son linceul.

Quint brûlait d'envie de faire signe à Maria, ou de l'appeler. Il aurait tellement voulu qu'elle sache qu'il était là, qu'il avait presque autant de chagrin qu'elle. Mais il savait que c'était impossible. Il baissa tristement la tête – et sentit autour de ses épaules le bras rassurant de son père.

Et, à cet instant, Quint comprit que tout cet épisode n'avait été qu'un rêve. La magnifique cité sur le rocher flottant. La vie qu'il avait vécue au service du

Dignitaire suprême… Maintenant, Linius Pallitax était mort, et le rêve s'achevait.

Quelle folie ç'avait été d'imaginer qu'il aurait pu un jour trouver sa place là-haut ! Il le voyait à présent. Comment aurait-il pu devenir un chevalier de l'Académie comparable à ces fiers et nobles personnages arrivant sur le chasseur de tempête ? Rien de pareil n'aurait lieu. Jamais l'Académie ne l'accepterait, lui, fils de pirate du ciel, sans mentor…

Quint répondit avec chaleur à l'étreinte paternelle.

Non, son avenir était à bord du navire pirate, là où il avait toujours été. Son expérience à Sanctaphrax se réduisait à un mirage, à une illusion, à un étrange rêve séduisant qu'il laisserait bientôt derrière lui.

Le rocher flottant, l'Académie de chevalerie, le Dignitaire suprême… et Maria.

Quint sentit une boule dans sa gorge.

Le vaisseau se trouvait désormais juste au-dessus d'eux, le tourbillon de corbeaux blancs le surmontant comme une Grande Tempête. Dans une lente et prudente manœuvre, le corps enveloppé de Linius Pallitax descendit le long de la coque du navire, suspendu à des cordes dorées.

Quint entendait les sanglots de Maria, plus forts que jamais, et les murmures affligés de Gazouilli, le fidèle échasson de Linius. Il se mordit les lèvres, les yeux pleins de larmes.

Le corps vint reposer au sommet de l'énorme dalle rocheuse qui coiffait la colonne, et les cordes furent décrochées d'en haut. Les voix des professeurs de Lumière et d'Obscurité proclamèrent à l'unisson :

– Linius Pallitax, Dignitaire suprême de Sanctaphrax, nous confions ton esprit au ciel infini !

Au son de leurs voix, les universitaires en contrebas (y compris le Chacal des vents et Quint) courbèrent la tête, et les cris rauques des corbeaux blancs enflèrent, crescendo déchirant les tympans.

Tout autour de lui, Quint entendait les érudits. « Chœur des morts », « Esprit libéré », « Que le ciel l'accueille », chuchotaient-ils tout bas, avant de s'incliner et de prendre le chemin du retour.

Quint leva les yeux. Sur la dalle rocheuse, le corps de Linius Pallitax était couvert d'un doux duvet de corbeaux hurleurs, occupés à dévorer sa dépouille, tandis qu'au-dessus, les voiles noires du vaisseau qui regagnait Sanctaphrax avec lenteur se gonflaient de plus belle.

– Adieu, et puisse le ciel infini vous accueillir, Linius Pallitax, chuchota Quint, se tournant pour partir. Et au revoir, Sanctaphrax, ajouta-t-il, regardant la lointaine cité flottante.

– Pas si vite, glissa son père à son oreille. Je t'ai dit que nous aurions le temps de parler du passé et de l'avenir.

– Oui, dit Quint, suivant le capitaine pirate parmi la foule des érudits qui refluait dans le Jardin de pierres. Mon avenir auprès de toi, à bord du *Cavalier de la tourmente*…

Le Chacal des vents fit volte-face et dévisagea Quint.

– Es-tu réellement si désireux de tourner le dos à ta grande cité flottante? lui demanda-t-il avec un sourire.

– Bien sûr que je regretterai de la quitter, Père, commença Quint, mais sans mentor, je n'entrerai jamais à l'Académie de chevalerie. Et je ne veux pas finir à l'École de la brume, vieux sous-professeur cancanier, ou au Collège de la pluie, sournois commis aux ombrelles. Je préfère mille fois t'accompagner.

– Avant de prendre ta décision, déclara son père, il vaudrait sans doute mieux voir ce que les nouveaux Dignitaires suprêmes de Sanctaphrax attendent de toi.

Alentour, les universitaires s'arrêtèrent net, les yeux écarquillés.

– Les nouveaux Dignitaires suprêmes? s'étonna Quint.

– Oui, confirma le Chacal des vents. Ils ne l'ont pas encore annoncé, mais Linius leur a légué la chaîne de fonction durant son transport hors du Palais des ombres incendié. Il a fait d'eux ses successeurs et leur a dit de m'envoyer chercher, le moment venu.

Il sourit.

– Et maintenant, ils veulent te voir.

– Mais… mais qui?… commença Quint.

Le Chacal des vents sourit.

– Les professeurs de Lumière et d'Obscurité, bien sûr! répondit-il.

Autour de lui, les universitaires survoltés se mirent à chuchoter et à murmurer avec fièvre.

– Bon, nous ferions mieux de nous dépêcher, dit le Chacal des vents, remontant le col de son manteau et tendant une main, alors qu'un doux flocon blanc voletait vers le sol. Je sais que je suis juste un vieux pirate du ciel décati, dépourvu de toute la culture céleste et de la science atmosphérique que possèdent tes augustes professeurs… mais je crois bien qu'il neige !

CHAPITRE 3

Le rémouleur

L A NOUVELLE DES NOMINATIONS SANS PRÉCÉDENT AU poste suprême de Sanctaphrax se répandit en un clin d'œil alors que la foule endeuillée quittait le Jardin de pierres et regagnait le rocher flottant. Personne n'arrivait vraiment à croire que ce fût vrai. Et, pendant ce temps, une neige de plus en plus abondante formait d'épais tourbillons, incapables pourtant de rafraîchir l'atmosphère surchauffée.

Quint et le Chacal des vents se dirigèrent vers les paniers suspendus au centre d'Infraville aussi vite que les caprices du ciel et les grappes d'universitaires bavards le leur permettaient. Mais le trajet semblait devoir durer une éternité. Au bout d'une heure, ils étaient seulement à mi-parcours.

Tout autour d'eux, le bourdonnement et les éclats des conversations emplissaient l'air. Quels que fussent les interlocuteurs (érudits des sept écoles principales, apprentis ou sous-professeurs de l'une des quatorze académies secondaires, scribes des écoles du Viaduc, voire Infravillois rentrant chez eux), le sujet de discussion était le même.

– Pas un, mais deux Dignitaires suprêmes! protestait un analyse-brume (la figure aussi rouge que sa robe) à l'adresse de ses trois compagnons. Absolument incroyable! Les deux ensemble!

– Qui l'eût cru? intervint son voisin.

– Et je vais te dire, ajouta un troisième, son capuchon à carreaux levé, son nez argenté brillant. Voilà qui ne présage rien de bon pour nous tous, à l'École de la brume.

– Oh, tu as raison là-dessus, Pentix, dit le premier, approuvant avec vigueur. Au moins, Linius était des nôtres. Impossible de savoir comment ces professeurs de l'École de la Lumière et de l'Obscurité vont nous traiter.

– Il y aura des changements, affirma le personnage au faux nez d'un ton lugubre. Et vous pouvez parier gros qu'ils n'iront pas dans le bon sens.

Tandis qu'il les doublait, le Chacal des vents secoua la tête.

– Malgré ses tours splendides et ses académies somptueuses, Sanctaphrax déborde autant de malveillance, de complots et de rivalités mesquines que n'importe quel marché aux esclaves des Grands Bois, dit-il, toisant les universitaires avec mépris. Et elle est deux fois plus dangereuse.

– Je ne le sais que trop, Père, répondit Quint avec un sourire attristé. Et pourtant…

– Et pourtant? dit le Chacal des vents.

– Et pourtant, continua Quint tandis qu'ils s'approchaient de la place où était ancrée la Chaîne d'amarrage, avec ses rangées de paniers suspendus, la cité flottante recèle de telles merveilles! Les escaliers du Viaduc, si vivants et si pittoresques, le Quadrilatère de la Mosaïque au crépuscule, lorsque les derniers rayons du soleil illuminent les dalles, et la Grande Bibliothèque !

Quint plaqua ses mains l'une contre l'autre et ses yeux se voilèrent. Perdu dans ses pensées, il ne remarqua plus rien autour de lui. Ni la silhouette encapuchonnée qui passait en hâte, avec quatre fromps muselés au bout d'une laisse, ni la bande de jeunes troglos ploucs qui se louvoyaient dans la cohue, dérobant leurs objets de prix aux universitaires sans méfiance. Il n'entendit pas non plus les appels stridents des Infravillois vendant leurs marchandises à la criée, depuis la lourde quincaillerie jusqu'à la dentelle tape-à-l'œil.

— La Grande Bibliothèque ? dit le Chacal des vents, encourageant son fils à poursuivre.

Quint se tourna, le visage radieux.

— Oh, Père ! Quelle profusion de connaissances ! s'enthousiasma-t-il. Je t'assure, un érudit pourrait passer mille ans dans ses hauteurs… il ne lirait pas le dixième des manuscrits qu'elle contient !

Il se rembrunit.

— Mais elle reste là, fermée, abandonnée…

Le Chacal des vents sourit.

— Je vois que Sanctaphrax t'a drôlement impressionné ! Je croirais entendre Linius, paix à son âme. Il adorait cette cité, en dépit de ses défauts et de ses faiblesses, et il s'efforçait de servir équitablement les universitaires et les Infravillois…

— Bravo, bravo ! lança une voix sur la gauche.

Le Chacal des vents se tourna et aperçut un naboton ratatiné aux favoris grisonnants, vêtu d'une veste élimée, suspendu juste au-dessus du sol dans son panier.

– Linius Pallitax était un excellent Dignitaire suprême, déclara-t-il, et beaucoup d'entre nous, humbles employés, lui devons reconnaissance.

Il fronça les sourcils.

– Vous montez ?

Le Chacal des vents fit oui de la tête.

– Alors, hissez-vous, les invita le naboton avec un geste de la main. Avant que tous ces universitaires se précipitent. Les paniers suspendus valent de l'or aujourd'hui.

Quint grimpa dans le panier à la suite de son père et se cramponna tandis que le naboton desserrait le frein et se mettait à tourner les manivelles. Le panier entreprit sa longue ascension.

– Vous connaissiez donc le Dignitaire suprême ? demanda le Chacal des vents au naboton alors que les rues et les ruelles d'Infra-ville s'éloignaient sous eux.

Le naboton sourit jusqu'aux oreilles.

45

– Et comment, monsieur ! Quand j'étais érudit terrestre.

– Vous ? s'étonna le Chacal des vents.

– Sous-bibliothécaire, c'était là ma fonction, monsieur. Je m'occupais des paniers de la bibliothèque. Puis les érudits célestes ont chassé les érudits terrestres de Sanctaphrax.

Il se racla la gorge et cracha par-dessus le rebord du panier.

– À l'époque, continua-t-il, Linius Pallitax était un jeune professeur d'analyse-brume, mais il a pris mon parti lorsqu'ils ont fermé la Grande Bibliothèque. Et, malgré la pluie de critiques, il a veillé à nous procurer de bonnes places dans la ville, si nous le désirions.

– Remarquable, approuva le Chacal des vents.

– Oui, grâce à lui, je gagne très bien ma vie comme hisse-panier.

Un sourire édenté s'épanouit sur ses lèvres.

– Et je ne rate jamais une occasion d'escroquer ces pompeux érudits célestes !

Le Chacal des vents gloussa.

– Mais pour un noble pirate du ciel comme vous, monsieur, ajouta-t-il, et ami du défunt Dignitaire suprême, le transport sera gratuit.

– C'est très généreux de votre part, dit le Chacal des vents, tirant son chapeau au hisse-panier.

– Quant à vous, dit le naboton, regardant Quint de la tête aux pieds tandis qu'ils arrivaient en haut, vous avez rendu gloire à la Grande Bibliothèque, que la terre et le ciel vous protègent. Je vous remercie pour vos bonnes paroles.

La nuit était venue. Lorsque le Chacal des vents et Quint eurent donné une poignée de main au hisse-panier et pris congé de lui, les allumeurs de réverbères avaient déjà éclairé toutes les lampes qui bordaient la vaste avenue conduisant au cœur de Sanctaphrax. Des flaques de lumière dorée se répandaient sur les dalles rouges, noires et blanches aux motifs entrelacés tandis que, de part et d'autre, les fenêtres des façades illuminaient le moindre édifice, depuis la salle la plus trapue et robuste jusqu'à la tour la plus haute et mince, qui oscillait dans la brise croissante.

– C'est par là, dit Quint, entraînant son père vers la droite, sur un pont cintré, finement ouvragé.

Ils passèrent entre un haut palais, aux longues fenêtres en losange, et un mur courbe, percé d'étroites fentes diffusant une lumière blonde. Des froufrous étouffés se faisaient entendre quelque part loin au-dessus d'eux, et l'atmosphère avait une légère odeur de moisi. Puis, à l'extrémité du mur, où un grincement aigu semblait presque en mesure avec une pulsation sourde et lointaine, Quint prit un brusque virage à gauche, et ils pénétrèrent dans une ruelle sans éclairage. Le Chacal des vents trébucha sur les pavés inégaux.

– Hé oh! Ralentis un peu, protesta-t-il, empoignant le bras de son fils pour s'y appuyer.

Un moment plus tard, il observa:

– Te voici un authentique universitaire de Sanctaphrax, non? Tu as l'air de connaître les lieux comme ta poche. Même de nuit.

Quint hocha la tête, envahi par un élan de fierté. Son père avait raison. Entre les monuments, les bruits et les odeurs de Sanctaphrax, il serait toujours capable de retrouver son chemin. Comme si, d'instinct, ses sens avaient absorbé l'essence de la grande cité flottante.

– Nous sommes presque arrivés, dit-il.

Et en effet, quelques minutes plus tard, ils débouchèrent sur une vaste esplanade. Devant eux se dressait la somptueuse École de la Lumière et de l'Obscurité, rayonnante… et entourée d'une immense foule d'universitaires vociférant.

Posée sur une structure de fines colonnes et d'arcs-boutants, la grande école semblait presque flotter, illusion renforcée par le lac ornemental bordant sa façade. Elle s'élevait gracieusement, étage après étage, tous conçus pour combiner des promontoires emplis de lumière et des niches soulignées par l'obscurité, qui tanguaient et fluctuaient selon la course du soleil et les phases de la lune. L'École de la Lumière et de l'Obscurité jouait ainsi un double rôle de flambeau et de miroir. D'innombrables lanternes embrasées, fixes, éclairaient les murs tout en projetant des ombres épaisses, tandis que les fenêtres, vaste mosaïque d'ouvertures vitrées de cristal piquetant chaque paroi, se divisaient entre celles qui laissaient découvrir l'opulent intérieur et celles qui reflétaient le dehors.

Le Chacal des vents et Quint s'approchèrent de l'entrée, zone où la foule était la plus dense et la plus agitée. Les coups de coude pleuvaient et les éclats de voix fusaient alors que les érudits se bousculaient, se battaient avec leurs voisins. Devant eux, une rangée de gobelins à tête plate – la garde de Sanctaphrax – bloquaient le passage, impassibles, armes immobiles et bras croisés.

Quint s'aperçut que des représentants de toutes les écoles étaient réunis là. Goûte-pluie, scrute-nuages, analyse-brume ; experts des ténèbres, de la bourrasque, de la bruine, de l'aube et du crépuscule, se disputant la meilleure place et rivalisant pour attirer l'attention. Ils brandissaient leur crosse de fonction et des requêtes inscrites sur écorce, chacun voulant à tout prix obtenir une audience avec les nouveaux Dignitaires suprêmes le plus tôt possible... et, surtout, avant l'adversaire.

– Regardez cette atmosphère neigeuse ! tonnait un sous-professeur émacié de l'Institut de la neige et de la glace. Je dois les voir sans délai !

– Qu'il me soit permis d'insister ! hurla le professeur de douceur, dont les robes roses claquaient en tous sens. Il faut que je m'entretienne de ce temps hors de saison avec les vénérables Dignitaires suprêmes...

Alors que le Chacal des vents et Quint s'approchaient, un énorme gobelin à tête plate, ses tatouages et ses anneaux brillant dans la lumière des lampes, sortit des rangs de la garde et leva son épée.

– Universitaires de Sanctaphrax ! lança-t-il. Vous serez tous entendus demain, lorsque la succession du défunt Dignitaire, Linius Pallitax, sera officiellement dévoilée...

– Mais nous connaissons déjà ses successeurs !
protesta l'expert de l'Institut de la neige et de la glace.
Et je dois les voir immédiatement, capitaine Siegfried,
sinon...

– Sinon quoi, Paulus Frileux ?

Siegfried grimaça un sourire lugubre et attrapa le
capuchon blanc de l'érudit dans son poing massif. De
l'autre main, il brandit son arme incurvée.

– Vous... vous... n'oseriez pas, murmura le sous-
professeur tremblant.

– Essayez donc un peu ! gronda le capitaine pendant
que, derrière lui, les gardes avançaient d'un pas et se mettaient à frapper lentement leur bouclier avec leur épée.

Grommelant et jurant, la foule commença de se dis-
perser. Le Chacal des vents et Quint se frayèrent un chemin vers l'entrée de l'école, où Siegfried retenait toujours
le sous-professeur par le collet.

– Tu n'as pas perdu la main, Siegfried, à ce que
je vois, mon vieux rôdeur des Cônes ! rit le Chacal des
vents, tendant le bras.

Le gobelin lâcha le sous-professeur, qui déguerpit
derrière ses collègues, et donna une poignée de main
chaleureuse au pirate.

– Capitaine Chacal des vents, vieux renard du ciel !
Quel plaisir de vous voir. Les professeurs... les Dignitaires
suprêmes, devrais-je dire, vous attendent. S'il vous plaît,
suivez-moi.

Il pivota sur ses talons, leva le poing et tambourina
contre le lourd portail en plombinier. Celui-ci s'ouvrit
aussitôt, et les visiteurs emboîtèrent le pas au gobelin
musclé. Tous trois traversèrent à grandes enjambées le

vestibule sonore, dallé de marbre noir et blanc, passèrent devant un large escalier en colimaçon et continuèrent vers le fond, jusqu'à une haute voûte pointue.

Maintes fois, Quint avait scruté la vénérable école depuis le portail, mais il n'en avait jamais franchi le seuil auparavant. C'était la plus noble et la plus prestigieuse institution de Sanctaphrax : pour un étranger à ces lieux, ne pas être repoussé par la garde du trésor était très difficile, et s'avancer au-delà du vestibule était plus exceptionnel encore.

Émerveillé, Quint suivit ses deux compagnons sous la voûte pointue et déboucha dans un atrium dégagé, si vaste qu'une flottille entière de navires du ciel aurait pu y mouiller à son aise. Des galeries successives bordaient les murs, reposant chacune sur une forêt de minces colonnes cannelées. Elles s'étageaient à perte de vue, reliées par un ample escalier courbe, et un gigantesque dôme les couronnait, illustrant sur sa face concave le thème de la lumière et de l'obscurité.

Ce même thème était répété dans toute l'école. Certaines pièces, avec murs en marbre et lustres en cristal, disposaient d'un éclairage éblouissant, tandis que des salles obscures, habillées de plombinier noir, étaient noyées dans l'ombre. Et partout, tels des écoutinals gris, les universitaires de l'école se déplaçaient sans bruit, absorbés par leurs activités diverses, leurs calculs ou des conversations étouffées.

Ils allaient de salle en salle, murmurant tout bas, ou se rassemblaient par deux, par trois, voire en petits groupes chuchotants. Les uns se précipitaient de-ci de-là, comme occupés par une tâche très urgente ; d'autres, à l'inverse, flânaient, s'arrêtaient même parfois, le regard fixe et les sourcils froncés.

Outre leur robe grise, ils étaient reconnaissables à leur crosse sculptée, caractéristique, dont le pommeau orné contenait une lentille ou une lorgnette. Enfin, il y avait leurs lunettes. Presque tous en portaient plusieurs paires à la fois, une sur le nez, une au sommet de la tête, d'autres autour du cou, à des chaînes ou à des lanières de différentes longueurs : ainsi, très commodément, ils pouvaient en changer, selon les besoins de la salle où ils entraient.

Quelle différence, se dit Quint, avec les universitaires bruyants et comploteurs des autres écoles de Sanctaphrax ! En effet, non seulement l'École de la Lumière et de l'Obscurité était la plus noble de la cité flottante, mais ses érudits étaient aussi les plus réservés, rares à s'engager dans les affaires du dehors.

Néanmoins, maintenant que les professeurs de Lumière et d'Obscurité devenaient Dignitaires suprêmes, tout allait devoir changer, songea Quint.

Ils avaient atteint les salles supérieures, proches du grand dôme, lorsque Siegfried vira soudain dans un long couloir, au bout duquel se dressaient deux immenses portes : l'une noire, l'autre blanche. Siegfried se tourna vers le Chacal des vents.

– Les Dignitaires suprêmes vont vous recevoir tout de suite, dit-il, ouvrant une porte et introduisant le père de Quint.

Son fils s'apprêtait à l'accompagner lorsqu'il sentit le gobelin le retenir par l'épaule.

– Pas vous, jeune homme, gronda-t-il. Prenez un siège là-bas, en attendant votre tour.

Jetant un coup d'œil vers l'endroit qu'indiquait Siegfried, Quint aperçut un garçon dégingandé en tunique pâlie et chausses rapiécées. Il était assis, voûté, sur un banc à droite de la porte. Quint s'approcha et prit place à côté de lui tandis que Siegfried s'éloignait dans l'escalier. Lorsque le bruit de ses pas s'évanouit, Quint rompit le silence pesant qui s'était installé.

– Je m'appelle Quintinius Verginix, je suis l'apprenti de...

Il s'interrompit.

– Euh, je suis l'ancien apprenti de Linius Pallitax.

Et il tendit la main. L'inconnu la considéra d'un œil méfiant, puis regarda par terre.

– Natif de Sanctaphrax, sans aucun doute, dit-il avec un ricanement déplaisant. Étonné que tu prennes la peine de parler à un humble rémouleur d'Infraville comme moi.

– En réalité, dit Quint avec une certaine froideur, mon père est pirate du ciel et je viens moi aussi d'Infraville.

L'inconnu l'observa, plissant les yeux – fentes soupçonneuses.

– Alors que fais-tu ici ? demanda-t-il.

– On m'a convoqué, répondit Quint.

Le ton hostile de cet individu ne lui plaisait pas du tout.

– Mais je pourrais te poser la même question, poursuivit-il.

– Je suis le protégé du professeur d'Obscurité, déclara le garçon, qui se redressa et bomba le torse. J'étais l'insignifiant Vil Malgraine... jusqu'au jour où

j'ai découvert la lunette du professeur, à moitié enlisée dans la boue, vers la Chaîne d'amarrage.

Il sourit, sa mâchoire inférieure s'avançant avec fierté.

– Je l'ai nettoyée, j'ai poli la lentille, apporté quelques améliorations de mon cru, puis je la lui ai rendue. Il a été drôlement impressionné ! Il m'a invité dans ces hautes sphères. Il a dit que j'avais un talent rare, qu'il serait intéressant d'exploiter.

Le garçon se leva pour lisser sa tunique miteuse.

– Et aujourd'hui, annonça-t-il, un sourire de satisfaction vaniteuse s'épanouissant sur ses traits, tu vois le grand Vilnix Pompolnius, futur écuyer à l'Académie de chevalerie… avec, pour mentor, le Dignitaire suprême en personne !

– L'un des deux Dignitaires suprêmes, Vilnix, mon cher, lança une profonde voix grondante. Et dois-je te rappeler encore de ne pas te vanter ?

Quint virevolta. Là, devant les portes noire et blanche, se tenait le propriétaire de la voix, le professeur d'Obscurité, dans une robe noire comme jais, ainsi que le professeur de Lumière tout de blanc vêtu et le père de Quint, le Chacal des vents.

Quint inclina la tête dans un salut respectueux, non sans remarquer la mine renfrognée du garçon.

– Alors, on sympathise déjà ? dit le professeur de Lumière, qui adressa un sourire bienveillant à Quint et à Vilnix. Parfait, parfait.

Vilnix s'avança et inclina la tête avec déférence.

– Oui, monsieur, répondit-il.

– Nous avons une annonce pour vous, déclara le professeur d'Obscurité, dont le regard passa de Vilnix à Quint, et revint au premier. Une annonce importante.

– C'est en effet le jour de rupture des traditions, enchaîna le professeur de Lumière, d'une voix aiguë et flûtée. Non seulement il y a désormais deux Dignitaires suprêmes au lieu d'un, mais nous compterons cette année deux Infravillois parmi les vingt-deux apprentis des écoles de Sanctaphrax choisis pour entrer à l'Académie de chevalerie.

– Vous voulez dire... commença Quint.

– Nous aimerions vous inviter tous les deux, confirma le professeur d'Obscurité. Vilnix, tu seras mon protégé.

– Et tu seras le mien, Quint, dit le professeur de Lumière. Un projet de longue date. Tu as bien servi notre cher ami Linius et tu aurais été pour lui un excellent protégé. Dorénavant, c'est moi que tu rendras fier. Vous porterez tous deux l'honneur de l'École de la Lumière et de l'Obscurité à l'Académie de chevalerie.

– Si vous jugez bon d'accepter, précisa le professeur d'Obscurité.

– Oh, oui, oui, j'accepte! s'empressa de déclarer Vilnix, saisissant la main du professeur et la serrant avec vigueur.

Quint pivota vers son père, le front plissé. Le Chacal des vents s'avança et l'étreignit chaleureusement.

– La décision t'appartient, Quint, dit le capitaine pirate.

– Oh, Père, dit Quint, examinant le visage soucieux de son père. Je fais partie de Sanctaphrax maintenant, et Sanctaphrax fait partie de moi.

– Oui, dit le Chacal des vents, je le vois.

Derrière eux, Vilnix lança un rire sarcastique, coupé court par un regard désapprobateur du professeur d'Obscurité.

– En outre, dit Quint, ce n'est pas uniquement pour l'Académie de chevalerie que je désire rester à Sanctaphrax. J'ai une autre raison.

– Laquelle? demanda le Chacal des vents, explorant les yeux sombres et troublés de son fils.

Durant un instant, Quint se perdit dans les souvenirs. Des souvenirs sinistres. Des souvenirs douloureux. Il croisa le regard paternel.

– Maria, répondit-il.

CHAPITRE 4

Les portes de l'humilité

MARIA ! APPELA QUINT, SAISISSANT LA POIGNÉE ET ouvrant la lourde porte dorée. Maria ! Maria, je...

Il s'interrompit, en croyant à peine ses yeux. Il était dans les anciens appartements luxueux de Linius Pallitax, à l'École de la brume. Mais il n'en restait qu'un vaste couloir plein d'échos et des portes ouvrant sur des pièces désertes. Au beau milieu se tenait un grand échasson au corps translucide, qui marmonnait tristement, seul.

– Gazouilli ? commença Quint d'une voix hésitante. Au nom de la terre et du ciel, que...

– Parties, déplora l'échasson, secouant avec lenteur son énorme tête anguleuse. Toutes les affaires du maître. Ses manuscrits, ses instruments, même son lit... et maîtresse Maria avec. Parti, tout est parti.

– Parti où ? voulut savoir Quint.

– À Infraville, répondit Gazouilli, qui se tourna et posa ses yeux tristes sur le jeune garçon. Ils avaient un document signé de la propre main du maître, ajouta-t-il avec chagrin. Mlle Maria ne voulait pas s'en aller, mais

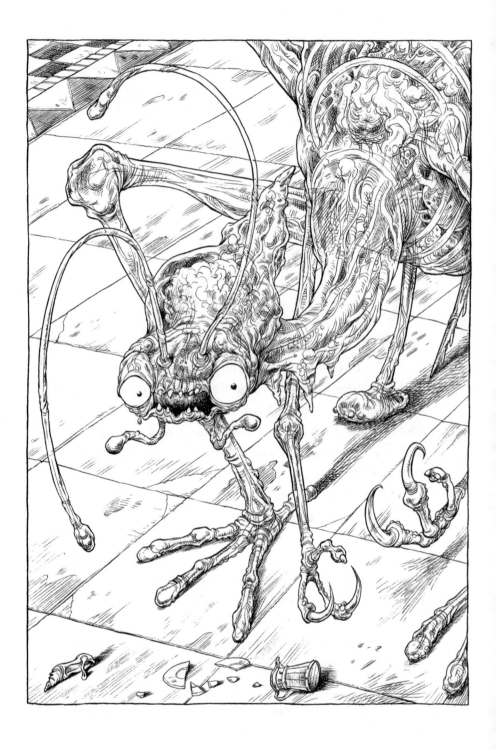

quand elle a vu la signature de son père, elle n'a su que dire. Elle s'est donc mise en route avec eux…

– Mise en route avec qui ? s'emporta Quint. Je ne comprends pas, Gazouilli ! Que se passe-t-il ?

– Gonzague Vespius et sa femme Doria, répondit l'échasson. Lui est un personnage en vue dans la ligue des Fileurs de mèches et Fondeurs de cire. Elle est une cousine éloignée du côté maternel.

– Une cousine, répéta Quint.

– Oui. Toujours à réclamer des faveurs au maître, au nom de sa pauvre, chère épouse défunte, expliqua Gazouilli avec mépris. Très déplaisant. Remarquez, il ne leur a jamais cédé… Jamais, ajouta-t-il après un silence, sauf à l'heure ultime, semble-t-il. Il les a déclarés tuteurs de Mlle Maria…

– Ses tuteurs ? demanda Quint, les sourcils froncés.

– Ils m'ont montré le document, signé de sa propre main, stipulant qu'ils devraient s'occuper d'elle jusqu'à l'âge adulte, continua l'échasson. Ils sont venus à midi, maître Quint. Ils ont tout nettoyé. Le temps que Maria revienne des funérailles de son père, ils avaient presque vidé sa chambre, puis ils l'ont emmenée elle aussi. J'ai tout juste eu le temps de lui dire au revoir…

L'échasson poussa un cri de détresse strident.

– Et ensuite, ils m'ont congédié, d'un revers de la main !

Il fit cliqueter ses griffes.

– Ils vous ont congédié ! s'exclama Quint, scandalisé.

– Irina aussi, compléta l'échasson, hochant la tête avec vigueur. Après toutes nos années au service du maître et de la jeune maîtresse…

– Qu'allez-vous faire ? demanda Quint.

– Oh, ils ne pourront pas se débarrasser aussi facilement du vieux Gazouilli, assura-t-il, féroce. Irina et moi les suivrons à Infraville. Et nous resterons dans le voisinage, afin de veiller sur la jeune maîtresse. Parole d'échasson !... Au fait, ajouta-t-il, tendant à Quint un petit rouleau qu'il serrait dans une de ses pattes antérieures, elle vous a laissé ceci.

Quint regarda l'écriture bien connue au recto et sa gorge se noua, douloureuse. Poussant un soupir, il tira sur le ruban et déroula le message.

Cher Quint, lut-il, *il semble que Père m'ait confiée à la cousine de ma mère, Doria, et à son mari. C'est un gros personnage assez colérique, mais je suis certaine que cette tutelle se justifie, sans quoi Père n'aurait pas pris une disposition semblable.*

Ne m'oublie pas, Quint, maintenant que je ne suis plus qu'une modeste Infravilloise, alors que tu t'apprêtes à devenir noble écuyer à l'Académie de chevalerie. Eh oui, j'ai appris la bonne nouvelle ! Le professeur de Lumière me l'a révélée lors de l'enterrement. Penser à toi, là-haut dans la belle Sanctaphrax, m'aidera beaucoup, si le chagrin que j'éprouve aujourd'hui devait se révéler trop dur à supporter...

En lisant cette phrase, Quint imagina Maria, ses yeux verts pleins de larmes, mais serrant les dents et fronçant les sourcils avec ce fameux air de détermination courageuse. Tandis qu'il reprenait sa lecture, il sentit à quel point sa camarade allait lui manquer.

Ne laisse pas ces écuyers natifs de Sanctaphrax te malmener, Quint, mon vieil ami. Tu vaux plus qu'eux tous réunis. Je parie qu'aucun d'eux n'a jamais combattu le luminard et remporté la victoire !

Je t'écrirai le plus souvent possible.

Ton amie à jamais,

Maria.

Quint roula de nouveau la lettre et l'enfonça dans sa poche supérieure, les doigts tremblants.

Quelle ironie du sort, songea-t-il. Il avait souhaité rester à Sanctaphrax pour être près de Maria, et ce souhait s'était réalisé. Or elle-même se trouvait désormais à Infraville, seule et sans ami, dans les mains d'inconnus.

Linius Pallitax avait-il vraiment voulu cela pour sa fille bien-aimée ? s'interrogea-t-il. Ce choix n'avait pas de sens.

Quint frissonna, envahi par le malaise… ou simplement le froid ? Il n'aurait su le dire. Certes, la pièce déserte était glaciale et, de l'autre côté de la vitre, la neige tombait plus dru que jamais. Tel un majestueux essaim d'abeilles blanches, elle tourbillonnait çà et là au gré du vent capricieux, masquant le paysage, étouffant le moindre son.

Tout à coup, Quint fut tiré de ses rêveries : quelqu'un s'éclaircissait la voix. Il se tourna et découvrit son père debout près de Gazouilli, les bras croisés.

– Viens, mon fils, dit-il doucement. C'est l'heure de faire tes bagages et de te préparer. Demain à l'aube, tu as rendez-vous devant l'Académie de chevalerie.

Le jour se leva, plus froid encore que la nuit à laquelle il succédait : un vent virulent soufflait, aussi tranchant qu'un couteau d'égorgeur. La neige gelée craquait et crissait sous les pieds du capitaine pirate et de son fils alors qu'ils traversaient ensemble la cité flottante. Épaisse et lisse, elle recouvrait la moindre marche, la moindre statue, les moindres dôme, coupole, pont et contrefort, tapis blanc régulier qui uniformisait tout. Qui plus est, de nouveaux flocons continuaient de tomber du ciel gris ardoise.

– Et moi qui affirmais qu'il faisait trop froid pour neiger, commentait un jeune sous-professeur de l'Institut de la neige et de la glace à son collègue plus âgé, tandis qu'ils passaient en hâte.

– Je n'ai jamais rien vu de semblable de toute ma vie, répondit gravement son aîné, à la chevelure aussi blanche que la neige elle-même. Il fait si froid que le mercure des nébulomètres s'est figé.

Au moment où Quint et son père tournaient à l'angle de l'Académie du vent, le mur ouest de l'Académie de chevalerie devint bien visible. Sa roche polie, taillée dans la Falaise même, brillait et scintillait comme si des millions de brasines étaient emprisonnées sous elle. Au centre s'ouvrait une petite entrée devant laquelle s'était formée une file frissonnante de futurs écuyers.

Le Chacal des vents posa une main sur l'épaule de son fils.

– C'est ici que nos chemins se séparent, dit-il solennellement. Si le froid s'accentue, maintenir les roches de vol à la bonne température pour naviguer sans risque sera impossible, or des affaires m'appellent à la Tanière sauvage.

À cet instant, une ombre se dessina sur la place enneigée et, levant la tête, Quint découvrit l'énorme coque d'un navire du ciel, dominant la cime des tours.

– *Le Cavalier de la tourmente*, murmura-t-il. La Tanière sauvage… Je regrette presque de ne pas t'accompagner, Père.

– Allons, Quint. Ton avenir est là, indiqua le Chacal des vents avec un geste de la main. De l'autre côté de cette porte.

Quint regarda l'entrée de l'Académie et acquiesça. De toute évidence frigorifiés, les écuyers battaient la semelle et plaquaient leurs bras contre eux. Vingt et un en tout, ils attendaient patiemment que le robuste portier, en tunique blanche marquée d'un verrondin rouge, leur permette d'avancer. Quint était le dernier.

Ils resteraient à grelotter tant qu'il ne les aurait pas rejoints, il le savait… et pourtant, il avait beaucoup de mal à quitter son père.

Au-dessus de sa tête, une échelle de corde se déroula. Le Chacal des vents l'attrapa et mit un pied sur le premier montant.

– Je dois te dire au revoir, mais avant de partir…

Il s'arrêta, plongea la main dans son grand manteau et en sortit une petite boîte grillagée, contenant un juchoir en ricanier, avec un gros anneau au sommet.

– Pour le cas où tu aurais besoin de moi, mon fils, déclara-t-il.

Quint prit la cage et examina l'intérieur. Une petite créature attachée au juchoir lui rendit son regard.

– Un oisorat, dit Quint.

– Oui, confirma le capitaine. Il vient du *Cavalier de la tourmente*. Si tu as besoin de moi, noue-lui un message à la patte et libère-le. Un oisorat retrouve toujours son navire perchoir, où qu'il soit.

Quint sourit et hocha la tête.

– Fais-moi honneur, mon fils ! cria le Chacal des vents tandis qu'il escaladait l'échelle de corde vers le gréement du majestueux navire.

Une bourrasque glacée refroidit la roche de vol jusqu'au cœur et *Le Cavalier de la tourmente* prit soudain de l'altitude. Sous la cage encerclant la roche, les flammes jaillirent, brillantes, alors que le pilote de pierres se démenait pour maintenir la stabilité du vaisseau. Les voiles se gonflèrent, et le navire s'éloigna dans le ciel gris ardoise.

– Je m'y appliquerai, lança Quint.

– Je m'y appliquerai ! répéta une voix moqueuse derrière lui, et Quint, virevoltant, aperçut Vilnix Pompolnius au bout de la file d'écuyers, un rictus détestable sur les lèvres. Ouais, pour commencer, tu pourrais t'appliquer à ne pas nous faire poireauter, nous autres... Ça pince sérieusement, ajouta-t-il, tu ne l'avais peut-être pas remarqué ?

Les autres écuyers s'étaient retournés et le dévisageaient. Quint sentit ses joues s'empourprer alors qu'il prenait place dans la file. L'écuyer voisin de Vilnix lui adressa un clin d'œil.

– Un père pirate du ciel, dit-il, sifflant entre ses dents et souriant. Je t'envie. Mon père est un vieux ringard de professeur goûte-pluie. Mille fois moins rigolo !

Il s'écarta tandis que Vilnix le bousculait, et rejoignit Quint à l'arrière de la file. Un flot de cheveux bruns, bouclés, tombait sur son grand front et masquait l'un de ses yeux gris-bleu et rieurs.

– Léonidas Mendellix, annonça-t-il, cordial, tendant la main. Mais tu peux m'appeler Léo. Enchanté de te connaître.

– Quint, répondit celui-ci, et il lui serra la main.

– Vous là-bas au fond ! les interpella le portier d'une voix bourrue. Les portes de l'humilité attendent.

Quint et Léo firent volte-face : les autres écuyers étaient déjà entrés, eux seuls demeuraient là.

– En route ! dit Léo avec un sourire, et il se plia presque en deux pour disparaître par l'ouverture basse dans le mur ouest.

– Allez, vas-y, dit le portier à Quint. Et dépêche-toi. Je n'ai pas toute la journée.

Quint s'inclina et pénétra dans ce qui se révéla être un tunnel bas de plafond. Dans son dos, une porte métallique claqua, tandis que, devant lui, Léo et les autres écuyers avançaient tant bien que mal. Le plafond s'abaissa encore, et Quint dut se mettre à quatre pattes. Une minute plus tard, il sortit du tunnel par une issue à peine plus large qu'un trou de fromp, la tête courbée, à genoux.

Il regarda les alentours : il se trouvait dans une grande cour dégagée, couverte, comme le reste, d'une belle épaisseur de neige. D'un côté, parallèle au mur ouest, il y avait une longue rangée de mâts, dont les branches horizontales s'entrecroisaient pour créer une sorte de labyrinthe aérien. C'étaient les arbres à joutes, où les chevaliers en attente et les écuyers s'entraînaient à chevaucher leurs rôdailleurs.

En face se dressaient les murs blancs des Salles inférieures, et derrière eux, plus haute encore, la façade ancienne des Salles supérieures, avec ses poutres et ses linteaux en bois savamment sculpté. À l'extrémité ouest des Salles supérieures, dominant l'Académie entière, la magnifique tour de lancement se dessinait, silhouette brumeuse sur le ciel neigeux. C'était ici que les jeunes chevaliers pratiquaient la descente à dos de rôdailleur, en vue du jour où ils partiraient chasser la tempête.

Autour de Quint, ses camarades écuyers, toujours agenouillés, avaient formé une ligne. Devant eux, malgré l'heure matinale et le froid vif, toute l'Académie de chevalerie s'était réunie pour les accueillir.

D'une part se tenaient les écuyers des Salles supérieures, en capes courtes et en tuniques blanches. Comme ils paraissaient confiants et sûrs d'eux ! pensa Quint. Auprès d'eux, leurs enseignants (les grands professeurs) posaient un regard bienveillant sur les nouveaux écuyers. C'étaient là les plus admirables érudits de l'Académie, tous destinés à occuper un jour une haute fonction dans les autres institutions de Sanctaphrax. Quint savait que, avant d'intégrer l'École de la brume, Linius Pallitax lui-même avait été grand professeur à l'Académie de chevalerie.

D'autre part de la cour enneigée s'agitait la multitude désordonnée des universitaires en armes. Dans leurs longues robes noires, casques et plastrons, portant une panoplie militaire déconcertante, ces membres de l'Académie avaient pour mission de protéger le rocher sacré. Très entraînés, bien équipés, c'étaient de farouches individualistes qui recevaient directement leurs ordres du Dignitaire suprême.

À côté d'eux, les portiers s'alignaient sévèrement au garde-à-vous, leurs clés pendues à leurs épaisses ceintures cloutées. Ignorant le dédain que les universitaires en armes leur témoignaient, ils regardaient droit devant eux, l'air maussade, le verrondin de leur tunique d'un rouge intense sur le décor de neige. Recrutés à Infraville, placés sous le commandement du maître de la Bâtisse du haut nuage, les portiers savaient très bien à quel point les autres universitaires les méprisaient. Leur capitaine, Daxiel Xaxis, restait figé à leur tête, ses traits durs et burinés ne trahissant aucune émotion.

Juste devant les écuyers agenouillés, les treize chevaliers en attente complétaient la hiérarchie des universitaires. Ils étaient armés de pied en cap (avec tout l'équipement étincelant de tuyaux, de soupapes et de cadrans), comme sur le vaisseau funèbre de Linius. La visière de leur casque était soigneusement baissée.

Emplissant la cour, à une distance respectueuse des écuyers, des grands professeurs, des universitaires en armes, des portiers et des chevaliers en attente, les serviteurs des bâtisses, murmurants et impatients, formaient une masse compacte. Les valets d'écurie, les palefreniers et les entraîneurs de la Bâtisse du nuage gris côtoyaient les ouvriers de forge, les charpentiers et les briquelutrins des autres bâtiments. Des domestiques employés à la caserne des universitaires en armes se mêlaient aux mitonne-ragoûts de la Rotonde. Tous (qu'importe leur statut) avaient les yeux braqués sur les écuyers agenouillés devant les portes de l'humilité.

Le silence se fit alors que quatre personnages traversaient la cour. Ils s'arrêtèrent face à Quint et à ses compagnons. Sous les yeux des spectateurs, ils se présentèrent tour à tour aux écuyers.

– Arboretum Brancharquée, annonça le premier d'un ton sec, gobelin arboricole décrépit, à peau tachetée, vêtu d'une robe vert sombre et tenant à deux mains une canne noueuse. Maître de la Bâtisse du nuage orageux.

– Je… je… euh… m'appelle… Philius… marmonna un très vieux personnage, ses yeux étonnamment bleus témoignant de ses longs séjours dans la forêt du Clair-Obscur à chasser la tempête. Philius Braisetin. Maître de la Bâtisse du… du…

– Du nuage blanc, termina le personnage à son côté, professeur aux traits anguleux, en courte cape grise, qui portait une cravache en cuir de tilde. Pour ma part, continua-t-il, je suis Flavien Vendix, maître de la Bâtisse du nuage gris.

Le dernier des quatre professeurs de l'Académie s'avança. Grand, il avait une épaisse barbe blanche et un visage autoritaire, renfrogné. Sa longue cape, en tissu des bois raffiné, était bordée de fourrure de quarm, et il tenait un sceptre élégamment sculpté avec des mesures et des graduations complexes ciselées dans le noirier et les perles de l'Orée.

– Je suis Hax Vostillix, annonça-t-il d'une voix grave et sonore, tout en caressant sa barbe d'une main ornée de bijoux. Maître de la Bâtisse du haut nuage.

À grands pas, il longea les écuyers agenouillés, leur

tête et leurs épaules blanchies par une fine couche de neige.

– Jeunes gens, vous êtes entrés à l'Académie de chevalerie sur vos genoux, par les portes de l'humilité, déclara-t-il. Dans les Salles inférieures, vous apprendrez le travail du bois et des métaux, pratiquerez l'élevage des rôdailleurs et étudierez la navigation. Certains d'entre vous, destinés aux Salles supérieures, embrasseront une carrière de grands professeurs, voire, si le ciel le veut, de chevaliers. Les autres deviendront universitaires en armes et se consacreront à la protection de notre grande cité flottante. Quel que soit votre destin, jeunes écuyers, je vous promets une chose…

Le maître de la Bâtisse du haut nuage leva son sceptre au-dessus de sa tête.

– Aucun de vous ne se mettra plus jamais à genoux devant quiconque. Debout, écuyers de l'Académie de chevalerie !

CHAPITRE 5

La Bâtisse du nuage orageux

L E PROFOND APPEL DU GONG DE L'AUBE RETENTIT, SONORE, dans la Bâtisse du nuage orageux. Il était quatre heures du matin. Quint grogna et se retourna à l'intérieur du petit placard-couchette. Dans le placard juste au-dessous, il entendait Léo qui ronflait encore doucement.

Avec les autres jeunes écuyers, ils étudiaient le travail du bois depuis trois mois maintenant dans la Bâtisse du nuage orageux, sous l'autorité acerbe d'Arboretum Brancharquée, l'irascible maître gobelin arboricole. Certains prétendaient que c'étaient ses articulations douloureuses, marquées par la fièvre de l'écorce, qui rendaient Brancharquée aussi dur et irritable. D'autres affirmaient que son caractère exécrable venait de toutes les nuits passées sur les escaliers du Viaduc, à parier (et à perdre) sur les combats de fromps. Quelle que fût l'explication, Quint n'avait jamais vu le gobelin tacheté de bonne humeur.

– Vous, là ! Écuyer Brise-Bois ! lançait-il dans l'amphithéâtre de menuiserie, sous l'escalier central. Vous

appelez ça une structure de navire? Un fromp malade ferait mieux! Recommencez!

– Écuyer Scie-Émoussée! J'ai vu des souches de pins ferreux moins raboteuses que ça. Ce n'est pas un mât, c'est une horreur! Recommencez!

Même dans son sommeil, Quint entendait la voix rauque d'Arboretum Brancharquée. « Recommencez! Recommencez! » Dans quel but? La réalisation d'une maquette de navire du ciel, parfaite jusque dans ses moindres détails.

– Ça ne me dérangerait pas, avait plaisanté Léo tandis qu'il s'efforçait d'ajuster les minuscules planches du pont de sa maquette, si je mesurais dix centimètres et que je pouvais naviguer dessus!

Par malheur, le maître à l'oreille fine l'avait entendu.

– Un beau jour, avait-il rétorqué, frappant l'ami de Quint sur les doigts avec sa canne noueuse, vous serez ballotté au-dessus de la forêt du Clair-Obscur, dans un chasseur de tempête presque réduit à une épave, et seule votre connaissance approfondie de la construction navale vous séparera d'une mort vivante dans les bois en contrebas. Pour l'heure, arrachez-moi ce pont et recommencez!

L'oisorat poussa un cri assoupi tout en étirant ses ailes rugueuses et se réinstalla sur le juchoir de sa petite cage, posée dans un angle du placard-couchette. Quint se dressa sur son séant et ouvrit les portes. Au-dessus de lui, au-dessous et de chaque côté, d'autres battants pivotaient, et les visages endormis de ses camarades écuyers apparaissaient. Aurélien Tonsor, sa grosse figure gonflée de sommeil, bâilla et frappa à la porte de son voisin. Cyprien Troqueur pointa le nez, ses cheveux noirs aussi ébouriffés qu'un fromp en rage.

– Qu'est-ce que tu veux ? grogna-t-il.

– Le gong de l'aube !

– Déjà ?

– Eh oui, fais passer.

Bientôt, les échelles du dortoir furent pleines d'écuyers, plus ou moins dévêtus, descendant les barreaux, capes, rouleaux d'écorce et sacoches sous le bras. Arrivé en bas, Quint enfila sa cape… et s'aperçut qu'il manquait quelqu'un. Il cria en direction de l'un des placards, loin au-dessus de sa tête :

– Léo ! Léo ! Tu vas être en retard !

La chevelure bouclée de Léo apparut.

– En retard ? bâilla-t-il. En retard pour quoi ?

– Pour l'épreuve de la tempête, idiot ! hurla Quint.

– Par la terre et le ciel ! s'exclama Léo, replongeant dans son placard et en ressortant, à moitié habillé, au bout de quelques secondes. Bien sûr ! C'est aujourd'hui, hein ?

Il dévala l'échelle du dortoir et arriva au côté de Quint.

– À l'amphi de menuiserie ! proclama-t-il, se précipitant dans l'escalier central spiralé, Quint sur ses talons. Et espérons que notre vieux Museau d'écorce sera de bonne humeur, pour une fois !

Ils dégringolèrent l'escalier dans la bousculade générale et s'engouffrèrent sous la haute voûte sans porte qui conduisait à l'amphithéâtre de menuiserie.

Là, parmi les tas de copeaux parfumés, se dressaient de hauts établis et de grands tabourets, des casiers à outils, des tonneaux de tenons et de longs supports extensibles. Vissés au bord des tables, de robustes étaux assujettissaient les navires miniatures des écuyers, tandis que des cordes et des chaînes retenaient de grosses bûches à divers stades d'équarrissage.

Contre les murs se trouvaient le bois lui-même, en immenses piles de toutes formes, tailles et essences, ainsi que les grandes machines insolites destinées spécialement à le façonner. Il y avait des bouveteuses, des cintreuses, des tours et des scies circulaires ondulées ; des mortaiseuses et des découpeuses, des riveteuses et des rabots réglables… De grosses lampes sphériques illuminaient l'ensemble, jetant des ronds d'une lumière crémeuse.

La plupart des écuyers étaient déjà devant leur établi lorsque Léo et Quint arrivèrent, et la tension régnait. Tous savaient que la phase de théorie et de calculs était terminée. Leur rigueur allait être mise à l'épreuve. Après des semaines à sculpter la proue, à ériger le mât, à travailler sur le rapport entre le pont et la coque, à coudre les minuscules voiles en soie d'araignée et à fixer le gréement, le moment était enfin venu pour les jeunes écuyers de découvrir comment leur maquette allait voler.

Car aujourd'hui, c'était l'épreuve de la tempête.

Souhaitant bonne chance à Léo alors qu'il se dirigeait vers son établi, Quint traversa l'amphithéâtre pour gagner sa propre table, où les mâchoires d'un gros étau enserraient son navire, fermement mais délicatement.

C'était un chasseur de tempête classique, identique au vaisseau qui avait transporté le corps de Linius jusqu'au Jardin de pierres. Il avait un mât unique, une haute étrave et une proue pointue, harmonieuse. Le

gouvernail était en ricanier poli ; les planches en carnasse constituant la coque et le pont n'étaient pas plus épaisses que le doigt de Quint. La cage au centre du navire contenait une boule poncée en gâtinier flottant, imitation de la roche de vol, tandis que les poids qui oscillaient sous le gréement, faits de plombinier, avaient nécessité un méticuleux façonnage durant de longues soirées.

Quint caressa la coque et suivit tendrement du doigt les voiles vaporeuses en soie d'araignée. Il fallait reconnaître ce mérite au vieux gobelin irritable, pensa-t-il. Sous son autorité, les écuyers avaient tout appris du fonctionnement et de l'assemblage des navires du ciel. Aujourd'hui, enfin, ils allaient voir s'ils avaient fait bon usage de ces connaissances.

– Pas mal, lança une voix railleuse à gauche de

Quint. Précisons… si l'on veut un navire pour transporter des pins ferreux vers Infraville. Mais que pourrait-on attendre d'un fils de pirate du ciel?

Debout derrière son établi, Vilnix souriait méchamment à Quint. Peut-être parce qu'il se sentait inférieur aux écuyers natifs de Sanctaphrax et qu'il cherchait à détourner l'attention de lui, l'ancien rémouleur ne ratait jamais une occasion de harceler Quint, l'autre étranger. En outre, celui-ci l'avait entendu prétendre fièrement devant Cyprien Troqueur que son père était un puissant ligueur, qui habitait dans un somptueux palais des quais ouest. Quint n'avait rien dit, car il plaignait Vilnix, au fond: malgré ses fanfaronnades et ses flatteries serviles envers ses camarades, personne ne l'aimait.

– En revanche, ceci, déclara pompeusement Vilnix, réglant un poids de la coque sur sa propre maquette, est un véritable chasseur de tempête.

Quint regarda l'établi de son camarade. En matière de modèles réduits, il fallait admettre que Vilnix était, de loin, le meilleur de la classe. Le navire qu'il avait conçu et fabriqué présentait des innovations subtiles, dont un mât inférieur rétractable et des doubles poids sous la coque, qui non seulement augmentaient son potentiel, mais rehaussaient sa beauté. Même Arboretum Brancharquée avait paru impressionné.

– Pas mal, Pompolnius. Pas mal, avait-il lancé. Voyons néanmoins comment il vole avant de nous féliciter, d'accord?

Aujourd'hui, enfin, le moment était arrivé.

Une voix grêle et grincheuse résonna dans l'amphithéâtre:

– Bonjour, écuyers !

Le frêle gobelin arboricole s'avança au milieu de la salle, tapotant le sol de sa canne noueuse. Il promena son regard sur les écuyers, ses yeux sombres aux paupières lourdes ne trahissant rien de ce qu'il pensait. Toutefois, à en croire les derniers ragots, le nombre de pièces d'or qu'il avait perdues dans un combat de fromps la nuit précédente devait venir en tête de ses préoccupations.

– Prenez vos modèles réduits et suivez-moi dans le laboratoire des tempêtes ! glapit-il.

Les écuyers obéirent, bavardant avec fébrilité tandis qu'ils dégageaient les navires des étaux et les emportaient précautionneusement jusqu'à la salle voisine. Comme ils s'approchaient des gros soufflets à pompes (d'énormes sacs de cuir en forme d'accordéon, d'où sortaient des tuyaux effilés), le rugissement du vent que produisaient les appareils enfla, et une odeur de fumée résineuse se répandit.

– Alors, alors, dit Arboretum Brancharquée, prenant place sur une estrade au-dessus des soufflets, du haut de laquelle il voyait tout ce qui se passait. Avant tout, observez le mouvement de l'air, leur recommanda-t-il, et il tira sur un levier à son côté. Prenez-en bonne note.

Aussitôt, un ruban de fumée grisâtre se mêla au courant d'air et, tandis que les soufflets continuaient leur action, il permit de distinguer les tourbillons et les turbulences de l'atmosphère agitée. Quint remarqua que la fumée plongeait au milieu, puis décrivait une spirale vers la gauche avant de revenir tournoyer sans fin au centre, comme de l'eau aspirée par un siphon.

Brancharquée repoussa le levier. La fumée cessa.

– Bien, dit-il. Que l'épreuve de la tempête commence !

Les écuyers formèrent un large cercle sur le pourtour du laboratoire, tenant leur précieuse maquette du bout des doigts, dans leur main gauche tendue. De la main droite, ils ajustèrent avec soin les poids de la coque et la voilure.

Quint regarda en face : Léo luttait avec une bonnette récalcitrante, le front plissé tant il se concentrait. Levant les yeux, il aperçut son ami et lui adressa un pâle sourire. Quint monta les poids de la coque, pour compenser le courant descendant au bord de la tempête miniature, mais déploya davantage le hunier, en raison des vents tourbillonnants plus proches du centre.

Afin de se porter chance, il toucha le talisman autour de son cou et espéra qu'il ne s'était pas trompé dans ses calculs – car s'il

s'était trompé, son mât se romprait au dernier moment. À cet instant, un coude sournois s'enfonça dans ses côtes et le déséquilibra.

– Pardon, je ne t'avais pas vu, dit Vilnix avec un ignoble sourire.

Debout près de Quint, il attachait une trinquette à son mât inférieur rétractable et, pour contrebalancer, augmentait le nombre des poids de la carlingue. Quint se mordit la langue.

– Faites vos ultimes réglages et préparez-vous au lancement ! cria Brancharquée au-dessus d'eux.

Quint regarda la maquette dans la main de Vilnix. Certes, c'était un beau vaisseau, mais l'écuyer avait très mal interprété la fumée résineuse. S'il lançait le navire en l'état, les poids supplémentaires de la carlingue le feraient basculer dès qu'il atteindrait le centre de la tempête.

Quint eut un cas de conscience. Devait-il se taire ? Laisser Vilnix s'humilier après son rude travail ? Il ne l'aimait pas, mais quand même...

– Les poids de la carlingue, chuchota-t-il du bout des lèvres.

– Quoi ? demanda Vilnix, avec un regard ébahi.

– Les poids de la carlingue, répéta Quint. Tu les as mal réglés. Ils feront chavirer ton navire. Si tu les remontes juste de trois crans...

– Je ne tomberai pas dans le piège, ricana Vilnix. Je connais les individus de ton espèce, morveux de pirate du ciel !

Quint se détourna.

– Lancez ! tonna Brancharquée.

D'un même geste, les écuyers lâchèrent leurs navires dans le tourbillon au centre du laboratoire. Ceux-ci foncèrent et tanguèrent comme des frelons de tempête au crépuscule.

Au-dessus des têtes, Arboretum Brancharquée tendait son cou maigre et plissait les yeux en évaluant les performances des vingt-deux vaisseaux miniatures. Plusieurs se brisèrent très vite.

– Coque défectueuse, écuyer Tonsor ! cria le gobelin arboricole.

Un instant plus tard, sa voix irritée couvrit à nouveau le mugissement du vent.

– Gouvernail fendu, Mendellix. Voilà qui vous apprendra à négliger le travail au tour !

Et Quint grimaça, voyant le navire de Léo se fracasser en plein vol.

Les autres évoluaient à des angles bizarres, secoués par la violente tempête miniature, et Brancharquée finissait par indiquer à leurs propriétaires de les ramener grâce à leur corde d'amarrage. Au bout de plusieurs minutes, seuls demeurèrent les navires de Quint et de

Vilnix, qui se rapprochaient de plus en plus du cœur du tourbillon.

Des deux vaisseaux, celui de Vilnix se comportait beaucoup mieux, car son mât inférieur l'avantageait au plus fort du courant descendant. Mais le chasseur de Quint tenait bon, malgré son mât minuscule qui penchait de façon inquiétante. Le jeune garçon osait à peine regarder.

Tout autour de lui, les écuyers, serrant leur propre maquette malmenée, retenaient leur souffle. Quant à Vilnix, la mine triomphante, il ne quittait pas des yeux son beau vaisseau.

Soudain, celui-ci atteignit le cœur de la tempête. Durant un instant, il resta immobile. Une seconde plus tard, les poids de la carlingue montèrent brutalement et retournèrent le petit vaisseau, tel un fromp combattant au bout d'une chaîne. Avec un craquement sonore, le mât rétractable se rompit, le navire tomba comme une pierre et se cassa en mille morceaux sur le sol en pin ferreux.

Il y eut une exclamation générale lorsque le navire de Quint parvint au cœur du malstrom : il plana, gracieux, sans effort, dans le style classique des chasseurs de tempête.

Brancharquée tira énergiquement sur le levier près de lui, et les soufflets s'arrêtèrent dans un râle. Les mains tremblantes, Quint ramena son navire vers lui, avant de jeter un coup d'œil à Vilnix.

– Je suis désolé, lui dit-il. J'ai essayé de te mettre en garde...

Il s'interrompit, choqué par l'expression de haine pure qui déformait le visage de l'écuyer.

– Tu te crois tellement malin, Quintinius Verginix, gronda Vilnix, crachant ses mots. Mais je te montrerai. Tu ne perds rien pour attendre...

CHAPITRE 6

La Bâtisse du nuage blanc

S IEGFRIED SOURIT EN RETOURNANT LE PLASTRON DANS SES grandes mains larges.

— Excellent, dit-il. Belle fabrication. Je n'avais rien vu de pareil depuis la lointaine époque où je vivais dans les Grands Bois.

La forge vibrait au rythme des marteaux et de la chaleur dégagée par les fourneaux rougeoyants. Spontus Vic regarda le capitaine de la garde du trésor, une lueur cupide dans les yeux.

— Impossible de trouver une telle qualité à Infraville, tout simplement, continua Siegfried en secouant la tête. À aucun prix, ajouta-t-il.

Il caressa l'emblème stylisé du carnasse, façonné en relief dans le cuir bruni qui ornait le plastron.

— Oui, je pensais que vous apprécieriez, vous l'ancien gobelin des Grands Bois, dit Spontus, remontant ses lunettes cerclées de métal sur son nez. Vieux motif des gobelins-marteaux, je crois. N'est-ce pas, Gino ?

Il se tut, et fronça les sourcils.

— J'ai dit : n'est-ce pas, Gino ?

L'énorme gobelin moucheté se détourna des enroule-ments de tuyaux et de jauges qui couvraient les murs et le plafond de la forge, comme une sanguinaria métallique.

– C'est exact, Spontus, grogna Gino Biscoto, un sou-rire tordu, édenté, se dessinant sur son visage épais. Mais qu'est-ce qu'un chétif Infravillois griffonneur de rouleaux pourrait bien connaître aux motifs des gobelins-mar-teaux, je te le demande ?

Avec un léger rire strident, Spontus se leva. Petit et frêle, l'armurier à lunettes arrivait tout juste à la ceinture du gobelin moucheté, mais il tendit le bras et lança une tape chaleureuse dans le dos de son collègue.

– Seulement ce que tu m'en dis, Gino, vieux cogneur de métal des Grands Bois. Seulement ce que tu m'en dis.

Les deux armuriers s'esclaffèrent de bon cœur, les gloussements aigus de Spontus se mêlant au gros rire grondant de Gino. Siegfried attendit un peu, puis il s'éclaircit bruyamment la voix.

– Oui, eh bien, reprit-il, posant le plastron avec soin sur la table jonchée de rouleaux, belle fabrication, je le répète. Mais vous connaissant, mes gaillards, vous allez exiger une coquette somme.

Il frotta ses joues mal rasées.

– Quinze pièces d'or, disons ?

Spontus Vic cessa de rire et plissa ses petits yeux sombres derrière ses lunettes cerclées de métal.

– Allons, capitaine Siegfried, déclara-t-il, vous pou-vez faire mieux.

Sous son nez pointu et agité, sa bouche devint une mince ligne dure.

– Gino ici présent a consa-
cré presque une semaine à ce
plastron, uniquement pour
que vous ayez fière allure
le jour du trésor.

Il se tut, pensif, et lorsqu'il s'exprima de nou-
veau, ce fut dans un quasi-
murmure.

– Disons… *cinquante*
pièces d'or ?

– Cinquante ! s'excla-
ma Siegfried, les lourds
anneaux à ses oreilles cli-
quetant alors qu'il secouait la
tête. Voyons, c'est… c'est…

Il se tut. Le plastron était bel et bien magnifique, et
avoir fière allure le jour du trésor lui tenait à cœur. Ce
jour-là, Sanctaphrax tout entière fêtait la victoire des érudits célestes sur les érudits terrestres, victoire obtenue
grâce à l'aide d'une compagnie de fidèles gobelins à tête
plate. Aujourd'hui, leurs descendants gardaient le trésor
contenant le précieux phrax de tempête, et Siegfried
s'enorgueillissait de les diriger.

– Je ne possède pas une somme d'argent pareille,
grommela-t-il.

– Dans ce cas, nous pouvons peut-être trouver un
arrangement ? suggéra Spontus avec un petit sourire
crispé.

– De quelle nature ? demanda Siegfried, reprenant le
plastron et en caressant la surface polie.

– Un marché, déclara Gino avec un grand sourire.

– Précisément, ajouta Spontus. Vous, mon cher capitaine, détenez les clés de la salle du trésor.

– Quelques fragments de phrax, grogna Gino, l'air soudain grave.

– En échange de ce magnifique plastron... commença Spontus, les bras croisés.

– Pas question ! tonna Siegfried, levant l'armure comme pour la jeter à travers la forge.

– Et de cinq modèles identiques, termina Spontus.

Siegfried hésita.

Le phrax de tempête était sacré, si sacré que quiconque – excepté les chevaliers de l'Académie et les gardiens du trésor (les professeurs de Lumière et d'Obscurité) – le profanait rien qu'à le regarder. Les cristaux rayonnants, si lourds dans l'obscurité totale, étaient l'inestimable récompense dissimulée au cœur des grandes tempêtes ; substance scintillante pour laquelle les chevaliers risquaient leur vie lors de leurs courageuses quêtes. Assurément, jamais un quelconque maître de forges ne serait autorisé à en disposer. Pourtant, Siegfried savait que, malgré ce strict interdit, une multitude d'habitants de Sanctaphrax cherchaient, coûte que coûte, à s'en procurer, à pratiquer des expériences, à percer ses fabuleux mystères...

– Quelques fragments ? grommela-t-il.

– De minuscules fragments, sourit Spontus. Qui le saura, Siegfried ? Ce sera notre petit secret. Imaginez donc la superbe allure que vous aurez, vous et vos lieutenants...

– Placide ! Placide !...

Le gobelin gris, petit personnage maigre, remua au creux du nid de paille et de chiffons qu'il s'était aménagé dans le coin le plus reculé de la forge.

– Placide ! tonna Gino Biscoto, dont la voix de stentor fit vibrer les tuyaux et trembler les jauges.

– J'arrive, monsieur le maître de forges, répondit Placide, se hissant sur ses pieds en se frottant les yeux.

– Te voilà, grogna le gobelin moucheté lorsque Placide s'approcha du fourneau central, vers lequel convergeaient tous les tuyaux.

Le colosse saisit le jeune gobelin par le revers de sa tunique miteuse et le souleva de terre. Placide se trouva nez à nez avec la figure mouchetée du maître de forges.

– Écoute donc, morpion, grogna Gino. Ce plastron que tu m'as fabriqué...

– O... oui, bégaya Placide.

– Il faut que tu en fasses cinq autres avant le jour du trésor.

– Mais... mais c'est seulement dans une semaine... protesta Placide. Je n'aurai pas assez de temps...

La voix cajoleuse de Spontus Vic monta jusqu'à lui :

– Eh bien, tu tâcheras d'en *gagner*, mon cher jeune ouvrier de forge, sans quoi tu seras renvoyé à Infraville lors du prochain coup de balai !

Placide frémit. Comme tant d'autres avant lui, il avait quitté les Grands Bois sombres et dangereux pour chercher une vie meilleure à Sanctaphrax, mais n'avait trouvé que détresse et misère. Un hisse-panier amical s'était apitoyé sur lui alors qu'il mourait de faim et l'avait introduit clandestinement à Sanctaphrax ; arrivé là, il avait frappé à la première porte rencontrée en demandant l'asile.

Selon les lois ancestrales de la grande cité flottante, tous ceux qui atteignaient le rocher et demandaient l'asile devaient être accueillis, dans la mesure où ils acceptaient de travailler gratuitement. Au bout d'un an, s'ils n'avaient pas donné satisfaction, ils risquaient l'expulsion lors du coup de balai. Accueilli par la Bâtisse du nuage blanc, Placide avait manifesté son talent : débutant dégourdi, habile forgeron. Néanmoins, il savait que les maîtres de forges, Gino et Spontus, pouvaient le jeter dehors à tout moment.

– Je me débrouillerai, articula-t-il.

Gino le lâcha, et Placide s'effondra sur le sol.

– Voilà un bon ouvrier de forge, sourit Spontus, se tournant pour partir. Oh, Placide...

Son sourire se figea sur ses traits maigres et tirés.

– Pas un mot à quiconque, entendu ?

La chaleur du fourneau central coupa le souffle de Placide, malgré sa lourde visière en cuir de tilde. Il vérifia la gaze de la soufflerie et consulta le thermomètre. Chauffé à blanc dans le foyer, le lingot de métal gris-bleu était prêt : il pouvait le marteler sur la grande enclume à côté de lui. De ses mains gantées, il saisit les pinces et, avec précaution, retira le bloc de métal incandescent.

Midi approchait, mais Placide était bien trop occupé pour remarquer l'heure. Il travaillait jour et nuit dans la forge, sans jamais dormir, sauf en attendant que le fourneau atteigne la bonne température. Deux plastrons miroitants, que décorait un admirable motif de carnasse, reposaient sur la table de polissage dans l'angle, mais ce n'était pas assez. Et il savait que le temps pressait. Il leva son marteau et frappa le bloc.

Clang !

Une pluie d'étincelles jaillit.

Clang ! Clang ! Clang !

Le métal commença de prendre forme sous les coups, mincissant et s'incurvant tandis que son éclat passait du blanc à l'orange, puis devenait rouge vif.

– Quel plaisir de regarder un artisan au travail, dit une voix cassée, très âgée.

Surpris, Placide leva la tête.

Un très vieil universitaire, armé de pied en cap, se tenait devant lui. Sa chevelure blanche évoquait une auréole autour de son visage ridé, tandis que ses yeux étonnamment bleus étincelaient dans la lumière du fourneau.

– Monsieur le maître de bâtisse ! s'exclama Placide, posant son marteau et soulevant sa visière.

– Je t'en prie, dit Philius Braisetin avec un geste de son gantelet, ne t'interromps pas pour moi. Tu dois être l'ouvrier dont les maîtres de forges m'ont parlé...

Le jeune gobelin gris s'empourpra.

– Je m'appelle Placide, monsieur, et je suis fier de servir la Bâtisse du nuage blanc.

– J'en suis convaincu, mon garçon, dit Philius, dont les yeux bleus pétillèrent. Et, en fabriquant ces beaux plastrons, tu nous rends un service bien plus grand que tu ne le soupçonnes...

– Je... je... bégaya Placide, ne sachant que répondre.

– Ah, monsieur le maître de bâtisse, dit Spontus, surgissant soudain au milieu des tuyaux entrelacés. Siegfried a accepté notre petit marché ; vous pourrez prendre livraison dès que Gino et moi aurons terminé ces plastrons... Avec l'aide du jeune Placide, bien sûr.

Derrière lui, Gino jeta un regard mauvais au gobelin gris.

Philius se tourna, et Placide vit un air de confusion voiler ses traits marqués par l'âge.

– Bien... Bien... Vous avez rendu un vieux chevalier très heureux... murmura-t-il, distrait. C'était juste histoire de passer vous voir... Je vais... je vais en salle d'armes... pour un cours magistral...

Spontus sourit.

– Bien sûr, dit-il, doucereux. Si vous le permettez, mon ouvrier vous guidera jusque là-haut.

Il fit volte-face.

– Placide !

Claquant des doigts, il indiqua au jeune gobelin de laisser ses outils et de prendre Philius par le bras.

Placide ôta prestement sa visière et ses gants et, obéissant, accompagna Philius hors de la forge.

– Très… très aimable… murmura le vieil universitaire alors qu'ils s'éloignaient à petits pas. C'est si facile… de se perdre en route…

Le lourd gantelet du maître de bâtisse sur son épaule, Placide quitta la forge, monta une demi-volée de marches et descendit un long corridor. Il entendait la respiration âpre du vieux professeur près de son oreille gauche, en sentait la chaleur. Et, se retournant, Placide le vit observer les alentours (regarder par les fenêtres, scruter les couloirs voisins, consulter les plaques des portes devant lesquelles ils passaient) sans rien reconnaître, semblait-il.

Comme ils s'approchaient de la salle d'armes, un chahut résonna le long du corridor. Lassés d'attendre, les écuyers riaient, plaisantaient, se taquinaient. Placide se demanda comment le pauvre vieux Philius Braisetin (qui n'était même plus capable de trouver son chemin dans ses propres murs) réussissait à mener des cours magistraux.

À cet instant, il entendit un appel discret :

– Il arrive !

Suivirent des pas précipités et des raclements.

Il scruta par le petit hublot de la porte. Les écuyers s'étaient tous rués vers leurs sièges : perchés sur les bancs étagés en surplomb, ils avaient leurs ardoises posées sur les genoux et les jambes pendantes. Saisissant la poignée, Placide ouvrit la porte et pressa le professeur d'entrer.

– Euh... Bonjour... Chevaliers de... euh... marmonna celui-ci, d'une voix sourde et chevrotante.

– Bonjour, monsieur le professeur Braisetin, répondirent en chœur les écuyers sur les bancs.

Dans des cliquetis, le maître de bâtisse se dirigea vers l'estrade à l'avant de la pièce, sans prêter attention aux chuchotements qui sifflaient sous le haut plafond voûté. Il se plaça derrière le lutrin à proximité d'une armure d'aspect très ancien, accrochée à un support branlant.

Placide s'apprêtait à partir. Il était moulu de fatigue et il savait que, pour espérer finir les plastrons, il devait regagner la forge. Mais la fraîcheur du couloir était si agréable, comparé à la fournaise où il travaillait ! En outre, le maître de bâtisse, qu'il n'avait jamais entrevu que de loin à l'heure des repas dans le réfectoire, l'intriguait. Une minute ou deux ne changerait rien, se dit-il.

Sur l'estrade, le professeur semblait se préparer au cours. Il oscillait doucement, de-ci de-là, de-ci de-là, et regardait droit devant lui.

– Hum... Hum... Bien... Euh... Oui... Où en étions-nous donc ?

Il observa l'armure suspendue, comme s'il s'attendait plus ou moins à ce qu'elle lui fournisse la réponse.

– Je... euh...

Placide promena les yeux sur les écuyers. Il en reconnaissait quelques-uns.

Il y avait le gros garçon, avec ses cheveux coupés au bol. Qui s'attirait toujours des ennuis. Comment s'appelait-il ? Aurélien ? Oui, c'était ça. Aurélien Tonsor. Et, à côté de lui, le garçon brun, bouclé, qui plaisantait sans arrêt – Léonidas quelque chose. Et machin Troqueur... Et... Oh, oui, sur le banc juste au-dessus, le jeune écuyer qui, un jour, avait remarqué sa brûlure au bras et lui avait apporté du baume de cicatre. Placide n'oublierait pas cette gentillesse.

Il s'appelait Quint. Il ne ressemblait pas aux autres écuyers, natifs de Sanctaphrax, sûrs de leur place dans le monde et peu généreux avec autrui. Quint, lui, se montrait plein d'égards et de sollicitude envers les domestiques et les employés de la bâtisse ; il avait même du temps pour un modeste ouvrier de forge au bras brûlé. Mais il était le fils d'un capitaine pirate – du moins, selon la rumeur. Il avait navigué loin au-dessus de la Falaise.

Quelles merveilles il avait dû voir ! s'extasia Placide. Quelles aventures il avait dû vivre ! Pas étonnant qu'il soit différent des fils d'universitaires, avec leur tête dans les nuages. Quint, pour sa part, avait volé au-dessus des nuages !

Placide sourit, rêveur. De la salle d'armes lui parvint la voix vieillie du maître de bâtisse.

– Ah, oui… Nous en venons maintenant à l'ouverture du photomètre, que voici, à régler dans le clair-obscur.

Il y eut un tapotement alors que le maître de bâtisse, à l'aide d'une longue baguette en ricanier poli, désignait un levier sous un cadran du plastron.

– Relié aux tuyaux compensateurs, autant extérieurs… *toc toc toc !* qu'intérieurs… *toc toc !* et régulé par la jauge à huile de gâtinier qui, à son tour… *toc !* conduit à l'épaulière et aux poignées de renfort… *toc toc !*

Dans la salle, les écuyers suivaient l'exposé avec plus ou moins de concentration. Certains griffonnaient des notes sur leurs ardoises, certains fronçaient les sourcils et hochaient gravement la tête, tandis que d'autres, semblat-il à Placide, luttaient pour garder les yeux ouverts.

– Et, bien sûr, à cette jonction, notez aussi la conception ingénieuse des gantelets, expliquait Philius. Les doigts ainsi fixés permettent une mobilité maximale… *toc toc toc !* tandis que le pignon de blocage, ici… *toc !* assure, sans effort, le maintien d'une poigne vigoureuse, aussi longtemps que nécessaire…

Énumérant les détails qu'il connaissait par cœur, le vieux chevalier s'exprimait avec aisance, toute hésitation, incertitude et confusion évanouie. Dehors, bercé par son discours sonore et rythmé, Placide se mit à battre des paupières et à dodeliner de la tête.

CHAPITRE 7

La Rotonde

SI NOUS PASSONS MAINTENANT AUX JAMBIÈRES ET AUX genouillères…

Philius Braisetin n'eut pas le temps d'en expliquer davantage : le gong du déjeuner retentit au loin, et les écuyers (ceux qui avaient résisté au sommeil) poussèrent en chœur un soupir de soulagement.

— Euh… ce sera tout… pour aujourd'hui, marmonna le maître de bâtisse, qui posa sa baguette en ricanier et sortit d'un pas traînant.

Bâillant et s'étirant, les écuyers descendirent des bancs étagés ; par groupes de deux ou de trois, ils sortirent eux aussi dans le couloir.

— As-tu saisi ce qu'il nous a raconté ? demanda Léo, se grattant la tête avant de remettre sa casquette.

— Oui, dans l'ensemble, répondit Quint. Tu vois, il s'agit de détourner l'énergie de la foudre. Le chevalier est protégé des effets du clair-obscur par des filtres qui…

— Non, désolé, l'interrompit Léo en souriant. Je ne te suis plus. Mais, à défaut de m'ouvrir l'esprit, le vieux cuirassier réussit toujours…

– Quoi donc ? demanda Quint, rassemblant ses rouleaux de notes et les rangeant dans sa sacoche.

– À m'ouvrir l'appétit ! déclara Léo en riant. Allez, courons au réfectoire, sinon ils videront la charrette à ragoût sans nous !

Ils quittèrent la salle d'armes et Léo s'éloigna à grandes enjambées dans le couloir. Quint s'apprêtait à le suivre lorsqu'il remarqua une silhouette affaissée près de l'entrée. Il se pencha et tapota l'épaule du gobelin endormi.

– Placide ? Placide ? appela-t-il… C'est bien Placide, je ne me trompe pas ? reprit-il après un silence.

Le gobelin gris remua, frissonna et ouvrit les yeux.

– Écuyer Quint ! s'exclama-t-il, se levant d'un bond. J'ai dû m'assoupir ! Combien de temps ai-je dormi ? Quelle heure est-il ?

– Calme-toi, dit Quint. C'est l'heure du déjeuner. Le gong vient de sonner.

Il regarda le jeune gobelin de plus près.

– Placide, tu as une mine affreuse…

– Il faut que je retourne à la forge ! s'écria l'ouvrier, pivotant sur ses talons.

– Pas si vite, s'opposa Quint, résolu, et il lui attrapa le bras. D'abord, tu as besoin d'une assiettée de ragoût et d'un quignon de pain à l'orge. Viens, tu t'assiéras près de moi sur les bancs inférieurs.

Placide laissa Quint l'entraîner vers la Rotonde. Au mot « ragoût », son ventre affamé s'était mis à gargouiller, et il se sentait trop las et faible pour résister. Au bout du couloir, ils entrèrent dans une galerie circulaire, trouée de huit larges baies. Ils s'y avancèrent, passèrent devant l'accès aux Bâtisses du nuage orageux, du nuage gris, et arrivèrent à l'entrée du nuage blanc, où les chevaliers en attente et des domestiques d'autres bâtisses s'agitaient en attendant avec impatience que les battants pivotent.

Voyant le duo s'approcher, Spontus Vic et Gino Biscoto échangèrent un regard et fusillèrent Placide des yeux. Vilnix Pompolnius sortit de la foule et colla son museau contre le visage de Quint.

– Qui est ton petit ami, là? railla-t-il, désignant Placide. Tu sympathises avec des esclaves demandeurs d'asile, maintenant?

– Moi, au moins, j'ai des amis, rétorqua Quint d'un ton glacial, et il poussa Vilnix, qui devint pâle comme un linge à ces paroles.

Au même instant, des verrous coulissèrent: les portiers ouvrirent, l'une après l'autre, les baies de la Rotonde.

Les maîtres de bâtisse entrèrent en premier, traversèrent la salle circulaire et allèrent s'installer à la table haute; les chevaliers, graves et silencieux, ne tardèrent pas à les rejoindre. Puis, frappant contraste, les universitaires en armes chahuteurs s'engouffrèrent par la deuxième baie, tandis que les écuyers des Salles supérieures entraient par la troisième, riant et plaisantant, se bousculant pour trouver des places aux tables du milieu. Enfin, dans un fougueux élan, écuyers, domestiques et serviteurs jaillirent par les quatre baies des Salles inférieures et envahirent les tables basses, se perchant sur leurs bancs comme des oisorats fuyant une tempête.

La grande salle de la Rotonde s'emplit de cris et de conversations alors qu'autour des diverses tables, les différents groupes de l'Académie (depuis les palefreniers qui s'occupaient des rôdailleurs dans la Bâtisse du nuage gris et les préposés aux tours dans les ateliers de la Bâtisse du nuage orageux jusqu'aux brique-lutrins de la Bâtisse du haut nuage) se lançaient dans des débats et des ragots tumultueux.

Seuls les treize chevaliers en attente, assis à la table haute, demeuraient silencieux. Le regard perdu dans le lointain, ils semblaient contempler les expéditions de chasse à la tempête auxquelles ils consacraient leur existence.

Quint et Placide purent s'installer aux tables basses avec Léo, près d'un groupe bruyant de brique-lutrins. Au-dessus d'eux, Hax Vostillix, maître de la Bâtisse du haut nuage, resplendissant dans ses robes violettes brodées de perles des marais, se leva et, de son sceptre, frappa le plateau devant lui.

Le silence se fit dans la Rotonde.

– Du ciel nous venons, le ciel nous regagnerons, entonna-t-il de sa voix grave et sonore. Certes, nous consommons les produits de la terre, mais puissent-ils ne servir qu'à nourrir le ciel dans nos cœurs.

– Le ciel dans nos cœurs ! reprit l'assemblée à l'unisson.

Comme en réponse, la huitième baie de la Rotonde s'ouvrit avec fracas. Il y eut un souffle d'air glacial, un tourbillon de flocons, et deux gigantesques hammels gris entrèrent, tirant un énorme chaudron couvert, monté sur roues, chauffé par un brasero fixé entre les essieux. Derrière le chariot se dandinait le maître queux, troglo plouc massif en tablier blanc immaculé, coiffé d'une haute toque ; vingt nabotons en tunique blanche avançaient dans son sillage, portant sur la tête des corbeilles pleines de pains à l'orge.

– Tout juste sorti du Grand Réfectoire, fourni par une Sanctaphrax reconnaissante ! tonna le robuste troglo plouc. Venez vous servir pendant que c'est chaud !

Les occupants des tables basses et centrales déferlèrent à son appel, et les nabotons se mirent à lancer les pains. Pendant ce temps, les portiers, dans leurs uniformes blancs ornés du verrondin rouge, jouaient des coudes et prenaient des marmites spéciales, qu'ils allèrent déposer sur la table haute. Alors que les écuyers se bousculaient, Quint aperçut Vilnix, le regard tourné vers les maîtres de bâtisse et les chevaliers dispensés de la mêlée, un air de jalousie dévorante sur le visage.

– Allez ! cria un briquelutrin juste devant eux. Pourquoi cette lenteur ? On meurt de faim, nous autres !

Face à la cohue, le maître queux troglo plouc,

haletant, sa grosse figure ruisselante de sueur, luttait avec le solide robinet métallique sur le côté du chaudron. Apparemment, le mécanisme était bloqué.

Le troglo plouc s'évertua.

En vain.

Grognant sous l'effort, il réessaya. Mais le robinet ne bougeait toujours pas.

– Damnation et ciel infini ! s'énerva le cuisinier, saisissant le robinet à deux mains.

Il tira dessus de toutes ses forces, au point que les muscles de ses bras et de son cou gonflèrent et que les veines de ses tempes palpitèrent. Pourtant, il eut beau s'acharner, rien ne se passa.

– Inutile, marmonna-t-il. C'est le blocage complet.

Un faible gémissement de déception parcourut la foule alors que chacun s'étirait pour voir quel était le problème. Le gémissement devint un murmure, qui enfla jusqu'à un rugissement de fureur et de faim mêlées :

– Nourrissez le ciel dans nos cœurs ! Nourrissez le ciel dans nos cœurs !

Le maître queux se tourna, rouge de colère, et vociféra :

– Un ouvrier de forge ! Y a-t-il ici un ouvrier de forge ?

Résonnant sous la Rotonde, sa demande couvrit le refrain d'impatience ; durant une minute où tous regardèrent autour d'eux, le vacarme cessa. Vilnix enfonça son coude pointu dans les côtes de Quint.

– Et ton petit camarade ? lui hurla-t-il à l'oreille. Il est ouvrier de forge, non ?

– Laissez-le passer ! Laissez-le passer ! crièrent les brique-lutrins, et la foule s'écarta pour permettre à Placide de s'approcher du chariot.

Vilnix lui donna un violent coup dans le dos, pour la bonne mesure.

– Monsieur ? dit Placide, abordant le troglo plouc écarlate.

– Je ne comprends pas ce que vous fabriquez toute la journée, là-bas dans votre forge, se plaignit le cuisinier. C'est à vous d'entretenir le chariot. Tu transmettras le message à tes supérieurs ! Ils sont trop occupés à se remplir les poches pour s'en soucier, je suppose...

Essayant d'ignorer la tirade du maître queux, Placide s'agenouilla devant le robinet et suivit du doigt le tuyau conduisant au chaudron.

– Alors ? voulut savoir le troglo plouc, tandis que, dans la salle, les réclamations affamées reprenaient du volume.

– Le raccord semble en parfait état, commença Placide, et le tuyau ne paraît pas abîmé...

– Eh bien, qu'est-ce qui cloche ? tempêta le troglo plouc. S'il n'est pas défectueux, ce robinet, pourquoi refuse-t-il de tourner ?

Placide palpa le tuyau.

– Je n'en suis pas sûr, mais il pourrait s'agir...

– Oh, je n'ai pas de temps pour les hypothèses ! rugit le troglo plouc, soulevant à la fois des hourras et des sifflets.

Il fourra sa grosse tête sous le robinet et scruta l'intérieur.

– Il est cassé, je te dis !

Placide imprima une vigoureuse secousse au tuyau.

– ...d'une grosse bulle d'air... Rien à voir avec un mauvais entretien...

Des profondeurs de l'énorme chaudron sortit une série de gargouillis et de clapotis sonores.

– Cassé, répéta le troglo plouc. Merci à vous tous, dans votre forge… Aaah ! Bbblll-bbblll…

Un flot de ragoût fumant jaillit soudain du robinet et frappa le troglo plouc en pleine figure. Celui-ci recula en titubant, pleurnichard, et s'écroula sur le sol.

– Bbblll… Arrête ce torrent ! gémit-il. Ferme le robinet… Illico !

Placide s'efforça d'obéir, mais le troglo plouc avait si violemment tordu le robinet qu'il était désormais coincé, grand ouvert. Le jeune gobelin ne put que s'écarter alors que le ragoût continuait d'inonder le maître queux et de se déverser par terre.

La foule poussa un gémissement sonore et, abandonnant le chaudron qui se vidait à vue d'œil, fit volte-face et attrapa des miches de pain avant de regagner les tables. Le gros troglo plouc se redressa tant bien que mal et, la figure ruisselante de ragoût, fonça sur Placide.

– Espèce d'ouvrier de forge stupide ! l'insulta-t-il. Bougre d'idiot ! Tu l'as fait exprès !

Et il empoigna Placide dans l'une de ses mains énormes, le maintint bien haut et le secoua en tous sens, comme un bébé rôdailleur l'eût fait d'un chiffon.

– Reposez-le ! ordonna Quint, indigné.

– Le reposer ? rugit le troglo plouc, haussant le ton. Ah ça oui, je vais le reposer !

Sur quoi il lâcha Placide, qui glissa dans la mare de ragoût. Il déboucla son épaisse ceinture en cuir, la retira et la fit tournoyer au-dessus de sa tête.

– Et je vais lui donner une raclée qu'il n'oubliera pas de sitôt ! conclut-il en s'élançant vers le gobelin gris.

Mais Quint fut trop rapide pour lui. Alors que le cuisinier bondissait, il attrapa la lourde boucle en cuivre de la ceinture et la tira fortement sur le côté. Déstabilisé, le troglo plouc glissa dans le ragoût, perdit l'équilibre et s'écroula une nouvelle fois. Quint, le dominant de toute sa hauteur, le menaça à son tour :

– Maintenant, si vous ne voulez pas qu'un écuyer de l'Académie vous donne une raclée que vous n'oublierez pas de sitôt, lança-t-il, les yeux flamboyants de colère, vous allez remercier Placide pour ses efforts et nettoyer toutes ces saletés !

Le troglo plouc geignit.

– Je n'ai rien contre les écuyers, implora-t-il, soudain lâche et servile. C'est ceux de la forge qui ne font pas leur travail correctement, voilà tout…

Quint grogna et jeta la ceinture à côté de lui.

– Viens, Placide, dit-il. Laissons le maître queux faire son propre travail correctement.

Sur ce, tandis que le troglo plouc s'armait d'une pelle, d'un seau et d'un balai à franges pour éponger la mare, ils quittèrent ensemble la Rotonde.

– C'est la deuxième fois que vous m'aidez, monsieur, dit Placide alors qu'ils entraient dans la galerie circulaire.

– Vraiment?

– Oui, monsieur, confirma Placide. Vous m'avez apporté ce baume de cicatre, monsieur. Pour la brûlure que j'avais au bras... D'ailleurs, il a eu un effet du tonnerre, monsieur.

– J'en suis heureux, Placide, dit Quint. Mais je ne veux plus entendre de «monsieur». Nous avons le même âge, toi et moi!

Il sourit.

– Appelle-moi Quint.

– Oh, merci, monsieur, répondit Placide, rayonnant. Euh... Quint. Et si je peux vous rendre service, surtout...

Il s'interrompit.

Quint suivit son regard.

Là devant eux, par la baie réservée aux maîtres de bâtisse, sortaient Philius Braisetin et un chevalier de l'Académie, de dos. Ils entretenaient une conversation discrète. Quint et Placide échangèrent un regard déconcerté. Ce n'était assurément pas le vieux maître tremblotant, désorienté, qu'ils connaissaient tous deux.

– Et selon les rumeurs, Philius, mon vieil ami, disait le chevalier, Hax Vostillix fait surveiller la Grande Bibliothèque.

– Tu es le meilleur chevalier de ta génération, Forlaïus, et comme un fils pour moi, répondit le maître de la Bâtisse du nuage blanc, d'une voix ferme et assurée. Mais si Hax décide d'abattre ses cartes, tu ne pourras pas me protéger ; ni toi ni personne. Il a des alliés puissants.

– Les portiers ? Une bande de laquais parvenus, rien de plus, répliqua son compagnon avec mépris.

– Peut-être, dit Philius, mais ces laquais parvenus sont bien armés, grâce à mes maîtres de forges cupides, et ils cherchent les ennuis.

– Dans ce cas, les chevaliers et les grands professeurs se feront un plaisir de combler leurs attentes ! répondit gravement Forlaïus.

Philius Braisetin secoua la tête.

– Et si c'était précisément le souhait de Hax ? Non, il faut patienter. Je sais combien il t'en coûte, Forlaïus, mais tu dois m'accorder ta confiance en la matière, j'ai encore du travail…

Leurs voix diminuèrent alors qu'ils s'éloignaient dans le corridor. Quint se tourna vers Placide.

– Très étrange… Je n'avais jamais entendu Philius Braisetin s'exprimer aussi clairement, sauf à propos des armures.

– Moi, si, dit Placide, plissant le front d'un air perplexe. Plus tôt dans la journée, quand il m'a parlé dans la forge. Il n'est pas aussi bête qu'il le paraît, vous savez.

Un large sourire s'épanouit sur le visage de Quint, qui tapota l'épaule du gobelin gris.

– Il n'est pas le seul ! lança-t-il en riant.

CHAPITRE 8

Le jour du trésor

APRÈS UNE BRÈVE INTERRUPTION, LA NEIGE S'ÉTAIT REMISE
à tomber sur Sanctaphrax. Les toits, les tourelles, les ponts et les balustrades disparaissaient
sous d'énormes congères rebondies qui, à mesure que les
flocons s'agglutinaient, devenaient plus hautes… et plus
instables. Au final, une légère rafale de vent ou un battement d'ailes de corbeau blanc suffisait à menacer l'équilibre précaire des amas et à provoquer leur chute. Dans la
ville entière, le son mat de la neige tassée heurtant le sol
se faisait entendre – suivi, de temps en temps, par les cris
étouffés de piétons sans méfiance.

Bien sûr, l'ambiance sonore ne s'arrêtait pas là.
Comme toujours, la grande cité flottante produisait sa
curieuse musique aérienne : les percussions et les timbales des appareils météorologiques tintaient et tintinna-
bulaient, le vent sifflait, flûté, dans les étroites rainures
et fissures.

Néanmoins, à cause de la neige, non seulement la
musique était plus douce, mais de nouveaux bruits s'élevaient. L'étrange carillon d'une foule de glaçons géants,
les pas amortis des promeneurs et, plus forts que le reste,

le raclement et le frottement continu des rangées de pelles. En effet, une armée de subalternes des académies et de cantonniers d'Infraville travaillaient vingt-quatre heures sur vingt-quatre pour dégager les rues et les places de Sanctaphrax. Sous l'œil vigilant de gardes gobelins à tête plate, les multiples équipes transportaient la neige depuis le centre, par les ruelles et les avenues, jusqu'au bord du rocher, où elles la déversaient dans le vide.

– Allons, du nerf, la compagnie! aboya un gobelin trapu, sa capuche doublée de fourrure rabattue sur sa tête chauve. Il faut que tout soit déblayé avant l'arrivée du cortège!

La foule hétéroclite de troglos et de gobelins ne souffla mot. La tête baissée, d'épais tourbillons de vapeur sortant de leur bouche, ils poursuivirent leur tâche ardue, voire impossible: enlever toute la neige du Quadrilatère de la Mosaïque, alors même qu'il en tombait toujours des nuages gris sombre.

– Complètement ridicule, se plaignit un naboton à sa voisine, une vieille gobeline à défenses aux jambes arquées. Le cortège! Franchement, je vous le demande! Par un temps pareil!

Il se redressa et fit un grand moulinet du bras.

– De la neige le jour du trésor, observa la gobeline à défenses, avançant tant bien que mal. Incroyable, pas vrai?

– Ça, c'est sûr! appuya le naboton, reprenant son déblayage. Je me souviens de l'an dernier: un beau ciel bleu, à peine une petite brise. Et l'année d'avant, une averse insignifiante, mais il n'y avait jamais eu de neige, pas le jour du trésor.

– Et maintenant, regardez-moi le tableau, grommela un lourd troglo plouc à leur gauche. On aurait pensé qu'ils annuleraient la procession, vu ce blizzard. Ou au moins qu'ils la reporteraient...

– Oooh non, impossible, dit une voix derrière eux.

Se retournant, le naboton, la gobeline à défenses et le troglo plouc découvrirent un écoutinal en tenue misérable, un balai dans ses doigts effilés, qui secouait la tête avec vigueur.

– Lorsque la deuxième lune entre dans son troisième quartier... c'est le jour du trésor. Il en va ainsi depuis le début, et il en ira ainsi à jamais. La tradition le veut, or on ne change pas la tradition...

– Et nous voilà piégés, marmonna le naboton. À pelleter et à suer... De la neige, de la neige et encore de la neige, maudit soit le ciel! ajouta-t-il, le museau en l'air et le poing brandi.

– Maudit soit le ciel? murmura le troglo plouc. Je croirais entendre une parole d'érudit terrestre...

– Peut-être bien, et alors? s'emporta le naboton. Ces érudits terrestres savaient quelques petites choses, si tu veux mon avis...

Le trio retint une exclamation, puis un silence gêné s'installa. Un tel discours était assez fâcheux dans l'atmosphère actuelle de Sanctaphrax, où les érudits terrestres passaient pour des blasphémateurs et des infidèles, mais le jour du trésor (choisi pour commémorer leur défaite), de tels propos pouvaient entraîner les pires châtiments.

Dissimulés par la neige, mais lançant des cris si rauques que chacun les remarqua, une volée de corbeaux

blancs battirent des ailes dans les hauteurs. Les pelleteurs levèrent la tête.

– Là, écoutez-moi ce concert, dit le naboton. Les corbeaux blancs sont aussi malheureux que nous.

– C'est le froid, expliqua l'écoutinal.

– Le froid ? rit le troglo plouc. Mais ils ont un manteau de plumes, non ?

L'écoutinal sourit avec indulgence.

– Je parle des effets du froid sur le Jardin de pierres, précisa-t-il. En temps normal, les rochers y grossissent lentement. Plusieurs années sont nécessaires pour que, devenus assez légers, ils se détachent des colonnes. Nos corbeaux blancs, là-bas, rien qu'en se posant dessus, perçoivent le moment où les roches arrivent au terme de leur croissance et sont prêtes à flotter.

Les autres hochèrent la tête. Tout le monde avait déjà vu la grande colonie d'oiseaux blancs prendre son envol, entonner le « chœur des morts » en croassant à pleine voix et venir annoncer aux universitaires de Sanctaphrax que la récolte des roches flottantes devait commencer.

— Mais, ces jours-ci, poursuivit l'écoutinal, les pauvres créatures ne savent plus où elles en sont. Le temps est si glacial que les roches mûrissent beaucoup trop vite : elles se séparent des colonnes et s'éloignent dans le ciel alors qu'elles sont encore petites. Si ces températures se maintiennent, il ne restera plus de rocher à récolter, notez-le bien.

— D'après la rumeur, il y a d'autres dégâts : les roches de vol des navires deviennent incontrôlables, ajouta une troll jacteuse, dont la longue langue sonore chassait les flocons sur ses yeux globuleux, qui bondissaient au bout de leurs pédoncules.

— Oui, dit la gobeline à défenses. J'ai un frère sur un navire pirate, à l'abri dans les docks flottants. Son pilote de pierre refuse de décoller tant que l'horizon restera bouché.

— Je le comprends ! Ce mois-ci, une demi-douzaine de navires ligueurs ont déjà disparu, observa le naboton.

— Et si les roches de vol deviennent incontrôlables, que va-t-il donc arriver au plus gros de tous les rochers flottants, au nom de la terre et du ciel ? demanda la troll jacteuse.

Pour la seconde fois, le groupe retint une exclamation. Un instant plus tard, comme s'il leur répondait, le rocher de Sanctaphrax fit un formidable écart, qui les envoya rouler à terre. Perdant l'équilibre, le troglo plouc tomba la tête la première dans le tas de neige qu'ils pelletaient.

– Si le gros rocher continue à se refroidir, déclara l'écoutinal, dont les immenses oreilles diaphanes papillonnaient de manière inquiétante, la salle du trésor aura besoin d'un nouvel apport de phrax pour empêcher la Chaîne d'amarrage de se briser, ce qui signifie tôt ou tard une expédition de chasse à la tempête !

– Ohé ! Vous, là ! brailla le surveillant à tête plate. On vous paie pour déblayer la neige, pas pour jacasser comme un troupeau de matrones gobelines !

Le troglo plouc se releva, rejoignit ses camarades et, sans rien dire, l'équipe de pelleteurs reprit son travail monotone. Le Quadrilatère de la Mosaïque était dans leur dos maintenant et, tandis que le gobelin à tête plate aboyait ses ordres, ils continuèrent de balayer, de racler et de déblayer devant le Collège de la pluie, en direction du rebord du rocher.

– Attention, là-bas en dessous ! cria le troglo plouc au moment où ils poussaient dans le vide le gros amas de neige tassée.

Non que cet avertissement eût changé grand-chose si un malheureux Infravillois était passé à l'instant où l'énorme bloc s'écrasait. Par chance, personne ne fut blessé, cette fois-là du moins…

Dans les hauteurs de Sanctaphrax, le Quadrilatère de la Mosaïque grouillait d'universitaires qui, malgré le temps, venaient assister au spectacle annuel. Tous frissonnaient et piétinaient sur place, professeurs, apprentis, domestiques, écuyers, leurs robes classiques aujourd'hui doublées de fourrure ou garnies de chiffons, selon leur statut, pour faire barrage au froid pénétrant.

Partout, les capuches et les couvre-chefs présentaient des oreillettes et des cache-nez de taille et de forme extravagantes. Un groupe d'universitaires débutants de l'Institut de la neige et de la glace arboraient d'immenses turbans, serrés autour de leurs têtes ; les sous-professeurs de l'École du grésil, eux, préféraient des toques hirsutes en peau de hammel, avec lunettes teintées et moufles en fourrure de fromp. Les plus exotiques étaient les « bonnets fourneaux », chapeaux spécialement conçus qui comprenaient un poêle à gâtinier miniature et des chauffe-oreilles.

Les cantonniers avaient déneigé les lieux très peu de temps auparavant, mais les flocons tombaient si dru qu'ils avaient déjà recouvert en grande partie le motif compliqué de la mosaïque, avec ses cercles concentriques et ses éclairs zigzagants. Côté sud, des bruits de pas se firent entendre : une file d'écuyers vêtus d'élégants manteaux longs et coiffés de casques en argent poli, escortés par une escouade de portiers dans leurs habituelles tuniques blanches, ornées du verrondin, pénétraient sur la place, en formation sévère.

L'annonce de leur arrivée se répandit dans la foule des spectateurs qui, chuchotant très fort, se poussaient du coude et les montraient du doigt.

– Regardez, les écuyers de l'Académie de chevalerie !

– Que le ciel les préserve !

– Si ce froid persiste, nous aurons besoin du maximum de chevaliers pour la chasse à la tempête.

Au milieu du premier rang, Quint regardait droit devant lui et s'appliquait à marcher en cadence. Dans son dos avançaient les écuyers des Salles inférieures et supérieures, ainsi que les domestiques des bâtisses, puis venaient les chevaliers en attente, qui défilaient avec raideur dans leur armure rutilante et s'attiraient les regards et les murmures du public.

Léo était à côté de lui, la tête haute et le dos droit ; Aurélien, Cyprien et Vilnix complétaient le rang. Du coin de l'œil, Quint voyait les yeux sombres et méfiants de l'ancien rémouleur scruter la multitude, une curieuse expression (dédain et méfiance mêlés) distordant ses traits maussades.

Quint s'efforça de l'ignorer. Après tant de semaines cloîtré, sortir de l'Académie était bien agréable, et même si le casque en argent bruni pesait lourd et le gênait, même si le long manteau menaçait à tout moment de le faire trébucher, il sentait son cœur se gonfler de fierté alors qu'il se dirigeait, au milieu de ses compagnons, vers l'angle de la place. Quel contraste avec sa découverte de la cérémonie, l'année précédente !

À cette occasion, Maria et lui étaient demeurés en retrait. À l'époque, ils fréquentaient l'école de la Maison-Fontaine. Ils s'étaient confondus avec les autres spectateurs, et personne ne les avait remarqués. Aujourd'hui, en revanche, Quint devait se tenir au garde-à-vous près de l'entrée pyramidale du trésor, parmi les écuyers de l'Académie, tous les regards braqués sur lui.

Il éprouva une soudaine culpabilité en pensant à Maria, privée de toute la fête, dans une lointaine maison d'Infraville. Près de lui, ne soupçonnant rien de ses états d'âme, Léo affichait un sourire à la fois fier et ravi, un œil masqué par une mèche rebelle s'échappant de son casque.

– Académie, halte ! ordonna Hax Vostillix de sa voix grave, à l'arrière. Formez les rangs !

Les écuyers tournèrent et, bâtisse par bâtisse, s'alignèrent près de l'entrée ; Quint constata, déçu, qu'il était désormais relégué au dernier rang, obligé de se hausser par-dessus les épaules des écuyers plus anciens pour apercevoir quelque chose.

Derrière eux, l'assistance se pressait et les poussait dans le dos, tendant elle aussi le cou, afin de ne rien perdre du spectacle. Quint sentit alors une main tirer sur son manteau ; il la chassa, mais elle revint aussitôt à la charge, plus insistante.

– Maître Quint ! appela quelqu'un. Je ne me trompe pas, si ? Maître Quint !

Faisant volte-face, Quint se trouva nez à nez avec une silhouette bien connue. Trapue et rondelette, avec un petit nez caoutchouteux et des lèvres gercées, elle portait une grosse pelisse et son éternelle charlotte à volants. Mais si Quint n'avait pu examiner son visage affable aux yeux pétillants, le petit minaki perché sur son épaule, remuant une queue rayée, lui aurait permis de la reconnaître immédiatement.

– Irina ! s'écria-t-il, et il tomba dans la chaleureuse étreinte maternelle de la nounou troll.

Le minaki poussa des cris aigus et se mit à bondir sur place, en tirant sur sa laisse. Quint sourit.

– Et Câlinou, dit-il, le chatouillant derrière les oreilles. Comment allez-vous, tous les deux ?

– Nous nous portons d'autant mieux que nous te voyons, répondit Irina, forçant sa voix pour couvrir les jacasseries du minaki. Oh, mais que de bouleversements, s'empressa-t-elle d'enchaîner, alors que Léo et Aurélien se retournaient pour voir ce qui se passait. Gazouilli et moi avons pris un meublé au dernier étage d'une quincaillerie tenue par une charmante famille de gobelins à œil rose. Gazouilli vend des teintures et des potions sur les escaliers du Viaduc, et moi… oh, je fais un peu de ménage ici et là, je lave du linge. Rien de trop éprouvant. Juste de quoi joindre les deux bouts…

– Et Maria ? demanda Quint, sentant que les écuyers des Salles supérieures les observaient à leur tour.

– C'est la raison de ma venue, expliqua Irina d'un ton pressant. Sa marâtre de cousine, Doria, la surveille en permanence…

Son visage se plissa de dégoût en prononçant ce prénom.

– Mais j'ai réussi à lui glisser quelques mots lorsqu'elles sont sorties sur la place du marché la semaine dernière, dit-elle, plongeant la main dans les replis de son manteau. Elle m'a recommandé de ne pas m'inquiéter, et de te donner ceci.

Elle lui tendit un rouleau, sur lequel Quint lut son propre nom, dans l'écriture pointue de Maria.

– N'a-t-elle rien dit d'autre ? demanda-t-il.

Irina secoua la tête et lui confia la lettre.

– Tiens, dit-elle, et maintenant il vaut mieux que je file. Avant que l'un de ces nobles écuyers s'indigne qu'une mémé troll dépenaillée engage la conversation avec un jeune homme tel que toi, futur chevalier de l'Académie.

Elle sourit, lui lança un clin d'œil et lui donna une brève poignée de main.

– Que la terre et le ciel te gardent, chuchota-t-elle.

Quint n'eut pas même le temps de la saluer : elle avait déjà disparu dans la foule.

– Qui était-ce ? railla Vilnix. Ta vieille nounou ? Inquiète que son petit chéri puisse attraper mal dans cette neige… ricana-t-il.

– Tais-toi, Vilnix, ordonna Léo en le dévisageant avec colère.

Quint lui prit le bras.

121

– Laisse-le, Léo, il n'en vaut pas la peine.

– Dites donc, les gars, lança une voix dans la rangée devant eux.

Un écuyer des Salles supérieures s'était tourné pour leur faire face. Grand, dégingandé, il avait les dents un peu en avant et de petites lunettes ovales.

– Vous ne pourriez pas mettre la sourdine, parce que notre joyeuse cérémonie antique va commencer, alors vous ne voudriez pas rater le rituel, je pense ?

Vilnix se figea au garde-à-vous, tandis que Léo regardait par terre, rouge de honte et marmonnant. Quint sourit d'un air d'excuse.

– Pardon, une vieille amie venait juste me souhaiter bonne chance, expliqua-t-il.

– Je comprends, répondit l'écuyer, aimable. Vous êtes les nouveaux, exact ?

Quint et ses camarades hochèrent la tête.

– J'espère que certains d'entre vous nous rejoindrez vite dans les Salles supérieures. Rodérix Émilius, se présenta-t-il. Enchanté !

L'écuyer tendit une fine main osseuse.

Quint la prit et tressaillit, étonné par sa poigne vigoureuse.

– Quint Verginix.

– Eh bien, Quint, dit Rodérix Émilius, voici les gardes du trésor, alors si toi et tes copains vous haussez sur la pointe des pieds, vous apercevrez peut-être le sommet de leurs têtes... Ma parole, quels plastrons splendides ! ajouta-t-il en se retournant vers le spectacle.

Au même instant, des trompettes sonnèrent, et tous les yeux se fixèrent sur l'entrée du trésor, devant laquelle un char embelli venait de s'arrêter. Un rôdailleur encore plus embelli le tirait : son harnais était incrusté de joyaux, une plume violette flottait, et un parapluie oscillant, noir et doré, le protégeait de la neige.

Quatre énormes gardes à tête plate l'escortaient, resplendissants dans leurs armures, toutes identiques, les carnasses en argent de leurs plastrons brillant dans la lumière neigeuse. L'un d'eux ouvrit la portière du char et s'inclina très bas tandis qu'un petit professeur en robe gris sombre, un chapelet de lunettes et de lorgnons autour du cou, en descendait. Comme l'exigeait la tradition, les Dignitaires suprêmes jumeaux, les professeurs de Lumière et d'Obscurité, avaient envoyé leur représentant, le « subrogé Dignitaire suprême », afin qu'il pénètre dans le tunnel et s'aventure dans le dangereux nid de pierre.

Suivant la règle établie, l'universitaire frappa vigoureusement à la porte avec sa crosse – un coup, deux coups, trois coups – et le capitaine de la garde, Siegfried en personne, l'accueillit. Lui aussi arborait un magnifique plastron, qu'il exhiba à la foule en gonflant sa poitrine tandis qu'il indiquait solennellement au subrogé Dignitaire suprême et à ses gardes d'entrer. Alors que tous disparaissaient à l'intérieur, une clameur s'éleva, et la devise « Confiance au ciel ! Confiance au ciel ! » résonna d'un bout à l'autre du Quadrilatère de la Mosaïque.

Avec un cliquetis mat et métallique, la lourde porte en pin ferreux se referma, et la foule resta un moment silencieuse avant de songer à partir. Les rires et la gaieté de l'édition précédente faisaient défaut.

La célébration du jour où le rocher de Sanctaphrax avait reçu son premier lest de phrax était en général synonyme de joyeux vacarme. Mais cette année, à cause de la neige et de la température qui dégringolait alors que la lumière déclinait, l'atmosphère était morne. Les universitaires regagnèrent en pataugeant leurs écoles et leurs instituts, impatients d'échapper au vent glacial et aux flocons tourbillonnants.

– Académie ! Rompez ! ordonna Hax Vostillix d'une voix de stentor.

Pendant que les rangs d'écuyers se dispersaient, Quint aperçut le maître de la Bâtisse du haut nuage, dans une robe en fourrure de tilde d'une blancheur parfaite, encadré par les autres maîtres de bâtisse. Derrière lui, telles des statues, se tenaient les chevaliers, la visière baissée de leurs casques leur donnant un air mystérieux et absolument sinistre.

– Au gong du soir, banquet dans la Rotonde ! annonça Hax par-dessus les têtes des écuyers bavards. Soyez à l'heure !

Il quitta le Quadrilatère (maintenant couvert d'un épais tapis neigeux) à grandes enjambées, suivi par Arboretum Brancharquée, Philius Braisetin et Flavien Vendix, le maître de la Bâtisse du nuage gris. Avec raideur, les chevaliers en attente leur emboîtèrent le pas.

– Bien, dit Rodérix Émilius, rajustant ses lunettes, nous sommes libres pour le reste de l'après-midi, mes chers écuyers. Puis-je proposer une distraction ?

Il s'agenouilla et prit une poignée de neige.

– Les Salles supérieures contre les Salles inférieures !

Poussant des acclamations, les écuyers se précipitèrent de part et d'autre de la place, et s'employèrent à préparer leurs munitions. Soudain, les boules de neige jaillirent en tous sens, les deux camps se bombardant dans la lumière grisâtre.

– Attention, Léo ! hurla Quint alors que son ami essuyait trois tirs directs dans la poitrine.

– Attention toi-même ! répliqua Léo rieur, se baissant pour ramasser la neige à deux mains… et recevant une boule en pleine figure.

– À la charge ! cria Quint, courant vers Rodérix et les écuyers des Salles supérieures. Pffiou ! Ouaou ! Hi hi hi hi !

Frappé par un tir nourri, riant aux éclats, il tomba sur les genoux, mais les écuyers des Salles inférieures avaient déjà encerclé leurs collègues des Salles supérieures. Et, sur le Quadrilatère entier, les hourras et les cris résonnèrent tandis qu'ils les immobilisaient sous leurs projectiles.

Enfin, trempés et fourbus, les écuyers prirent le chemin du retour, pouffant, plaisantant, le cœur en joie.

– J'aime bien ton style, Quint Verginix, dit Rodérix Émilius, lui lançant une tape dans le dos alors qu'ils arrivaient à l'angle du Collège de la pluie. Vous avez livré une sacrée bataille, toi et tes copains !

– Merci, Rodérix, répondit Quint, en essayant d'empêcher ses dents de claquer. Tu t'es plutôt bien défendu.

– Je t'autorise à m'appeler Rod, déclara le grand écuyer en riant, puisque je nous considère désormais comme des amis. C'est valable pour toi aussi, Léo.

– Je suis très honoré, Rod ! répondit Léo, avec une courbette mimant la solennité. Et, pendant que tu y es, tu pourras me garder une place dans la file d'attente au réfectoire !

– À propos ! s'écria Quint, accélérant. Le gong du soir va bientôt sonner. Nous ferions mieux de nous dépêcher, si nous ne voulons pas être en retard pour le banquet !

Ce soir-là, tandis que les rires et les chants des écuyers fêtant le jour du trésor fusaient des tables combles de la Rotonde, Quint partagea un festin avec ses trois amis : oiseau des neiges rôti et tourtes de tilde. Assis à sa droite, Léo, toujours élogieux et souriant, complimentait Placide, le gobelin gris, sur la magnificence des plastrons qu'il avait fabriqués pour les gardes du trésor.

– Chuuut ! dit Placide en souriant, ravi. L'affaire devait rester secrète ! Je ne voulais rien en révéler, écuyer Léo ! Je le jure !

– Au meilleur ouvrier de forge de l'Académie ! déclara Léo, une chope de bière des bois dans la main.

À la gauche de Quint, Rodérix, l'écuyer des Salles supérieures, se joignit aux rires.

– Si seulement j'avais su quelle bonne compagnie vous faites là, je serais venu plus tôt. À ta réussite, Placide ! souhaita-t-il, levant sa chope.

– Merci, monsieur l'écuyer Rod, dit Placide, radieux, répondant à son geste.

Quint sourit et les imita.

– À nous tous ! lança-t-il, jovial.

Là-bas dans le coin, courbé sur son assiette, Vilnix Pompolnius fusillait les joyeux drilles du regard. Ils se croyaient tous supérieurs à lui – tous, même ce petit ouvrier de forge arriviste. Il le lisait dans leurs yeux. Surtout ce morveux de pirate, Quint.

Eh bien, il allait leur montrer. Il allait leur montrer, à tous.

Il avait évité cette stupide bataille de boules de neige, organisée par le prétentieux écuyer des Salles supérieures... Rod ! Quel nom ridicule !

Vilnix sourit en cachette. Au lieu de lancer des boules de neige comme un petiot écervelé, il avait visité les tours du Viaduc – plus exactement, une certaine tour. Celle qui avait un squelette de cisailleur pendu au-dessus de l'entrée. La petite excursion s'était révélée fort utile...

Il tapota sa poche, puis leva sa chope de bière avec un ricanement sarcastique.

– À vous tous !

CHAPITRE 9

La Bâtisse du nuage gris

QUINT N'ARRIVAIT PAS À DORMIR. DEHORS, UN VENT glacial hurlait entre les tours et les tourelles de Sanctaphrax, comme un furieux loup à collier blanc, secouant les vitres et menaçant d'arracher les volets et les stores à leurs fixations. À l'intérieur de son placard-couchette, Quint aurait dû être bien au chaud. Mais il avait eu beau fermer la porte en ricaner avec grand soin et ramener sa couverture en duvet d'oiseau des neiges au-dessus de sa tête, il sentait toujours le courant d'air froid qui montait par l'escalier central.

Légers et délicats, les édifices de la grande cité flottante n'avaient pas été conçus pour résister à un froid hivernal aussi intense. Incapable de s'arrêter de trembler, Quint renonça au sommeil avant l'appel du gong et, le regard trouble, entreprit de s'habiller.

Il glissait les bras dans sa tunique à manches longues lorsqu'il entendit un froufrou. Il se figea. Le froufrou cessa. Ce n'était sans doute que le petit oisorat, pensa le jeune garçon.

Se penchant dans l'obscurité, il chercha sa lampe, l'alluma et la leva. Mais la créature dormait tranquillement dans sa cage, la tête rangée sous son aile pelucheuse. Perplexe, Quint suspendit la lampe à son crochet pour finir de s'habiller, mais le froufrou recommença. Cette fois-ci, Quint comprit d'où venait le bruit.

Il plongea la main dans la poche latérale de sa tunique, et gémit. Là, toujours maintenue par un ruban noir en soie d'araignée, se trouvait la lettre de Maria, qu'il n'avait ni ouverte ni lue.

— Par la terre et le ciel, marmonna-t-il. Comment ai-je pu l'oublier ?

De la cage sortit un doux roucoulement interrogateur. Quint se retourna vers le minuscule oisorat, qui pointait maintenant son museau effilé et humait l'air.

— Oh, Grignotin, dit Quint en poussant un petit morceau de pain à l'orge entre les barreaux. Je n'ai pas repensé un instant à Maria. Quel bel ami je fais !

Déroulant la lettre de ses doigts à moitié gelés, Quint l'approcha de la lumière jaune et se mit à lire.

Cher Quint,

Il fait si froid, ici à Infraville, que j'ai du mal à ne pas trembler en t'écrivant ces lignes. Mon tuteur, Gonzague, est d'une extrême avarice : un seul feu de cheminée par jour, et un petit, dans leurs appartements privés, à lui et à Doria. Nous autres (Grisépi le cuisinier, la petite servante nabotone qui pleure tout le temps, Bul le vieux majordome gobelin et moi) sommes condamnés à grelotter !

Je sais que je ne devrais pas être ingrate, Quint, mais cet endroit est d'une telle tristesse, d'un tel ennui ! J'ai une chambre terne et exiguë, des fenêtres à barreaux. Gonzague et Doria sont si obnubilés par la sécurité qu'ils tiennent presque toutes les portes verrouillées ! Je te jure que, la nuit, ils m'enferment entre mes quatre murs. Je suis certaine d'avoir entendu une clé dans la serrure après avoir éteint ma lampe. Où donc s'imaginent-ils que je pourrais m'enfuir ?

Le seul avantage de ma chambre, c'est la vue qu'elle offre sur la place du marché, le long des quais ouest. Presque chaque jour, je salue Irina de ma fenêtre, ou je l'appelle, mais je dois prendre mes précautions, parce qu'une telle attitude ne sied pas à une fille de Dignitaire suprême, selon Doria.

Père me manque tant, Quint, ainsi que notre existence d'autrefois, là-haut à Sanctaphrax. Quelles aventures nous avons vécues ! Ici, Doria me surveille en permanence, et je reste désœuvrée dans ma chambre ou près de son fauteuil, quand de vieux ligueurs rasoirs et leurs femmes viennent en visite. Je dois faire la révérence, parler uniquement lorsqu'on s'adresse à moi (c'est-à-dire presque jamais), écouter les interminables récits de Gonzague…

Tu n'imagines pas les histoires qu'il raconte, Quint. À l'entendre, on croirait qu'il était l'ami de confiance de Père, que celui-ci ne faisait rien sans le consulter d'abord. Évidemment, ce ne sont que des vantardises, de purs mensonges, mais je sais que, si je m'avisais d'ouvrir la bouche, il perdrait son sang-froid et donnerait libre cours à l'une de ses colères, colères qu'il passe en général sur les domestiques.

L'autre jour, il a piqué une crise, pour la simple raison que je refusais de signer un document ridicule qu'il me fourrait sous le nez. Père m'a recommandé de ne rien signer avant de lire, ce que j'ai dit à Gonzague. Il s'est fâché tout rouge (au sens propre), mais je n'ai pas cédé, alors il est parti comme un ouragan et il a déclaré à Doria que je devais rester cloîtrée une semaine dans ma chambre. Quelle brute épaisse !

Mais écoute-moi, à me plaindre sans cesse ! Comment vas-tu, toi, Quint, là-haut à l'Académie de chevalerie ? Je parie que tu auras une allure splendide, dans ta tenue d'écuyer, le jour du trésor ! Te souviens-tu de l'an dernier ? Cela paraît si loin… Ne m'oublie pas, Quint, et tâche de m'écrire un mot à l'occasion, quand tu auras une minute.

Je dois te quitter, parce que le maître des Ligues vient voir Gonzague, qui exige que j'assiste à la rencontre – bon, au moins, je pourrai me tenir près du feu et me réchauffer un peu !

Je glisserai ma lettre à Irina sur la place du marché dès que le vieux face de fromp me laissera sortir.

Ton amie,

Maria

Quint enroula la missive et renoua soigneusement le ruban en soie d'araignée. Il n'aimait vraiment pas le portrait que Maria faisait de ses tuteurs. Il regarda l'oisorat grignoter le pain.

Devait-il prévenir son père ? se demanda-t-il.

132

Il attrapa sa sacoche en cuir de tilde, contenant ses rouleaux d'écorce et son encrier, puis il hésita. Au fond, que dirait-il ? Maria ne peut pas beaucoup sortir ? Ses tuteurs sont trop avares pour chauffer correctement leur maison ? Ils tiennent leurs portes verrouillées ?

Peut-être qu'il valait mieux attendre – aller voir Maria et ses tuteurs, en premier lieu, avant d'inquiéter le capitaine pirate. Entre-temps, Quint enverrait à son amie une longue lettre, pleine d'informations, pour la réconforter...

Toc ! Toc ! Toc !

– Hé, Quint ! Es-tu réveillé ?

C'était la voix de Léo, qui montait du placard-couchette au-dessous.

Quint se pencha et ouvrit la porte ; une bouffée d'air glacé le fit claquer des dents.

– Je m-m-m'apprêtais... à écrire une l-l-lettre... avant que le g-g-gong sonne... expliqua-t-il, pris de frissons irrépressibles.

Léo sortit de sa couchette et posa le pied sur l'échelle du dortoir. Il avait enfilé trois robes l'une par-dessus l'autre et emmailloté sa tête dans un grand turban sale.

– Ma tenue te plaît-elle ? demanda-t-il à Quint, en riant. C'est un érudit de la glace qui me l'a fournie l'autre jour. Elle protège du froid, en tout cas !

– Moi, elle me plaît, répondit Quint, mais je ne suis pas certain que le maître de la Bâtisse du nuage gris l'apprécie...

Léo se rembrunit.

– Bien sûr, dit-il. C'est aujourd'hui que nous commençons à la Bâtisse du nuage gris.

En contrebas, le gong de l'aube retentit dans l'escalier central.

– Tu rédigeras ta lettre à un autre moment, Quint, dit Léo, retrouvant le sourire. Si Flavien Vendix est aussi strict qu'on le raconte, il vaut mieux ne pas le faire attendre !

Vingt minutes plus tard, après un petit déjeuner hâtif dans la Rotonde (lait de hammel et gâteaux au pilpil), Quint et Léo rejoignirent les écuyers qui fourmillaient à l'entrée de la Bâtisse du nuage gris. Derrière les hautes portes étroites, les grognements sourds et les cris perçants des rôdailleurs s'élevaient, distincts, et Quint frémit d'enthousiasme. Après tout le travail aride, théorique, de construction navale et de réglage des voiles, et les heures interminables consacrées à la description de l'armure, ils allaient enfin s'occuper de créatures vivantes et bondissantes.

Depuis son arrivée à l'Académie de chevalerie, Quint avait saisi la moindre occasion d'observer les rôdailleurs à l'exercice, sous la conduite des entraîneurs ou des chevaliers en attente, dans la cour intérieure. Malgré l'espace restreint, les animaux se montraient rapides et agiles, et il s'était émerveillé de les voir sauter dans les hauteurs des arbres à joutes qui s'alignaient sur les pavés, avec une élégance infaillible et un équilibre toujours parfait. Bientôt, il pourrait à son tour chevaucher un rôdailleur.

Les portes pivotèrent lentement sur leurs lourds gonds grinçants, et un souffle tiède, parfumé, s'échappa. Au-dedans, une voix grave et neutre lança un ordre unique :

– Entrez !

Quint gonfla ses poumons et franchit le seuil parmi ses camarades. L'odeur qui les accueillit était caractéristique : des effluves de paille, à la fois humide et poussiéreuse, se mêlaient à l'âcreté de la viande hachée, tandis que, sous-jacente, la douce senteur terreuse des rôdailleurs eux-mêmes imprégnait tout. De temps à autre, allongé dans son placard-couchette, Quint en avait perçu des bouffées. Mais une fois passé les hautes portes voûtées, le mélange aromatique devenait enivrant.

Face à lui, au sommet de hauts piliers carrés, plantés à intervalles réguliers sur toute la longueur du bâtiment, se trouvaient les perchoirs. Des chevilles clouées de bas en haut permettaient aux valets et aux palefreniers de grimper ; parfois, elles servaient aussi aux rôdailleurs vieillis ou fatigués, incapables de bondir du sol. À mi-hauteur, de grands réceptacles métalliques, garnis de paille, recueillaient les déjections. Au-dessus, à gauche et à droite, jusque sous les voûtes du plafond, s'étendaient les épaisses « branches » horizontales des perchoirs.

Et, juchés sur elles, il y avait les rôdailleurs eux-mêmes.

La grande bâtisse grouillait de palefreniers, d'entraîneurs et de selliers, de valets et de garçons d'écurie, tous empressés à la tâche. Les uns poussaient des brouettes de paille, les autres traînaient des seaux d'eau, d'abats ou de graisse sombre et piquante, servant à

135

masser les articulations des créatures. Certains conduisaient leurs rôdailleurs dehors, pour l'exercice quotidien. D'autres nettoyaient. Partout, c'était une activité fiévreuse, des allées et venues incessantes, des bruits inhabituels.

La démarche trébuchante, les écuyers avançaient sur le sol jonché de paille, ahuris, incapables de saisir l'ensemble. Quelques pas devant lui, Quint vit la moue dégoûtée de Vilnix lorsqu'un garçon d'écurie le frôla au passage, un seau d'abats fumants à la main.

La voix sourde et neutre résonna de nouveau :

– Halte !

Les écuyers, arrachés à leur stupéfaction, s'alignèrent en hâte, le dos et le regard droits. De derrière un pilier sortit la haute silhouette anguleuse de Flavien Vendix, maître de la Bâtisse du nuage gris. Plissant ses petits yeux, il scruta tour à tour chacun des écuyers... et s'arrêta lors-qu'il découvrit Léo.

Sa bouche devint une ligne mince et ses sourcils se froncèrent alors qu'il observait le turban sale du jeune garçon. Puis il pointa sa longue cravache vers le visage de Léo, aussitôt écarlate, et cingla l'air.

— Oui, monsieur, dit Léo en attrapant le turban. Tout de suite, monsieur.

Il le déroula et le lui tendit. Les yeux de Flavien étin-celèrent, et durant une minute horrible, Quint crut qu'il allait frapper son ami avec la cravache.

À côté de lui, Vilnix ricana, et Flavien braqua immé-diatement son regard sur lui. Vilnix se raidit et cessa de sourire. Des gouttes de sueur brillèrent sur son front tan-dis que le maître de bâtisse s'approchait et le dévisageait avec intensité. Pendant un moment, un silence absolu régna. Puis, au-dessus d'eux, un étrange miaulement résonna. Flavien se détourna de Vilnix, dont les genoux tremblaient désormais, et, de sa cravache, désigna le pilier.

— Grimpez ! commanda-t-il.

Son ordre parut atténuer la tension et les écuyers, s'animant, gravirent les piliers par petits groupes. Sur l'une des branches en hauteur, un valet souriant les accueillit et leur fit signe de se répartir autour de lui.

— Bienvenue, écuyers, déclara le gobelinet, affable, en promenant son regard sur eux. Pour nombre d'entre vous, votre passage à l'Académie de chevalerie sera la par-tie la plus gratifiante de votre formation. Pour d'autres, la plus ardue.

Les écuyers l'écoutaient, très attentifs.

– Car, entre ces murs, ceci, continua le gobelinet en se tapotant la tête, ne suffit pas. Vous devez laisser parler *cela*.

Il mit sa main sur sa poitrine.

– Votre cœur.

Quint acquiesça spontanément. À sa gauche, Vilnix claqua la langue, impatienté.

– Maintenant, si vous regardez les nids là-dessous, leur indiqua le gobelinet, vous trouverez vos nouveaux protégés, prêts à vous saluer.

Quint baissa les yeux… et découvrit, posé dans un berceau de paille tissée suspendu à la branche du perchoir, un œuf de rôdailleur. Il était mou et avait une consistance gélatineuse. Tout juste visible, à travers la membrane translucide, apparaissait la forme indistincte d'un bébé rôdailleur. La petite créature poussa un cri étouffé ; de ses griffes minuscules, elle se mit à gratter et à racler l'intérieur de la poche. Quint, médusé, s'agenouilla pour regarder de plus près.

Le long de la branche, tous les autres écuyers firent de même, le visage surpris et émerveillé, tandis que chacun d'eux observait le nid à ses pieds – tous, sauf Vilnix, qui se pencha maladroitement et considéra l'œuf en train d'éclore avec stupeur et répugnance. Soudain, tour à tour, les enveloppes éclatèrent avec un léger bruit sec et les minuscules bébés rôdailleurs bondirent à l'air libre.

– Attrapez-les ! ordonna Flavien, resté en bas.

Plein d'appréhension, Quint tendit les deux mains alors que le bébé voltigeait au-dessus de sa tête.

– Ouf !

Un instant plus tard, il laissa échapper un soupir de soulagement et d'admiration mêlés : avec une aisance et une délicatesse extraordinaires, le rôdailleur atterrit sur son avant-bras, les petites pattes puissantes l'agrippant comme s'il se fût agi d'une branche.

– Époustouflant ! s'exclama Léo.

– Incroyable ! Phénoménal ! renchérirent les autres écuyers, leurs nouveau-nés se cramponnant à eux.

– Ne serre pas si fort ! grommela Vilnix à la créature luisante qui s'accrochait à son bras. Sale petite bestiole.

Tout intimidé, Quint contempla son bébé rôdailleur. Il avait la fourrure humide et collante, les paupières toujours closes, mais son sens de l'équilibre était parfait. Et, alors qu'il déplaçait ses puissants orteils, il poussait de petits miaulements. Quint sourit de joie et s'apprêtait à le chatouiller sous le menton lorsque ses gros yeux

s'ouvrirent. Aussitôt, il fixa son regard sur Quint, et tous deux se dévisagèrent dans une profonde extase.

– Tu es beau, souffla Quint, n'est-ce pas, mon garçon ? Comment vais-je donc t'appeler ?

– Pas de noms ! aboya Flavien dans le dos de Quint.

Celui-ci eut un sursaut de frayeur, et le rôdailleur lança un glapissement aigu.

– Non, monsieur. Excusez-moi, monsieur, murmura Quint.

– Bien, jeunes écuyers, dit le gobelinet palefrenier avec entrain, vous allez faire leur toilette, comme ceci...

Prenant une poignée de paille, il se mit à frotter le protégé de l'écuyer le plus proche. Quint et ses camarades l'imitèrent, et de très doux ronrons de rôdailleurs résonnèrent bientôt sur la branche entière.

– Ensuite, vous leur donnerez des bouchées... Très peu, attention...

Il agita un morceau de fromp au-dessus du bébé, qui effectua un petit saut et l'attrapa entre ses pattes antérieures.

– Servez-vous dans le seau d'abats, ordonna le gobelinet, et faites passer.

– Brave petit ! sourit Quint alors que son nouveau-né engloutissait les lambeaux sanglants. Brave petit !

Le rôdailleur se lécha les babines et s'installa confortablement. Au bout de la rangée, Quint entendit Vilnix se plaindre:

– C'est dégoûtant... j'en ai la nausée.

Flavien braqua sur lui l'un de ses regards terrifiants, et le grincheux s'empressa de se taire.

– Montrez la branche aux rôdailleurs ! ordonna le palefrenier.

Il donna l'exemple en s'agenouillant et en laissant l'animal bondir sur le perchoir; le rôdailleur s'y blottit, somnolent.

Tous les écuyers obéirent, et Vilnix poussa un soupir de soulagement ostensible lorsque son rôdailleur lui libéra le bras.

– Pendant les trois prochaines semaines, il faudra les nourrir toutes les heures, de jour comme de nuit, annonça le palefrenier avec un sourire désolé. Je vous suggère donc de grappiller du sommeil et de vous associer! Vous trouverez des seaux d'abats et des brassards au rez-de-chaussée.

Flavien Vendix arpenta la branche et s'accorda un petit sourire alors qu'il commençait à dévaler le pilier.

– Bonne chance! lança-t-il.

Au fil des semaines, Quint repensa souvent à ce premier matin dans la Bâtisse du nuage gris. Tout lui avait alors semblé si confus. Pourtant, plus il y séjournait, plus il comprenait que, sous le désordre apparent, l'écurie des rôdailleurs était très organisée et méticuleusement tenue.

D'abord, il découvrit que les rôdailleurs ne devaient pas se percher n'importe où. Chacun d'eux – vieux et jeunes, gros et petits – avait sa place précise sur un perchoir particulier. Par exemple, la demi-douzaine de piliers à gauche de la bâtisse abritait les rôdailleurs destinés au travail (bêtes de trait, de somme, de selle...), le pilier à l'extrême gauche étant réservé aux mâles les plus beaux et les plus robustes, sélectionnés pour la reproduction. Plus loin à droite, où les écuyers s'appliquaient à élever les bébés, se dressaient les pouponnières.

C'était là que les femelles pondaient leurs œufs, dans des nids minutieusement tissés avec de la paille qu'elles mastiquaient encore et encore entre leurs grandes mâchoires. Leur tâche accomplie, elles se retiraient sur les branches supérieures pour se reposer, ronronnant et grondant, tandis que Quint et ses compagnons nourrissaient et soignaient leurs bébés.

– Dans la nature, avait expliqué Titus, le palefrenier gobelinet, les petits se débrouillent dès leur éclosion. Mais ici dans la bâtisse, s'était-il esclaffé alors que Vilnix ronchonnait, ils ont de gentils écuyers pour les materner !

Les trois premières semaines avaient été les plus difficiles, en raison du manque de sommeil. Léo et Quint s'étaient partagé la tâche, se relayant pour le nettoyage et le nourrissage, et avaient obtenu d'excellents résultats. Leurs rôdailleurs étaient maintenant à mi-croissance, épanouis et puissants. Quint passait quotidiennement plusieurs heures à brosser et à étriller la jeune créature, jusqu'à ce que son poil orange vif brille comme du cuivre bruni. Il lui limait les griffes, lui polissait les dents, lui graissait les pattes et lui frictionnait les articulations avec des onguents aux herbes.

– Tu deviendras un rôdailleur de chevalier, n'est-ce pas, mon garçon ? le cajolait-il en peignant la barbiche qui s'allongeait sous son menton.

Posant sur lui ses grands yeux jaunes, l'animal miaula et ronronna de satisfaction.

– Le plus gros, le plus fort, le plus splendide rôdailleur de tous, sur le pilier de chevalerie !

Quint porta son regard vers l'impressionnant pilier au centre de la bâtisse. C'était dans ses épaisses branches en surplomb que se perchaient les treize majestueux rôdailleurs « chasseurs de tempête », montures respectives et choisies des chevaliers en attente. Par opposition aux créatures plus humbles des autres piliers, ceux-ci portaient des noms : Felvix, Borix, Tonix… Leur entraînement répondait à un unique objectif : voyager avec leur maître jusqu'à la forêt du Clair-Obscur, lors d'une expédition de chasse à la tempête.

Sur la branche qui abritait les protégés de Léo et de Quint, Vilnix s'en sortait moins bien. Son rôdailleur était une triste créature maigre, aux yeux chassieux et à la fourrure irrégulière. Quint se doutait que, sans la négligence de Vilnix, l'animal aurait été aussi solide et fringant que les leurs. Mais, évidemment, Vilnix ne voulait rien savoir.

– Ce n'est pas ma faute, fulminait-il. Ce stupide animal refuse de manger correctement ! De plus, comment pourrais-je m'en occuper tout seul ? Vous autres, vous vous épaulez… Ce n'est pas juste.

Il avait raison, pensa Quint. Les autres écuyers collaboraient et s'entraidaient. Le problème, c'était que Vilnix se montrait si désagréable et si grossier que personne n'avait voulu s'associer avec lui. À présent, il semblait dormir la moitié du temps et il oubliait souvent de nourrir la pauvre bête. Quint l'avait prise en pitié : chaque fois qu'il le pouvait, il hissait un seau d'abats supplémentaire sur la branche pour nourrir le rôdailleur délaissé.

Ce fut à une telle occasion que l'incident eut lieu.

Trois mois avaient passé. Quint s'éveilla dans son placard-couchette, le dos endolori et les bras raidis par son travail à l'écurie. Il n'avait plus besoin du gong de l'aube pour le tirer du sommeil. Quelle que fût sa fatigue, la simple idée du rôdailleur attendant sa venue suffisait à le précipiter vers la Bâtisse du nuage gris.

Mais, ce matin-là, dès l'instant où il gravit le pilier et arriva en haut, il sentit qu'il y avait un problème.

Les jeunes rôdailleurs étaient capricieux et agités tandis que, au-dessus d'eux, les femelles hennissaient et renâclaient. Quint traîna péniblement ses deux seaux d'abats sur la branche. Il suspendit le premier au pied de son rôdailleur, qui se pencha et en ingurgita le contenu. Il allait accrocher le second seau près du protégé de Léo lorsque son regard erra plus loin.

Là, effondré sur le flanc, la respiration difficile et saccadée, gisait le rôdailleur de Vilnix. Il avait très mauvaise mine, les yeux enfoncés dans les orbites, les côtes saillantes. Quint s'approcha et, s'agenouillant, caressa la fourrure inégale de la pauvre bête.

– Allons, allons, mon petit, lui dit-il doucement. Tiens, goûte un peu.

Les naseaux de l'animal frémirent et un œil terne, vitreux, tournoya pour rencontrer le regard de Quint. Grognant sous l'effort, le rôdailleur se mit debout, tant bien que mal, et ouvrit la bouche. Avec précaution, Quint

versa les abats fumants sur la langue pendante de l'animal, qui la rentra aussitôt et avala goulûment. Quint lui
versa une seconde ration.

– Tu es affamé ! marmonna-t-il avec colère. Mais
attends. Je vais dire ma façon de penser à ce Vilnix
Pompolnius…

– Vilnix Pompolnius, répéta une voix, et Quint,
levant les yeux, découvrit Flavien Vendix, une expression
de fureur sur le visage. Vilnix Pompolnius !

Quint rougit.

– Je vous en supplie, monsieur, ce n'est sans doute
pas sa faute… commença-t-il, ne voulant pas causer d'ennuis à un camarade écuyer.

– Affamé ! s'indigna le maître de bâtisse, serrant sa
cravache et s'éloignant à grandes enjambées.

Au-dessus de lui, les femelles glapirent et grognèrent,
comme si elles sentaient son mécontentement. En contrebas retentirent des ordres secs et, quelques instants plus

tard, Quint fut entouré par des palefreniers et des valets d'écurie.

– C'est bon, mon gars, nous allons le prendre en charge, dit l'un des valets pendant qu'ils soulevaient l'animal avec douceur.

– Nous allons le transporter sur le perchoir des anciens et le revigorer, ne t'inquiète pas, dit un autre, qui secoua la tête en partant.

– Dans chaque groupe, il y en a un, trop stupide ou trop paresseux pour élever un jeune, déplora le premier. Le plus étonnant, ajouta-t-il en regardant Quint par-dessus son épaule, c'est que les autres écuyers essaient toujours de le couvrir !

– Ils se serrent les coudes, n'est-ce pas ? grogna un valet d'écurie, saisissant une brassée de paille et suivant ses compagnons. Puis ils règlent l'affaire entre eux. Le scénario est invariable.

Quint les regarda s'éloigner, abattu. Il se sentait furieux et penaud. Furieux que Vilnix ait négligé le rôdailleur et que lui-même ne l'en ait pas empêché ; penaud de l'avoir couvert – et d'avoir été démasqué. Il fit demi-tour et quitta la bâtisse, accablé, en direction de l'escalier central.

Un vent violent continuait à ballotter l'Académie de chevalerie et à siffler dans les corridors. Quint serra sa cape autour de ses épaules et remonta lentement l'escalier en spirale. À mi-hauteur, il tomba sur Léo, les cheveux en bataille, tout débraillé.

– Quint ! Te voilà. Tu ne devineras jamais ! babilla-t-il, survolté. Flavien Vendix vient de faire irruption dans le dortoir et de sortir le vieux Vilnix de son placard par la peau du cou. Il tempêtait sur la manière dont notre condisciple a traité son rôdailleur ! Quelqu'un a dû le dénoncer ! Crois-tu que ce soit l'un des palefreniers ? Titus, peut-être ? Ou alors l'un des valets ? Ils le détestent tous, tu sais. Une chose est sûre…

Il attrapa son ami par le bras et l'entraîna vers la Rotonde, d'où s'échappait un parfum de gâteaux au pilpil encore tièdes.

— Ça ne peut pas être un écuyer.

— Comment ? dit Quint, engourdi, l'estomac noué.

— Je disais, Quint, répéta Léo avec ardeur, que ça ne pouvait pas être un écuyer. Après tout, nous les écuyers, nous nous serrons les coudes, n'est-ce pas ?

CHAPITRE 10

Forlaïus Tollinix

UN GRAND SILENCE RÉGNAIT DANS LA BÂTISSE DU NUAGE gris lorsque Quint y pénétra par cette soirée froide et couverte. La majorité des perchoirs était vide ; sur de rares branches, des individus épuisés goûtaient un profond sommeil et ronflaient légèrement. Les seuls autres bruits venaient du pilier central, où les magnifiques rôdailleurs chasseurs de tempête grognaient et ronronnaient, ainsi que des pouponnières, où les doux miaulements des nouveau-nés tremblaient dans l'air glacial.

Mais, à cet égard, la Bâtisse du nuage gris ne différait en rien du reste de l'Académie de chevalerie, ni, d'ailleurs, des tours et des passages environnants. Les rigueurs de l'hiver continuaient de paralyser Sanctaphrax. Chaque jour, alors que le grésil et le blizzard soufflaient du ciel infini, un nouveau manteau de neige épaisse recouvrait la cité flottante. Si Sanctaphrax s'était jadis distinguée par la richesse de ses sonorités, cette époque semblait révolue. Désormais, une fois apaisé le mugissement de la dernière tempête, le gel figeait la musique des tours et les amas de neige fraîche étouffaient les bruits des rues.

Quint arriva au pied d'un perchoir, près duquel un brasero crépitant répandait une éclatante lumière violette. Des braseros noirs et trapus, remplis de ricanier incandescent, étaient placés à la base de chaque pilier, plusieurs autres étant groupés au milieu de la pièce. Flavien Vendix avait réclamé leur installation, après que plusieurs animaux eurent contracté une toux opiniâtre. Les poêles brûlants réchauffaient l'atmosphère des perchoirs en contre-haut, mais avec le froid mordant qui s'infiltrait dans les moindres fentes et fissures du bâtiment, il fallait sans cesse les réapprovisionner en bûches.

– Vous avez assez chaud, j'espère, sacs de tripes bondissants ! lança une voix aigre et sarcastique.

Quint, se retournant, découvrit Vilnix qui s'approchait. Pour se garantir du froid, le jeune écuyer portait des jambières épaisses, de grosses bottes, une peau de tilde laineuse et un gilet doublé de duvet, tenue qui raidissait ses mouvements. Tirant d'une main un chariot débordant de bûches, il menaçait du poing les rôdailleurs perchés dans les hauteurs. Lorsqu'il aperçut Quint, il s'arrêta et plissa les yeux d'un air méfiant.

– Oh, c'est encore toi, dit-il. Tu viens dorloter ton protégé chéri, je suppose.

Quint jeta un coup d'œil vers la branche où, trois places avant la fin, son rôdailleur (maintenant âgé de six mois et presque de taille adulte) somnolait. Avec son magnifique poil orange et sa barbiche fournie, brillante, il l'aurait reconnu n'importe où. Nettement plus grand que ses compagnons, l'animal était promis au perchoir central, Quint en avait la certitude.

– Non, il n'a besoin de rien. N'est-ce pas, Barbichu ? demanda-t-il en souriant. C'est toi que je suis venu trouver, Vilnix. J'ai pensé que tu apprécierais une petite aide.

Dès la révélation des négligences de Vilnix vis-à-vis de son rôdailleur, Flavien avait désigné l'écuyer pour la corvée de bois. «Les bûches», avait-il ordonné simplement, de sa voix grave et neutre, avant de s'éloigner à grands pas – mais la vilaine zébrure qui barrait la joue gauche de Vilnix avait montré à tous le profond déplaisir du maître de bâtisse. Même maintenant, au bout de plusieurs semaines, elle restait rougie et enflée à l'endroit où la cravache de Flavien l'avait frappée. Et, quoiqu'il se fût agi d'un malheureux concours de circonstances, chaque fois qu'il voyait cette marque, Quint se sentait terriblement coupable d'avoir causé des ennuis à un camarade d'études.

Vilnix haussa les épaules et s'écarta de la charrette.

– Je t'en prie, dit-il à contrecœur, et il alla s'adosser au pilier.

Quint remonta ses manches, puis se mit à décharger les bûches et à les empiler aussi près du brasero violacé qu'il l'osait. Il avait perdu sa mère et ses cinq frères dans un terrible incendie et, encore aujourd'hui, malgré le métal qui l'isolait de la fournaise, les flammes continuaient de le faire frémir.

– Je me trompais sur ton compte, avoua Vilnix en s'étirant paresseusement. Tu ne ressembles pas à ce ramassis d'écuyers prétentieux. Tonsor. Léo l'idiot, avec son sourire béat. Ils sont tous pareils…

– Léo est un ami, objecta calmement Quint, ouvrant la porte du poêle et jetant une bûche à l'intérieur avec maladresse.

– Ils font tout ce que cette brute de Flavien leur commande, poursuivit Vilnix, sans lui prêter attention. Mais toi, Quintinius, tu es différent. Toi, tu sais que le maître de bâtisse s'en prend à moi pour la seule et unique raison que mon rôdailleur est tombé malade. C'est injuste, voilà tout!

Quint se mordit la lèvre et continua de réapprovisionner le brasero jusqu'à ce que le feu jette un vif éclat et que des ronronnements de gratitude résonnent sur les branches en contre-haut. Il connaissait la chanson. Chaque soir où il donnait un coup de main à l'ancien rémouleur, celui-ci entonnait le même refrain…

– Pourquoi moi? s'indigna-t-il d'une voix aiguë. Parce que je suis intelligent. Oui, telle est l'explication. Je n'ai peut-être pas grandi à Sanctaphrax, mais je suis plus malin qu'eux. Tous autant qu'ils sont. Et mon mentor à moi étant le professeur d'Obscurité, l'un des Dignitaires suprêmes jumeaux en personne, ils me haïssent!

Son regard se durcit, et Quint devina ce qu'il allait entendre. Il se concentra sur une nouvelle bûche.

– Ah, si je découvre un jour qui m'a dénoncé au maître de bâtisse, je… je…

Vilnix frappa le pilier du plat de la main, dans un mélange de rage et d'apitoiement sur lui-même.

– Oui, écoute, s'empressa de dire Quint, se sentant devenir cramoisi, pourquoi ne me laisses-tu pas finir avec les autres poêles, pendant que tu vas manger un morceau à la Rotonde? Je crois que, ce soir, il y a des steaks de hammel.

Vilnix resta silencieux un moment.

– Non, tu n'es pas comme les autres, persista-t-il, faisant demi-tour et s'éclipsant, ses maigres épaules voûtées. Je ne t'oublierai pas, Quintinius. Je ne t'oublierai pas.

Quint dut encore effectuer quatre voyages jusqu'à la réserve pour que tous les poêles soient de nouveau remplis et flamboyants. Il avait mal au dos, à force de tirer la lourde charrette. Poussant un soupir, il cala le maudit engin contre l'un des groupes de braseros qui chauffaient le perchoir central et se laissa glisser sur le sol, harassé. Ce fut là que, quelques minutes plus tard, Rodérix Émilius, l'écuyer des Salles supérieures, le trouva.

– Pas possible, tu remplaces encore ce détestable écuyer revêche ? dit-il, secouant la tête d'un air incrédule. Mais pourquoi donc, Quint ?

– Oh, Vilnix n'est pas si détestable, dit Quint, se hissant sur ses pieds.

– Hum, vraiment ? demanda Rodérix d'un ton peu convaincu. J'ai cru comprendre qu'il avait sciemment laissé son rôdailleur mourir de faim. Pas étonnant que Flavien soit entré dans une colère noire. Moi, je l'aurais flanqué à la porte de l'Académie !... Mais ce qui m'échappe, mon vieux Quint, ajouta-t-il en fronçant les sourcils, c'est la raison pour laquelle tu tiens à faire sa punition à sa place.

– Les écuyers doivent se serrer les coudes, répondit le jeune garçon avec douceur.

– Tout le monde le sait, Quint ; il ne s'agit pourtant pas de faire les punitions des autres...

– Tu ne comprends pas, Rod, dit Quint en rougissant. Écoute...

Jetant un regard à la ronde, il s'assura qu'il n'y avait pas de témoin.

– J'ai révélé, par mégarde, que Vilnix négligeait ce rôdailleur. Flavien m'a entendu et il est parti comme un ouragan. Le fameux coup de cravache n'a pas tardé…

Rodérix tressaillit.

– D'accord, l'incident est regrettable, mais ce fichu personnage le méritait sans aucun doute. N'empêche, je vois pourquoi tu éprouves le besoin de l'aider, toi qui es un honorable écuyer…

Rodérix lui posa une main sur l'épaule alors qu'ils prenaient le chemin de la sortie.

– Permets que je m'en occupe, mon vieux. Je vais parler au maître de bâtisse. S'il acceptait d'alléger la sanction de Vilnix, tu pourrais arrêter d'effectuer ses corvées et te concentrer sur les exercices à dos de rôdailleur. Justement…

Un large sourire illumina le visage de l'écuyer.

– Que dirais-tu d'une galopade nocturne en ma compagnie ?

Quint fit volte-face, enthousiaste.

– Dans la cour intérieure ? Et comment ! Je file seller Barbichu !

Rodérix écarquilla les yeux.

– Prends garde que ce nom ne vienne pas aux oreilles de Flavien, rit-il alors que Quint retournait en hâte vers le pilier. Souviens-toi, c'est défendu !

À cet instant, un grand vacarme retentit à l'autre bout de la bâtisse : grognements et respirations sifflantes, bruits de pas et ordres pressants.

Quelques secondes plus tard, les hautes portes s'ouvrirent brusquement et, conduite par une bande chahuteuse de valets et de domestiques, tous chaussés de grosses bottes, coiffés de chapeaux fourrés et vêtus de paletots en précieux cuir de hammel, une longue colonne de rôdailleurs à l'air épuisé apparut. Ils entrèrent, la démarche pesante, hennissant et renâclant. Robes orange, brunes, grises, à larges taches noires ou fauves – il y avait même un albinos parmi eux, au poil d'une blancheur étincelante et aux immenses yeux roses. Leur point commun, c'était la vapeur qui se dégageait de leur fourrure et montait en épaisses volutes.

Il s'agissait des troupeaux revenant du gigantesque manège installé sur le débarcadère ouest. La journée entière, ils avaient patiemment trotté dans l'énorme roue en bois de fer, qui commandait un treuil au bout duquel était accroché un énorme poêle sphérique, montant et descendant le long du rocher

de Sanctaphrax. S'approchant peu à peu de la paroi, la sphère réchauffait le nid de pierre glacé à l'intérieur, et contribuait ainsi à retenir au sol la roche flottante.

Arrivé au pied du pilier, Quint l'escalada en hâte. Tout autour de lui, les branches des autres piliers se garnissaient à mesure que les animaux éreintés, brûlant leurs dernières forces, s'y juchaient d'un bond.

Bientôt rentreraient aussi les troupeaux qui actionnaient le manège du débarcadère est. L'énorme poêle suspendu de ce côté-là équilibrait l'effet de son jumeau et consumait des troncs entiers à la même vitesse prodigieuse. Moins de rôdailleurs y travaillaient, car deux fromps arboricoles géants, amenés d'Infraville, les épaulaient dans leur corvée. Toutefois, dès leur retour, les perchoirs seraient de nouveau pleins.

– Salut, Barbichu, sourit Quint en tapotant d'un geste tendre les naseaux frémissants de son protégé. T'ai-je manqué? Il est temps de te dégourdir les pattes!

Il jeta la selle en cuir de tilde sur le dos de sa monture, qui répondit par un hennissement plein de fougue.

Déjà, les cris et les aboiements du second groupe de rôdailleurs s'élevaient à proximité de la bâtisse. Leur tâche quotidienne accomplie, il leur tardait de regagner les branches chauffées du perchoir. En fait, c'était la source de cette chaleur (les braseros mis en place par Flavien) qui avait inspiré aux professeurs de Lumière et d'Obscurité les énormes poêles sphériques qui rougeoyaient maintenant jour et nuit de part et d'autre du rocher flottant.

C'était néanmoins une solution provisoire. Pour remplir leur office, les gigantesques poêles nécessitaient en effet des quantités d'arbres considérables – arbres qu'il fallait faire venir des lointains Grands Bois. Or, par ce temps très froid, la tâche n'était pas facile.

Les navires ligueurs (et, quelquefois, le vaisseau d'un capitaine pirate entreprenant, désireux de casser les prix) ne cessaient d'arriver sur les docks flottants, où ils déchargeaient leur cargaison. Les arbres aux berceuses et les ricaniers brûlaient le mieux, les premiers répandant d'étranges mélodies, mais les ligueurs aimaient transporter aussi du plombinier, plus dense, qui compensait la flottabilité extrême des roches de vol glacées. Les accidents étaient peu nombreux à l'aller. En revanche, lors du retour vers les Grands Bois, les navires à vide couraient de terribles risques : il n'était pas rare que, devenus impossibles à maîtriser, ils se perdent dans le ciel infini.

Les troncs quittaient les docks sur des chariots tirés par des hammels, conduits par des nabotons et des troglos ploucs. Ils circulaient dans les rues enneigées d'Infraville jusqu'à la place de la Chaîne d'amarrage. Tous les matins à l'aube, les poêles sphériques descendaient au bout de leurs chaînes pour le réapprovisionnement, puis ils remontaient vers Sanctaphrax, prêts à reprendre leur tâche capitale.

Quint regarda les derniers rôdailleurs se hisser péniblement sur leurs perchoirs, tandis que les valets et les palefreniers se précipitaient en tous sens, afin de distribuer des seaux d'eau rafraîchissante et d'abats nourrissants.

– Viens, Barbichu, le pressa Quint, sautant en selle et tirant sur les rênes. Allons rejoindre Rodérix avant que les lieux soient trop envahis.

Avec un grognement sourd, le rôdailleur bondit vers le sol, une douzaine de mètres plus bas. Il toucha terre sans bruit à côté du brasero brûlant et, guidé par son cavalier, prit la direction du perchoir central. Là, ils retrouvèrent Rodérix, chevauchant le grand rôdailleur brun foncé dont il s'occupait depuis la naissance, et les deux montures s'éloignèrent à foulées vigoureuses vers l'extrémité de la salle, où de hautes portes ouvraient sur la cour intérieure.

Quint n'avait pas eu chaud dans la bâtisse, malgré les braseros, mais lorsqu'il franchit le seuil, l'air glacial le frappa en pleine figure, telle une violente gifle. Il faisait si froid qu'il en eut le souffle coupé, les narines piquantes et les yeux larmoyants.

Baignée par le clair de lune, couverte d'un récent tapis de neige, la cour intérieure évoquait un immense rouleau d'écorce intact. En face, une rangée de grands poteaux épousait la courbe du mur ouest et s'arrêtait juste avant l'étroit accès aux portes de l'humilité. À intervalles irréguliers le long du tronc central, de minces branches horizon-tales de diverses tailles s'en-trecroisaient d'un poteau à l'autre et

créaient un fourré. C'étaient les arbres à joutes, qui mettaient à rude épreuve l'agilité des plus doués.

– Rattrape-nous si tu peux, mon vieux ! cria Rodérix, donnant une impulsion à son rôdailleur.

En un clin d'œil, monture et cavalier traversèrent le tapis de neige à bonds énormes, laissant une série de profondes empreintes dans leur sillage.

Quint se pencha en avant, s'arc-bouta sur ses étriers et donna deux petites secousses aux rênes. Il sentit la poussée des puissantes pattes du rôdailleur, qui se lançait dans un saut majestueux. Le mur ouest sembla s'incliner, puis monter comme un drapeau agité, alors qu'ils volaient vers lui, l'air rugissant aux oreilles de Quint, grisé.

Puis, aussi soudainement qu'ils avaient quitté le sol, ils prirent contact, doucement mais fermement, avec une branche assez souple, et des glaçons se mirent à tinter. Juste devant eux, plus haut dans les branches, la silhouette noire du rôdailleur de Rodérix s'éleva dans le clair de lune.

« Bondissez en confiance ! » Les instructions énergiques de Flavien Vendix résonnèrent dans la tête de Quint alors qu'il serrait les flancs de son rôdailleur entre ses genoux. En réponse, celui-ci bondit plus loin parmi le labyrinthe de branches, qu'il semblait à peine toucher de ses pieds robustes, pourtant sensibles. « Mais n'oubliez pas de vous baisser ! »

Pffffuuuit !

Une branche passa en sifflant à quelques centimètres du visage de Quint. Puis une autre, et une autre encore, tandis qu'il oscillait sur sa selle, comme un fromp de combat étourdi.

159

– Ouille !

Durant l'ultime saut de son rôdailleur, une branche saillante, aussi flexible qu'un arbrisseau, se rabattit brusquement, le frappa en pleine poitrine et l'arracha à sa selle. Il n'eut pas le temps de comprendre qu'il tombait déjà. Le réseau de branches freina sa chute : chacune le recueillait un instant puis, élastique, le rejetait vers une autre plus basse.

– Ouille, ouille, ouille !

Il atterrit dans une gerbe de neige au pied du dernier arbre. Perché près de la cime, son rôdailleur le regardait, la tête penchée, une grande volute de vapeur s'échappant de ses naseaux évasés. Aussitôt, Rodérix atterrit près de lui, bien droit sur sa selle, tenant les rênes de sa propre monture d'une main nonchalante.

– Ma parole, quelle déveine, mon vieux ! Tu avais presque atteint le sommet. C'est le tout dernier arbre qui t'a mis hors course.

Il s'esclaffa en désignant le mur à côté de Quint. Là, en partie cachées sous une congère, se trouvaient les portes de l'humilité.

– Retour à la case départ, j'ai l'impression !

– Oui, oui, très drôle, répliqua Quint, se relevant comme il pouvait et secouant les flocons accrochés à sa tunique. Il me faut juste encore un peu d'entraînement.

– Eh bien, continue, mon vieux, l'encouragea Rodérix rieur, en tirant sur ses rênes. Je te garderai un steak de hammel. Tu verras si tu le manges ou si tu l'appliques sur tes meurtrissures !

Et il repartit vers la Bâtisse du nuage gris dans un tourbillon de neige.

– Viens ici, Barbichu !
Allons, Barbichu, ici ! appela
Quint, aussi fort qu'il l'osait,
à l'attention du rôdailleur
demeuré dans les branches.

À cet instant, derrière
lui, s'éleva une lourde respiration sifflante, accompagnée d'étranges bruisse-
ments et cliquetis. Quint fit
volte-face. Là, le dominant
de toute sa hauteur, mas-
quant la lune et le noyant
dans l'ombre, se tenait un
chevalier armé de pied en
cap, juché sur un magni-
fique rôdailleur noir. Par la
fente du casque, Quint apercevait deux yeux brillants
qui le dévisageaient.

– Explique-toi, écuyer !
tonna une voix grave sous le
métal, tandis que la lune d'argent formait un halo autour
de la tête casquée, si étincel-
lant que Quint dut mettre sa
main tremblante en visière.

– Je… je… commença-
t-il.

– Tu as donné un nom
à ce rôdailleur !

– O… o… oui, avoua Quint, regardant ses pieds.

Dans l'arbre, son rôdailleur hennit.

– Tu n'es pas sans savoir que seul un chevalier en attente a le droit de baptiser un rôdailleur, n'est-ce pas ?

Quint remua piteusement la tête. Face à lui, l'énorme rôdailleur noir trépignait, comme pour appuyer les propos de son maître. Son nom, *Vanquix*, figurait en lettres d'argent sur sa bride.

Ce devait donc être le grand Forlaïus Tollinix en personne, songea Quint, une sensation d'angoisse au creux du ventre. Forlaïus Tollinix, le meilleur chevalier de toute l'Académie, aussi dur avec lui-même qu'avec les autres.

– Je le soigne depuis sa naissance, monsieur. Il a toujours eu ce collier de poils autour de la bouche. Alors, je l'ai appelé Barbichu, monsieur. Mais ce n'est qu'un surnom…

– Silence ! tonna la voix sous le métal. Ne t'ont-ils rien appris dans les Salles inférieures, écuyer ? Nous sommes des érudits célestes. Ces créatures sont liées à la terre. Le baptême est un honneur que nous leur accordons uniquement lorsqu'elles s'élèvent au plus haut rang, pour nous seconder dans notre mission sacrée, la chasse à la tempête ! Tout le reste sent l'érudition terrestre. Comprends-tu ?

Quint acquiesça d'un air sombre.

Un gantelet apparut et défit l'attache de la visière. Lentement, celle-ci pivota, et Quint découvrit un visage sévère, mais non dépourvu de bonté.

– Tu es jeune, dit Forlaïus, d'une voix moins furieuse désormais, et tu as reconnu ton erreur. Mais il faut que tu comprennes : les rôdailleurs ne sont présents ici, dans notre vénérable Académie, que pour nous servir. Nous les tolérons parce que nous avons besoin d'eux. Même le noble Vanquix.

Il donna une tape affectueuse au rôdailleur noir.

– C'est vers le ciel que nous tournons nos regards, continua Forlaïus, fixant Quint de ses yeux intenses. Dans l'attente du jour où nous serons appelés à servir Sanctaphrax.

– Vous parlez d'une chasse à la tempête... chuchota Quint.

– En effet, et une tempête arrive bel et bien, jeune écuyer, affirma le chevalier. Je la sens. Pourquoi, sinon, subirions-nous cet éternel hiver ? Une Grande Tempête se prépare, peut-être la Mère Tempête elle-même. Une tempête que j'attends depuis toujours. Je serai fin prêt lorsqu'elle passera au-dessus de nos têtes. Et quand on me choisira...

Il hésita.

– *Si* l'on me choisit, je ne décevrai pas Sanctaphrax.

Douze autres chevaliers en attente habitaient les tours qui bordaient l'Académie ; mais assurément, songea Quint, Forlaïus serait en effet choisi. Au fond, chacun savait qu'il était le meilleur d'entre eux, non ? Quint scruta son visage. Le chevalier semblait avoir oublié qu'il se trouvait là, car ses yeux avaient pris une étrange expression lointaine.

– Je partirai chasser la Grande Tempête, continua-t-il à voix basse, comme pour lui-même. Je pénétrerai dans son cœur paisible et je voyagerai avec elle jusqu'à la forêt du Clair-Obscur. Et, lorsque la foudre s'abattra,

Vanquix et moi quitterons le navire dans notre harnais afin de recueillir le phrax de tempête sacré, à l'instant même où l'éclair s'enfoncera dans le sol forestier. Puis nous reviendrons en triomphe à Sanctaphrax…

Son visage était rouge et ses yeux flamboyaient avec ardeur.

– Je n'échouerai pas. *Je n'échouerai pas!*

Sur ces mots, Forlaïus Tollinix rabattit la visière, secoua les rênes de Vanquix, et tous deux traversèrent la cour gelée. Ils regagnèrent la tour solitaire qui dominait l'extrémité ouest des Salles supérieures.

Dans les douze tours voisines, songea Quint, les autres chevaliers attendaient, comme Forlaïus, de faire leurs preuves. Et peut-être qu'un jour, lui, Quintinius Verginix, figurerait parmi eux. Le cas échéant, il avait une certitude. Il voulait que le rôdailleur, perché en ce moment dans l'arbre à joutes, l'accompagne.

– Viens ici, mon garçon! appela-t-il. Allez, mon garçon!

Trois semaines plus tard, lorsque le gong de l'aube retentit, Quint se réveilla avec un étrange sentiment d'appréhension. Il avait l'impression que son passage par la Bâtisse du nuage gris se réduisait à un rêve. Dehors, le ciel était chargé de nuées anthracite et de petits flocons de neige commençaient à tomber.

Ce matin-là, les autres écuyers manquaient d'entrain eux aussi. C'était leur dernière journée dans la Bâtisse du nuage gris, et l'ultime épreuve s'annonçait. Quint essaya de repousser la vision de Hax Vostillix et de la Bâtisse du haut nuage. Au fond, se dit-il tandis qu'ils s'alignaient pour attendre l'arrivée de Flavien Vendix, le maître de la Bâtisse du nuage gris avait paru strict et redoutable, de prime abord. Mais aujourd'hui, en dépit de cette attitude distante, Quint et tous ses camarades le considéraient presque comme un ami.

Tous, à une exception près : Vilnix Pompolnius. En effet, même si, à l'instigation de Rodérix, Flavien avait adouci ses sanctions, Vilnix continuait de vouer une haine farouche au maître de bâtisse.

Flavien Vendix se présenta, coupant court aux rêveries de Quint, et les écuyers se mirent au garde-à-vous. Loin sur la droite, le maître de bâtisse entreprit de remonter la longue file, s'arrêtant devant chacun pour lui serrer la main.

Quint eut un frisson d'exaltation empreint de fierté. Cette poignée de main et ce regard franc étaient, de la part de Flavien, une marque de profond respect à l'égard des jeunes écuyers. L'apprentissage avait été rude, mais tous avaient réussi, et le maître des lieux était comblé par ses élèves. Au-dessus d'eux, leurs rôdailleurs, tous choyés depuis la sortie de l'œuf, les contemplaient du haut des branches.

Flavien s'arrêta devant Cyprien, lui serra la main, et avança. Il salua pareillement Tonsor. Puis il passa à Léo, qui se tenait près de Quint. Celui-ci, figé, mais s'efforçant d'observer la procédure du coin de l'œil, vit l'érudit anguleux se pencher avec raideur et saisir la main de Léo. Il fit un bref signe de tête, et Quint crut deviner une ombre de sourire.

Un instant plus tard, ce fut son tour.

Il leva les yeux et rencontra le regard franc de Flavien. La douceur de son expression le surprit, et sa poignée de main se révéla ferme et rassurante. Il inclina la tête. Quint l'imita, le cœur débordant de fierté.

Le silence régnait pendant que le maître de bâtisse progressait le long de la file.

À l'extrémité, une demi-douzaine de places plus loin, Flavien arriva enfin à la hauteur de Vilnix Pompolnius. Le visage de l'écuyer était blême, son regard fixe empli de défi.

Flavien plongea les yeux dans les siens et lui tendit la main.

Une moue presque imperceptible se dessina sur les lèvres de Vilnix, mais l'effet fut aussi dévastateur que si l'écuyer avait frappé Flavien avec sa propre cravache. Incapable de pardonner au maître de bâtisse, Vilnix garda le poing serré contre son flanc. Ils demeurèrent face à face, immobiles, pendant une minute qui sembla interminable.

Le maître de bâtisse finit par se détourner et s'en aller.

Dès qu'il fut parti, les écuyers poussèrent un soupir unanime et la file se scinda en petits groupes d'amis exubérants, qui se congratulaient les uns les autres. Vilnix, esseulé, se glissa derrière un pilier.

– Quint! Léo! appela Rodérix. Regardez qui j'amène pour vous féliciter d'avoir terminé votre apprentissage dans la Bâtisse du nuage gris!

Les écuyers pivotèrent sur leurs talons: Placide, l'ouvrier de forge, souriait de joie, debout près du grand écuyer des Salles supérieures.

– Placide! s'écrièrent en chœur Quint et Léo, et tous deux serrèrent la main du gobelin avec enthousiasme.

Après l'échange de rires, de plaisanteries et de tapes dans le dos, Quint entraîna Rodérix à l'écart.

– Je voulais juste te remercier, Rod, d'avoir parlé à Flavien.

Il sourit tristement.

– Vilnix n'a pas manifesté beaucoup de gratitude, mais ton intervention m'a vraiment simplifié la vie !

– Je t'en prie, mon vieux ! répondit Rodérix en riant. Après tout, c'est Vilnix qui devrait me remercier, pas toi. Tu as juste révélé son nom par mégarde. Lui, en revanche, a quasiment laissé un bébé rôdailleur mourir de faim.

Ils entendirent alors un sifflement brusque et Quint, virevoltant, découvrit Vilnix qui, derrière le pilier, braquait sur lui un regard assassin. Sa figure était plus blême que jamais, ses yeux flamboyaient et sa cicatrice à la joue, atténuée, rosissait.

– C'est *toi* qui m'as dénoncé ? gronda-t-il, crachant ses mots. Je ne l'oublierai pas, Quintinius. Je ne l'oublierai jamais !

CHAPITRE 11

La Bâtisse du haut nuage

L E DÔME DE CONFÉRENCES DE LA BÂTISSE DU HAUT
nuage était aussi impressionnant que Quint l'avait
entendu dire. Considéré par beaucoup comme la
plus belle réalisation entre toutes de Flux Cartius, le célèbre architecte, c'était un chef-d'œuvre, plus splendide
que la Grande Salle à coupole qui se dressait à une extrémité du Viaduc central, égalant par sa conception les
gracieuses tours de l'École de la brume. Tandis que lui et
ses camarades entraient en file indienne, le jeune garçon
mesura une nouvelle fois quelle chance ils avaient, tous,
d'être membres de l'Académie de chevalerie.

Ils s'avancèrent sur l'une des jetées en surplomb,
finement sculptées, où des bancs flottants voltigeaient
au bout de délicates chaînes d'argent. Ce faisant, Quint
renversa la tête en arrière pour admirer, là-haut, le dôme
translucide.

Couronnant l'aile nord de l'Académie, la grande
construction de verre se déployait avec l'élégance et la
légèreté d'une toile d'araignée nocturne. Chaque montant
cintré, façonné dans une étroite bande de plombinier,

avait été galbé à la vapeur et encastré, de manière à former un réseau de grandes arches. Ensuite, toute la structure avait reçu le plus beau cristal jamais produit par les fonderies de l'antique Sanctaphrax.

Chaque panneau, découpé à la main, puis poli, atteignait la perfection ; certains étaient teintés ; tous portaient, gravées à l'eau forte, des graduations détaillées qui permettaient d'évaluer la taille, la nuance, l'allure et la rotation des nuages passant au-dessus d'eux.

Malheureusement, ces premières fonderies avaient disparu depuis longtemps, emportant avec elles la plupart des secrets de fabrication – leur héritage survivait toutefois dans les diverses écoles du Viaduc consacrées au soufflage de verre. La différence entre les panneaux d'origine et ceux qu'il avait fallu remplacer à cause des intempéries n'était que trop évidente. C'était, songea Quint, la même différence qu'entre un tissu artisanal et la soie d'araignée, le grog des bois et la liquorine, l'honorable moyenne et la perfection absolue.

– Attention, dit Léo d'une voix discrète mais pressante, alors qu'il saisissait la manche de son ami.

Il avait simplement chuchoté, mais sa mise en garde résonna dans tout le dôme de conférences. Alarmé, Quint baissa les yeux et découvrit qu'ils étaient arrivés au bout de la jetée ; au-dessous de lui, les murs dorés de la moitié inférieure s'incurvaient pour former un vaste cratère. Quint eut l'impression de se trouver au milieu d'un énorme œuf creux.

En ce lieu de conférences, il était primordial que les professeurs puissent s'exprimer sans élever la voix. Le dôme remplissait cette fonction à merveille, car l'acoustique de l'édifice ovoïde était aussi cristalline que le verre qui le recouvrait. Même les murmures les plus sourds et tremblants prononcés depuis le magnifique lutrin flottant étaient parfaitement audibles en tout point de la salle.

– Le maître de la Bâtisse du haut nuage...

– Un discours important, je crois...

– Sur l'atmosphère...

– Il serait temps !

Le chuchotement de Léo n'était pas isolé. Le dôme bruissait de voix, basses ou fortes. Vêtus de longues toges sombres et de chapeaux cérémoniels coniques, professeurs et conférenciers de l'Académie remplissaient les plates-formes arrondies qui ceignaient les murs. Des universitaires invités, membres de l'École de la Lumière et de l'Obscurité, du Collège des nuages, de l'École de la brume, de l'Académie du vent et de toutes les autres institutions prestigieuses de Sanctaphrax, s'entassaient au-dessus, sur les balcons des visiteurs. Quant aux écuyers (des Salles inférieures comme des Salles supérieures), ils arrivaient par l'entrée à mi-hauteur du mur doré, suivaient les jetées en surplomb et s'installaient sur les bancs flottants en gâtinier, qui voletaient à quelques mètres.

– Maintenez-le, dit Quint, tandis qu'il grimpait avec précaution et rejoignait Léo et Aurélien qui, déjà assis, se préparaient à régler les poids oscillants, en plombinier.

Dans tout l'édifice, la procédure se répétait, à mesure que les écuyers prenaient place sur les bancs – par deux, par trois, voire par quatre – et manipulaient les poids jusqu'à planer sans effort.

Les sièges en gâtinier étaient très sensibles : une fois l'équilibre établi, le plus léger mouvement suffisait pour qu'ils montent, descendent ou s'éloignent avec grâce dans la direction voulue. Ainsi se déplaçaient-ils, plus haut, plus bas, tandis que leurs occupants rivalisaient en quête des meilleures places, flottant au-dessus, au-dessous, en face du grand lutrin.

– Prudence ! recommanda Léo alors qu'un banc déviait devant eux, les déséquilibrant quelques secondes.

Son unique occupant, Vilnix Pompolnius, les fusilla des yeux.

– Garez-vous, c'est tout, gronda-t-il avant de se détourner.

Sans lui prêter attention, Quint réajusta les poids, et ils montèrent davantage, pour jouir d'une meilleure vue sur le lutrin.

À cet instant, Hax Vostillix apparut, Daxiel Xaxis, le sévère capitaine des portiers, à son côté. Le maître de bâtisse portait des robes en soie d'araignée raffinée, fourrées de minaki, brodées de joyaux des marais et de perles du Bourbier. Il avait dans la main un long sceptre sculpté en bois d'épine, qu'il leva pour réclamer le silence alors qu'il s'approchait du grand lutrin par une jetée en surplomb.

Au bout de celle-ci, Daxiel Xaxis fit un pas en avant et retint le lutrin pour son maître. Hax Vostillix y grimpa, se pencha et régla les poids oscillants d'une main experte. Le lutrin s'écarta lentement vers le milieu de l'immense espace. Puis, lorsqu'il fut satisfait de sa position (au centre même du dôme de conférences, assez haut pour dominer tous ses auditeurs), Hax se redressa, promena un regard circulaire et, levant de nouveau son sceptre, réclama un silence complet.

– Membres de l'Académie de chevalerie... commença-t-il de sa voix grave et sonore, rendue plus profonde et plus impressionnante encore par l'acoustique du lieu.

Les grands professeurs, les universitaires en armes et les chevaliers, massés sur les plates-formes murales, le saluèrent en courbant la tête. Sur leur propre plate-forme sculptée, les trois autres maîtres de bâtisse (Philius Braisetin, armé de pied en cap ; Arboretum Brancharquée, le petit gobelin arboricole voûté ; Flavien Vendix, qui se tenait raide, très droit, sa cravache serrée dans sa main) s'inclinèrent.

– Estimés visiteurs des sept écoles...

Hax posa son regard sur les balcons, où les universitaires invités sourirent et firent des révérences serviles. Hax leur rendit la politesse et, tandis qu'il

grimaçait un sourire, un air de triomphe vorace passa sur son visage, pour disparaître dès qu'il saisit le lutrin et leva la tête.

Avant la convocation de l'assemblée, Hax avait ordonné le nettoyage des vitres. Tout reste de neige avait été ôté, toute tache, toute trace décapée. Maintenant qu'il regardait à travers le dôme immaculé, ses yeux s'agrandirent. Et, dans la salle entière, chacun suivit son regard.

– Collègues érudits célestes, observez ces formations nuageuses, tonna Hax, et les bancs flottants agglutinés autour du grand lutrin dansèrent et tanguèrent, alors que les écuyers renversaient la tête pour lui obéir. Examinez-les bien. Notez la densité de la brume, l'effet de tourbillon et, surtout, la vitesse de rotation…

Quint scruta le couvercle de nuages gris, menaçants, et s'efforça de déchiffrer la mosaïque complexe de graduations et de symboles gravée dans les vitres. Autour de lui, des chuchotements emplirent la salle pendant que les universitaires considéraient le ciel et marmonnaient des calculs dans leur barbe.

– Trois foulées, huit, liaisons s'installant…

– Vision brumeuse, un dixième avec lente dérive…

– Advection, amplitude, magnétisme…

La voix de Hax résonna :

– Les nuages sont en train de former une enclume. Aucun doute. J'ai effectué les calculs. Mais ce n'est pas tout.

Du menton, il désigna l'un des balcons réservés aux visiteurs.

– Nos amis de l'École de la brume m'ont informé que ces nuages sont chargés de particules de brume aigre.

L'assistance laissa échapper une exclamation collective, mêlée de cris tels que «Merci le ciel!» et «Gloire au ciel infini!».

– C'est exact, poursuivit Hax, triomphant. Les nuages qui arrivent aujourd'hui du ciel infini annoncent une Grande Tempête!

Des hourras exaltés fusèrent dans la salle de conférences, les écuyers comme les professeurs jetant leurs chapeaux en l'air, les universitaires en armes entrechoquant leurs épées et frappant leurs plastrons. Là-haut sur la plate-forme des maîtres de bâtisse, Quint vit qu'un chevalier s'était joint à eux... Forlaïus Tollinix en personne, qui donnait une poignée de main enthousiaste à Philius Braisetin.

Hax leva son sceptre pour ramener le silence. Quint se retourna vers le lutrin flottant et fut stupéfait de découvrir une expression de rage à peine contenue sur la figure de Vostillix.

– Souvenez-vous de la grande purge, rugit-il en embrassant les plates-formes des yeux, lorsque la souillure de l'érudition terrestre fut bannie de notre grande et noble cité flottante! Souvenez-vous aussi de la raison pour laquelle nous, érudits célestes, avons dû agir! Notre rocher sacré menaçait de rompre ses amarres, tout comme aujourd'hui. Et où les érudits terrestres ont-ils cherché du secours?

Il se tut un instant, le regard flamboyant.

– Dans les Grands Bois! Pouah!

Hax crachait ses mots, le visage déformé par la haine.

– Ils n'ont pas voulu nous écouter, nous les érudits célestes. Nous leur avons soutenu que seul le ciel pouvait nous sauver. La suite nous a donné raison ! Grâce au phrax sacré, né de la Grande Tempête et placé dans le trésor, Sanctaphrax fut sauvée ! Vous voyez, mes chers érudits célestes...

Hax baissa la voix et regarda le lutrin, ses yeux enfoncés brillant sous ses sourcils froncés.

— Je crois que le ciel nous mettait alors à l'épreuve, tout comme il nous met à l'épreuve aujourd'hui. En chassant les érudits terrestres, nous, érudits célestes, avons relevé ce défi. Mais aujourd'hui qu'une Grande Tempête arrive et que le rocher de Sanctaphrax est de nouveau en danger, nous devons avoir le courage de prendre, une nouvelle fois, des mesures décisives !

Des murmures et des marmonnements bourdonnaient désormais sur les plates-formes et Léo, à côté de Quint, poussa son ami du coude.

— Hé, Quint, chuchota-t-il. Regarde Vilnix. Il boit les paroles de Hax.

Quint baissa les yeux vers l'écuyer solitaire, assis juste au-dessous d'eux sur son banc flottant. Il avait les doigts blanchis tant il s'agrippait aux accoudoirs, et une grimace hideuse lui déformait les traits.

— Te rappelle-t-il quelqu'un ? demanda Léo avec un petit rire.

Quint passa de l'écuyer au maître de bâtisse sur le lutrin, puis revint à Vilnix.

— Oui, répondit-il. Hax Vostillix.

C'était vrai. Vilnix avait la même expression de haine et de rancœur à peine contenues.

— La barbe et les belles robes mises à part, gloussa Léo.

– L'érudition terrestre perdure! rugit Hax, la voix chargée d'une haine barbare. Les érudits terrestres ne sortent peut-être plus au grand jour, mais ils n'en ont pas disparu pour autant; ils rôdent, furtifs, et attendent la moindre occasion de détourner les érudits célestes de leurs études sacrées. Imaginez: ils ont infiltré jusqu'à l'Académie de chevalerie!

À ces paroles, des «Non! Ce n'est pas possible!» fusèrent.

– Eh si, c'est possible, mes chers érudits célestes, les interrompit Hax. Ici même, dans notre grande Académie, des érudits terrestres corrompent les esprits de nos jeunes écuyers!

Des sifflets et des huées résonnaient à présent, et des cris de colère jaillissaient des plates-formes bondées. Hax sourit, manifestement comblé par l'effet de son discours sur les universitaires.

– Tant qu'un seul érudit terrestre demeurera parmi nous, la souillure de l'érudition terrestre persistera!

Hax eut un regard d'acier.

– L'ancien Dignitaire suprême n'a pas rasé la Grande Bibliothèque, en dépit de mes requêtes et de mes pétitions. Encore aujourd'hui, ce symbole de la folie des études terrestres reste debout. Ainsi rempli des projets malavisés de générations d'érudits du passé, il ne sert qu'à inciter les sots et les traîtres du présent à poursuivre leurs funestes études. Je vous le dis, ajouta-t-il, avant de se taire un instant. Si nous n'agissons pas sans délai, alors que le ciel nous met de nouveau à l'épreuve, nous et notre grande cité flottante, il n'y aura pas d'avenir pour Sanctaphrax!

La foule, aiguillonnée vers des sommets de rage et d'indignation, se déchaîna une nouvelle fois. Les auditeurs braillèrent, beuglèrent, brandirent le poing, leurs visages tordus par la fureur. Vilnix, remarqua Quint, semblait crier plus fort que quiconque. Il plissait les yeux, sa figure était blême, et des spasmes haineux lui secouaient tout le corps.

Quint dut se détourner. Son père, le Chacal des vents, l'avait mis en garde contre le pouvoir des foules et le danger des agitateurs, et lui avait recommandé d'éviter les individus qui se permettaient de perdre ainsi leur sang-froid. En outre, l'ancien Dignitaire suprême était Linius Pallitax, le père de Maria. Quint ne pourrait jamais trahir la mémoire de quelqu'un qui, malgré ses défauts, avait toujours eu les meilleures intentions du monde.

Non, Linius n'avait pas détruit la Grande Bibliothèque. Et pourquoi? Parce qu'il avait cru au caractère sacré de la connaissance, parce qu'il avait compris combien leurs ancêtres avaient à leur apprendre et, oui, parce qu'il avait cru que le progrès, pour Sanctaphrax, passait par la réconciliation entre érudits terrestres et célestes. Ayant connu Ulmus Pétulans, le sage et vaillant Bibliothécaire supérieur, qui s'était sacrifié pour sauver Maria et Quint lui-même, dans les profondeurs du nid de pierre, le jeune écuyer savait que Linius avait eu raison.

Malheureusement, à en juger par les cris des universitaires alentour, il semblait être le seul dans ce cas. Néanmoins, levant la tête, il s'aperçut que les trois maîtres de bâtisse, sur leur plate-forme, étaient sombres et silencieux.

– Voyez le ciel! déclamait Hax, son sceptre pointé, ses robes agitées. Il nous met à l'épreuve! Êtes-vous prêts à relever le défi, comme ces valeureux érudits célestes avant vous?

Pour la seconde fois, tout le public renversa la tête. Derrière le dôme immaculé, le ciel crépusculaire s'assombrissait déjà, le soleil ayant disparu à l'horizon. Fait insolite pour une conférence à cette heure de la journée, les lampes demeuraient éteintes; lorsque Hax tendit le doigt, les universitaires rassemblés purent donc constater qu'une nouvelle frange de lourds nuages sombres arrivait des profondeurs du ciel infini, au-delà de la Falaise.

– Oui! hurla l'auditoire.

– Alors, nous devons purger l'Académie de chevalerie de l'érudition terrestre, définitivement! tonna Hax.

– Oui! Oui! Oui! gronda l'assistance.

De plus en plus mal à l'aise, Quint remua sur son siège.

Un instant après, il s'aperçut qu'il n'était pas le seul. Les trois maîtres de bâtisse s'étaient levés et s'apprêtaient à partir... mais les portiers en longues capes blanches leur barrèrent la route.

– Ne bougez pas ! leur cria Daxiel Xaxis.

Un sourire de triomphe vorace reparut sur le visage de Vostillix.

– Arboretum Brancharquée, maître de la Bâtisse du nuage orageux... dit-il d'une voix sourde et menaçante. Niez-vous vos liens avec l'érudition terrestre ?

– Bien sûr que je nie de tels liens ! rétorqua le gobelin arboricole. C'est un scandale !

– Niez-vous la possession de ces rouleaux d'écorce, venus de la Grande Bibliothèque ? demanda Hax, exhibant deux documents tout écornés avec un dégoût manifeste.

– Ce sont de simples traités sur les fromps, protesta Brancharquée. Les soins, le dressage. Assez anodins. Tout le monde sait que je m'intéresse aux combats de fromps...

– Anodins ? rugit Hax, martelant son lutrin. Anodins ? Alors que vous avez contracté ainsi des dettes de jeu que vous ne pouvez espérer rembourser, et négligé vos études ! Voyez comme l'érudition terrestre entache jusqu'aux meilleurs d'entre nous !

Arboretum baissa la tête, honteux.

– Je ne voulais pas me laisser entraîner. La malchance m'a poursuivi, voilà tout. J'ai pensé que, si je lisais quelques traités sur ces petites bêtes...

– Vous déshonorez l'Académie de chevalerie ! hurla Hax, avant de tourner son regard vers un Flavien Vendix à la mine sinistre. Ah, oui, Flavien Vendix, dit-il. Maître de la Bâtisse du nuage gris...

Flavien soutint le regard de Hax, son poing se crispant autour de sa cravache.

– Niez-vous vos liens avec l'érudition terrestre ?

– Je nie de tels liens, répliqua le maître de bâtisse.

– Niez-vous que la vie de l'un de vos rôdailleurs, créature terrestre, vous importe plus que celle d'un jeune écuyer de l'Académie ?

– Je le nie ! lança Flavien.

Hax adressa un signe à Vilnix Pompolnius, qui se leva, les jambes vacillantes, sur son banc flottant, son air de triomphe reflétant celui du maître de la Bâtisse du haut nuage.

– Vous niez avoir frappé ce jeune écuyer avec votre fouet d'érudit terrestre, devant tous ses camarades, parce qu'un rôdailleur malingre dépérissait ?

Flavien devint pâle comme un linge, et la cravache trembla dans son poing.

– Voyez comme l'érudition terrestre a nourri un caractère brutal et poussé un maître de bâtisse à s'emporter contre un écuyer, en raison d'une créature terrestre. Un écuyer ! L'espoir et l'avenir mêmes de nous tous ! cria Hax aux universitaires.

Et ceux-ci vociférèrent :

– Honteux ! Honteux !

– Vous déshonorez, vous aussi, l'Académie de chevalerie ! hurla Hax au-dessus de leurs cris.

– Cela suffit !

La voix de Philius Braisetin, maître de la Bâtisse du nuage blanc, résonna avec une force étonnante, de la part du vieux chevalier d'ordinaire confus et troublé.

– Je dois protester !

– Ah, le grand Philius Braisetin, maître de la Bâtisse du nuage blanc. Ainsi nous arrivons à vous, commença Hax, d'un ton soudain radouci et peiné, puis il secoua la tête en grimaçant, comme affligé.

Un silence de mort régnait désormais dans tout l'édifice. Chacun savait que le vieux chevalier, en dépit de ses manières distraites, était la plus grande gloire actuelle de l'Académie. Bien sûr, il avait effectué non pas une, mais deux expéditions de chasse à la tempête, assurant à lui seul la stabilité du gros rocher flottant pour les années futures – avant que cet hiver ne s'installe, rigoureux, interminable, et ne change tout.

Quint le dévisagea, inquiet. Assurément, songea-t-il, le vieux maître de la Bâtisse du nuage blanc était au-dessus de tout reproche. Non ?

– Même vous, gronda Hax, n'êtes pas à l'abri du fléau de l'érudition terrestre.

– De... de quoi parlez-vous ? demanda Philius, l'air de nouveau hésitant et confus.

– C'est plus avec chagrin qu'avec colère que je dois déplorer une violation choquante des lois de Sanctaphrax, continua Hax. Les Dignitaires suprêmes sont aussi attristés que moi. Quelle qu'en soit la cause (extrêmes dangers et privations lors de ses expéditions mémorables, effets de la forêt du Clair-Obscur), Philius Braisetin a manifestement perdu la raison...

– Absurde ! Il est aussi sain d'esprit que moi ! s'écria Forlaïus Tollinix en s'avançant, les yeux flambants de colère. Il doit y avoir erreur...

– Si seulement, déplora Hax, si seulement c'était le cas ! Mais avant que vous ne vous précipitiez au secours de votre mentor, mon brave et jeune chevalier, vous devriez sans doute prendre connaissance des faits. Il semble que le Maître de la Bâtisse du nuage blanc ait ordonné à ses maîtres de forges, contre leur gré, de soudoyer les gardiens du trésor, pour qu'ils volent une partie du phrax de tempête sur lequel ils veillent. C'était peut-être le désir de posséder ce pour quoi il avait tant souffert, ou de voir un bloc de phrax sacré une dernière fois avant de mourir. Qui sait ? Il avait peut-être même l'intention de le rapporter ensuite.

Il haussa les épaules et secoua la tête.

– Qui peut deviner quelles pensées sont passées dans son pauvre esprit brouillon...

– Mais votre histoire est à dormir debout ! se fâcha Philius Braisetin, qui s'approcha de la rambarde en chancelant. Vous ne comprenez pas…

– Oh, je comprends très bien, répliqua Hax d'une voix soudain rude et âpre. Ceci me révèle tout ce que j'ai besoin de savoir !

Il brandit un rouleau d'écorce flambant neuf, afin que tous le voient bien.

– Les aveux signés du capitaine Siegfried, obtenus ce matin même, grâce à un peu de persuasion, par Daxiel Xaxis ici présent, dit-il en faisant un moulinet.

De toute évidence, Hax Vostillix s'amusait.

– Et avec la collaboration spontanée de vos propres maîtres de forges, Spontus Vic et Gino Biscoto. Vos appartements privés ont été fouillés, un bloc de phrax découvert dans un coffret. Les deux Dignitaires suprêmes, dois-je préciser, assistaient aux opérations ; et ils ont été aussi révoltés que moi !

– Si vous acceptiez d'écouter un instant… souffla Philius, tombant à genoux, le visage aussi blafard que son armure antique.

– Parmi vos effets personnels se trouvaient aussi des rouleaux d'écorce de la Grande Bibliothèque, de véritables piles, tous rédigés par des érudits terrestres. Pas étonnant que vous ayez fini par perdre l'esprit.

– Vous êtes un imbécile, Hax Vostillix, souffla le vieux chevalier. Un imbécile aveugle. Ces rouleaux d'écorce contiennent… la solution… à…

– Silence ! rugit le maître de la Bâtisse du haut nuage, et il braqua son sceptre vers la plate-forme. Philius Braisetin, vous déshonorez l'Académie de chevalerie ! Portiers ! Emmenez-le ! Emmenez-les tous !

Tirant leurs épées, les portiers bondirent, mais Forlaïus s'interposa, sa propre épée dégainée.

– Forlaïus Tollinix, chevalier en attente ! tonna Hax depuis le lutrin. Avant de défier mes ordres, laissez-moi vous rappeler une chose.

Forlaïus se tourna vers lui, ses yeux lançant des éclairs.

– Quoi donc ? gronda-t-il.

– Une Grande Tempête approche, et Sanctaphrax a besoin du talent de ses meilleurs chevaliers. Réfléchissez bien avant de passer à l'action…

Forlaïus fusilla du regard le maître de bâtisse, puis il se pencha sur la silhouette affaissée de son ami, Philius Braisetin. Le vieux chevalier leva le front et scruta le visage de son jeune collègue, comme s'il lisait ses pensées. Alors, avec lenteur, il inclina la tête. Forlaïus se détourna, rengaina son épée et s'écarta pendant que les portiers emmenaient les trois maîtres de bâtisse.

– Compagnons érudits célestes, la purge a commencé ! annonça Hax Vostillix. Sanctaphrax sera sauvée !

Sur le banc flottant, Quint baissa les yeux, accablé, tandis que les hourras des universitaires résonnaient sous le dôme. Être membre de l'Académie de chevalerie ne lui paraissait plus aussi digne d'estime.

CHAPITRE 12

Le Fendeur de vent

L E MÉCANISME DU GRAND TÉLESCOPE GRINÇA EN SIGNE DE protestation lorsque le professeur d'Obscurité tenta d'effectuer la mise au point, là-haut sous le dôme vitré de l'Observatoire céleste.

– C'est en pure perte, mon ami, cria-t-il à son collègue, le professeur de Lumière, resté au pied de l'échelle. Ce maudit engin est presque bloqué par le froid. J'ai toutes les peines du monde à le tourner.

Il tapota du doigt le cylindre du grand télescope en cuivre et, quittant son siège rembourré, prit appui sur le premier barreau.

– Voilà qui ne me plaît pas, commença son collègue dès que le professeur d'Obscurité l'eut rejoint. Les particules de brume aigre signifient assurément qu'une Grande Tempête arrive, mais ces formations nuageuses… poursuivit-il en secouant la tête. Trop compactes, bien trop lentes et, pour ma part, la densité de la brume ne me convainc pas du tout…

– Moi non plus, cher ami, l'approuva le professeur d'Obscurité. Moi non plus. Néanmoins, aucun doute de cette nature ne semble tarauder notre estimé collègue, le maître de la Bâtisse du haut nuage. Les moindres écoles et académies paraissent suspendues à ses lèvres.

– C'est là, déplora le professeur de Lumière, maussade, le pouvoir des agitateurs. Depuis son discours, une moitié des universitaires de Sanctaphrax fouille les placards-couchettes à la recherche d'érudits terrestres, tandis que l'autre moitié croit dur comme fer à l'arrivée imminente de son hypothétique Grande Tempête…

– Et lui, pendant ce temps, peut agir à sa guise, ajouta le professeur d'Obscurité avec un gros soupir. Je pensais que notre cher ami Linius Pallitax avait mis un terme à ces divisions absurdes entre études célestes et terrestres.

– À propos, demanda le professeur de Lumière, alors que les deux Dignitaires suprêmes descendaient le long escalier en hélice de l'observatoire (la plus haute tour de Sanctaphrax), que deviennent les maîtres de bâtisse ?

– Les ex-maîtres de bâtisse, cher ami, rectifia le professeur d'Obscurité.

Il inspira bruyamment entre ses dents.

– Eh bien, Flavien Vendix a pris l'habitude de fréquenter le manège du débarcadère ouest. Il ne supporte pas la séparation d'avec ses rôdailleurs bien-aimés, j'imagine ; mais Hax a menacé d'envoyer ses portiers s'il osait se montrer à nouveau dans la Bâtisse du nuage gris. Arboretum, le malheureux, s'est enfui à Infraville, perdu de réputation. Ses dettes de jeu sont bien plus importantes, semble-t-il, que quiconque le soupçonnait, et il doit de l'argent presque partout. Plusieurs écoles du Viaduc s'acharnent cruellement, à ce que j'ai appris.

— Et Braisetin ?

— Oh, oui, pauvre Philius. C'est vraiment très triste, dit le professeur d'Obscurité. Alité, il continue de clamer son innocence. Selon la rumeur, il dépérit vite et Hax lui-même n'est pas assez dur de cœur pour le chasser. Mais c'est une sale affaire, marmonna-t-il au moment où ils atteignaient le bas de la tour. Une très sale affaire.

— En tout cas, déclara le professeur de Lumière, tandis qu'ils sortaient dans le blizzard, Hax Vostillix apparaît peut-être aujourd'hui comme le sauveur de Sanctaphrax, mais s'il se trompe sur cette Grande Tempête, les universitaires l'assailliront plus promptement que les corbeaux blancs charognards du Jardin de pierres.

Ces jours-ci, le maître de la Bâtisse du haut nuage ne se montrait presque plus sous le grand dôme de conférences, songea Quint en se calant contre les coussins rembourrés du banc flottant.

À côté de lui, Léo piquait du nez sur un rouleau d'écorce tout abîmé, couvert de taches et de traces d'encre noire.

Pauvre vieux Léo ! Quint sourit. Son ami ne voyait vraiment pas l'intérêt de la scrutation nuageuse !

– Tu comprends, chuchotait-il, protestant aussi fort qu'il l'osait étant donné l'acoustique révélatrice de la salle ovoïde, si j'avais voulu examiner le ciel à longueur de journée, je serais resté à l'Académie du vent. Là-bas, au moins, on pouvait discuter !

– Chuuut ! répondait Quint dans un souffle. Quelqu'un va t'entendre.

Bien sûr, ce « quelqu'un » était Vilnix Pompolnius, qui flottait loin au-dessus de tous, silhouette solitaire sur son propre banc. Désormais, les autres écuyers le fuyaient en permanence, non seulement sous le dôme, mais aussi dans la Rotonde et au dortoir.

Toutefois, l'écuyer maussade ne semblait pas s'en soucier. Il était trop occupé à lécher les bottes de Hax Vostillix les rares jours où le maître de bâtisse se présentait en salle de conférences, et à fureter et à prêter une oreille indiscrète aux conversations de ses camarades le reste du temps. Parmi eux, beaucoup étaient même convaincus qu'il les espionnait et cherchait à prouver leurs liens avec l'érudition terrestre, au point qu'ils refusaient de prononcer un mot en sa présence. Quint n'en était pas aussi certain, mais il jugeait malgré tout plus prudent de surveiller ses paroles, au cas où...

Chaque jour, de grands professeurs des Salles supérieures venaient donner des conférences sous le dôme, et les écuyers avaient la tête remplie de formules et d'équations nouvelles, qui allaient en se compliquant. Grâce aux angles et aux lignes gravées dans le dôme vitré, ils se familiarisaient avec les tourbillons, les remous et les flux oculaires, les mesures de dérive et les motifs de bruine. Puis, ces longues conférences complexes terminées, ils passaient de la théorie à la pratique. Les grands professeurs leur soumettaient des problèmes de navigation variés : déplacements de la brume, gonflements des tourbillons, évaluations des passages, simulations aériennes. La plupart des après-midi, seuls étaient perceptibles de légers grattements, tandis que les écuyers griffonnaient des rouleaux et des rouleaux d'écorce.

Il n'y avait pas de répit. Ils trimaient du matin au soir, et souvent tard dans la nuit, afin d'observer les effets de l'obscurité sur les nuages de plus en plus chaotiques qui arrivaient du ciel infini.

Alors que Léo s'ennuyait et s'impatientait souvent à côté de lui, Quint se sentait emporté par les mystères et la beauté des cieux. Certains jours, il avait grand peine à s'arracher au spectacle fascinant qui se déroulait derrière les panneaux de cristal du vaste dôme. Pourtant, à mesure qu'il étudiait les nuages, des questions et des doutes tenaces l'envahissaient, aussi sombres et alarmants que les nuées elles-mêmes... et, un après-midi, il ne put plus tenir sa langue.

À la fin d'un long exposé du grand professeur Griset Linum sur les amas nuageux de basse altitude, Quint leva le doigt.

– S'il vous plaît, professeur Linum, commença-t-il. Quelque chose me tracasse... à propos de la Grande Tempête...

Autour de lui, plusieurs écuyers réprimèrent des fous rires nerveux, et Léo étouffa une exclamation. Les élèves avaient la permission de poser des questions uniquement lorsque le professeur les y invitait. Laissant les poids du lutrin qu'il était en train de régler, Griset Linum dévisagea l'audacieux, sa bouche réduite à une mince ligne sévère.

– La densité de la brume paraît bien trop grande dans les formations en forme d'enclume, poursuivit Quint. Et, d'après mes calculs, la dérive n'est pas suffisante pour annoncer une Grande Tempête. Je sais que je ne suis qu'un écuyer des Salles inférieures, mais…

– Mais rien du tout, écuyer ! tonna une voix à l'autre bout de la salle. Comment osez-vous contester le jugement mûrement pesé du maître de la Bâtisse du haut nuage ?

Les bancs flottants s'entrechoquèrent tandis que leurs occupants se retournaient et découvraient Hax Vostillix, debout sur une jetée en surplomb, à l'entrée du dôme de conférences. Il avait la mine fatiguée, amaigrie, et sa robe en soie d'araignée était si froissée qu'il semblait avoir dormi dedans.

– Professeur Linum, s'indigna-t-il, quel genre de cours donnez-vous ici ? Les écuyers sont-ils donc autorisés à crier tout ce qui leur passe par la tête ?

Il s'avança d'un pas majestueux, écarta le grand professeur et grimpa sur le lutrin flottant, qui s'éleva de nouveau sous le dôme.

– Alors, qui parmi vous est capable de corriger cet insolent ? demanda-t-il d'un ton impérieux, en fusillant du regard les écuyers devant lui.

Dans le dos de Quint, la voix grêle et mielleuse de Vilnix résonna :

– S'il vous plaît, monsieur le maître de bâtisse. Comme vous l'avez déjà expliqué, la hausse des particules de brume aigre dans l'atmosphère indique, de manière ferme et définitive, qu'une Grande Tempête se prépare. Et les nuages en forme d'enclume, malgré les effets masquants de la neige et de la glace, annoncent son arrivée imminente, gloire au ciel!

Il plissa les yeux.

– Croire le contraire relève de l'érudition terrestre!

Il termina sa phrase dans un sifflement sourd, et Quint tressaillit à cette accusation. Il aurait dû se taire! Les anciens maîtres de bâtisse n'étaient pas les seuls à devoir redoubler de vigilance, dans ce nouveau climat de suspicion.

– Excellent, jeune Pompolnius! Excellent! s'enthousiasma Hax. Une Grande Tempête est bel et bien imminente!

Pourtant, alors même qu'il parlait, l'expression anxieuse et agitée de son visage révéla qu'il avait lui-même des incertitudes.

– Écuyers, sortez! ordonna-t-il. Et vous, Quintinius Verginix, dit-il en rivant sur Quint un œil glacial, les grands professeurs m'affirment que vous êtes intelligent. Bien trop intelligent, j'espère, ajouta-t-il en plissant les yeux, pour vous laisser prendre à des mensonges d'érudit terrestre...

– N-n-non, monsieur, bégaya Quint. Euh... o-o-oui, monsieur...

– Surveillez vos propos, à l'avenir!

Le maître de bâtisse imprima un demi-tour au lutrin, regagna la jetée et sortit comme un ouragan.

Quint allait se replonger dans son travail lorsque Griset Linum attira son attention. Un léger sourire jouait sur les lèvres minces du grand professeur et, avant que

son élève ne détourne le regard, il lui adressa un clin d'œil. Quint n'était manifestement pas le seul à douter de la Grande Tempête.

Dans les hauteurs de sa tour, à l'Académie de chevalerie, Forlaïus Tollinix se leva, s'approcha de la fenêtre et l'ouvrit d'un geste brusque. Des nuages noirs en forme d'enclume bouillonnaient dans le ciel, mais le blizzard des trois semaines précédentes semblait enfin s'être calmé.

De ses yeux verts, il scruta les nuées, attentif à chaque détail. Ses narines frémirent. Il y avait une odeur de brume aigre, plus forte que jamais. Cependant, quelque chose n'allait pas. Était-ce la densité des nuages, ou leur trop lente dérive ? Il secoua la tête. Même s'il n'arrivait pas à définir le problème, son profond sentiment de malaise ne le lâchait pas.

Forlaïus aurait voulu parler à son ami Philius Braisetin, le vieux chevalier. Lui, au moins, saurait ce que signifiaient ces conditions déroutantes... Mais un tel dialogue était impossible. Dans ses quartiers de la Bâtisse du nuage blanc, Philius, en proie au délire, appelait son rôdailleur mort depuis des lustres et revivait inlassablement, dans sa pauvre imagination enfiévrée, ses fameuses expéditions de chasse à la tempête.

Non, Forlaïus devait se fier à Hax Vostillix, que cela lui plût ou non. Hax avait déclaré qu'une Grande Tempête était imminente et, de tout son cœur, le chevalier désirait croire qu'il avait raison.

Il quitta la fenêtre et entreprit de revêtir son armure, lente et longue tâche, rituel quotidien. D'abord le capitonnage, puis la tuyauterie interne – serrer les valves, emboîter les raccords. Ensuite, les jambières, dont il fallait graisser les articulations et vérifier les bagues ; puis c'était le tour des bras : coudières, épaulières. Suivaient les grands plastron et dossière, lisses et polis, couverts de tuyaux et de jauges vitrées. Pour finir, le casque pesant, mis en place et attaché avec soin.

Alors qu'il baissait la visière, Forlaïus entendit sa propre respiration rugir à ses oreilles. Et, derrière le cristal réfractant le clair-obscur, le monde extérieur prit une couleur dorée de miel des bois.

Il était maintenant prêt à descendre les trois cent soixante-douze marches de la tour et à enfourcher Vanquix qui, huilé et étrillé, l'attendait dans la cour intérieure. Ils feraient alors un court galop jusqu'à la Grande Salle, voisine du Viaduc central, où il guetterait la sonnerie de la cloche.

Trois semaines s'étaient écoulées depuis que les Dignitaires suprêmes jumeaux l'avaient adoubé avec la grande épée de cérémonie courbe. Une tape sur chaque épaule, et il n'était plus un chevalier en attente, mais un chevalier à part entière !

Pourtant, l'attente se poursuivait. Heure après heure, jour après jour. Depuis trois semaines, il endossait son armure et attendait à une extrémité du Viaduc, tandis que son chasseur de tempête, *Le Fendeur de vent*, faisait de même à l'autre bout. Mais la Grande Tempête ne venait toujours pas.

Arrivant à la Grande Salle et pressant Vanquix d'entrer, Forlaïus leva sa visière et s'accorda un nouveau regard sur le ciel. Il vérifia la dérive et la rotation des énormes nuages. Peut-être qu'aujourd'hui serait le grand jour…

– Je suis prêt, chuchota-t-il au ciel, son souffle formant une longue plume de vapeur mince. Quand tu voudras !

Comme par magie arriva un son tel que la grande cité de Sanctaphrax n'en avait jamais entendu – mais que personne n'oublierait.

Ce fut d'abord un roulement sourd, plus proche d'une vibration dans l'air glacé que d'un véritable bruit. Les encriers et les stylos à manche en os glissèrent sur les pupitres des bancs flottants avec des cliquetis, et les écuyers tendirent le bras pour les rattraper avant qu'ils ne tombent et ne se brisent contre les murs cintrés en contrebas.

Puis, tandis que l'atmosphère s'assombrissait très vite, le roulement se changea en mugissement. Il venait d'en haut, des profondeurs du ciel infini. Il enfla, enfla encore, résonnant dans la salle de conférences ovoïde comme un invisible fauve encagé.

Quint, épouvanté, se boucha les oreilles.

Le son monta dans les aigus, passa du mugissement au hurlement puis au sifflement perçant, comme si un millier d'esprits célestes assiégeaient les tours de Sanctaphrax, qui se courbaient et frissonnaient devant eux. Et, pendant ce terrible crescendo grinçant, strident, le sol se mit à trembler, les édifices à trépider ; dans les moindres écoles et collèges de la cité glacée, les universitaires tombèrent à genoux et implorèrent le ciel de les protéger...

Alors, à l'instant même où Quint pensait ne plus pouvoir le supporter, quelque chose se produisit. Presque aussi brusquement qu'il avait jailli, le son s'évanouit, et l'air meurtri demeura palpitant de silence.

Hax Vostillix fit irruption dans la grande salle de conférences, les cheveux en désordre, le regard fou, et pointa un doigt vers le dôme. Quint leva la tête et découvrit un énorme nuage en forme d'enclume bouillonnant à travers le ciel, bouleversant et figeant tout alentour.

– La Grande Tempête ! s'écria le maître de la Bâtisse du haut nuage, triomphant, et il lança un rire insensé. Elle arrive ! Gloire au ciel !

Au même moment, dans le vestibule, retentit l'écho d'une lointaine cloche.

– C'est la cloche de la Grande Salle ! s'exclama quelqu'un.

– Ils sonnent la cloche de la Grande Salle !

Aussitôt, une activité frénétique se déploya dans l'Académie de chevalerie. Des portes claquaient, des voix s'élevaient, partout résonnaient des pas précipités tandis que les professeurs et les écuyers, les portiers, les universitaires en armes et les domestiques se ruaient de concert dans les couloirs et les escaliers. On saisissait capes et manteaux, on enfonçait des toques aux oreillettes fourrées, on ajustait de grosses lunettes. Et, comme la multitude affluait vers les magnifiques doubles portes, qui s'ouvrirent avec fracas, la cloche retentit, plus puissante encore.

Emportés par le flot, Quint et Léo mirent en hâte leur écharpe autour du cou et enfilèrent leur veste doublée.

– Qu'est-ce qui te chagrine, Quint ? demanda Léo au-dessus du brouhaha. La Grande Tempête est arrivée. N'es-tu pas enthousiaste ?

Une seconde plus tard, comme un bouchon fusant d'une bouteille de liquorine ballottée, ils surgirent du couloir dans le paysage citadin enneigé, balayé par le vent. La couleur était extraordinaire : un badigeon ocre, menaçant, teintait la neige épaisse ; et il flottait une curieuse odeur. Aigre, aux relents de brûlé, évocatrice d'amandes grillées.

– C'est juste que... Le nuage de tempête... commença Quint, essayant de ne pas se laisser distancer alors qu'il scrutait les nuées tournoyantes. Quelque chose ne correspond pas tout à fait...

Entraînés le long des rues obstruées de congères, leurs pieds bottés crissant sur la neige gelée, Quint et Léo avancèrent jusqu'aux escaliers du Viaduc. Des quatre coins de Sanctaphrax, c'étaient des centaines, des milliers d'habitants qui sortaient de tous les édifices et convergeaient.

Ils longèrent le débarcadère est, où la roue du grand manège grinçait, actionnée par les rôdailleurs et les fromps géants qui trottaient patiemment à l'intérieur, levant et abaissant inlassablement le poêle sphérique suspendu. Ils pénétrèrent dans le goulet entre les académies secondaires et l'Observatoire céleste, grognant sous l'effort tandis qu'ils se frayaient un chemin, et continuèrent en direction des vastes esplanades, qui offraient les meilleurs panoramas sur le magnifique Viaduc.

– Par ici, Quint, mon vieux ! le héla une voix.

Quint jeta un coup d'œil derrière lui : Rodérix, la tête emmaillotée dans un couvre-chef en peau de tilde pourvu d'épaisses oreillettes, debout sur un socle surélevé, agitait les bras.

Avec Léo, il se faufila jusqu'à lui, jouant des coudes parmi la cohue dense et impétueuse. Comme ils se rapprochaient, Rodérix se pencha vers eux, la main tendue, et les hissa l'un après l'autre sur le socle. Alors qu'il se serrait à côté de Léo, Quint pivota... et resta médusé. Là, dans les hauteurs, attaché au flanc de l'Observatoire céleste, se trouvait un navire du ciel.

Un chasseur de tempête !

– Qu'en penses-tu ? demanda Rodérix.

– Il est splendide, répondit Quint, frappé par la beauté de l'harmonieux vaisseau.

– Il s'appelle *Le Fendeur de vent*, continua Rodérix, qui grimaça un sourire alors que la bise glaciale agitait les oreillettes de son couvre-chef. Un nom parfait pour un chasseur de tempête ! Et voici son capitaine !

À cet instant précis, des cornes de tilde résonnèrent à l'autre bout du Viaduc central. Puis, très haut, juste au-dessous de l'imposant dôme vitré, les portes du balcon s'ouvrirent à toute volée. Là, resplendissant dans son armure polie, se tenait Forlaïus Tollinix, chevalier de l'Académie, juché sur son rôdailleur noir, Vanquix.

Apercevant le cavalier et sa monture, la foule entière lança des hourras et des bravos, qui augmentèrent, frénétiques, tandis que tous deux avançaient lentement au sommet du Viaduc. Ils avaient si noble allure que, pour l'heure, Quint oublia ses doutes sur l'énorme nuage.

Lorsque Vanquix et Forlaïus eurent dépassé le milieu du Viaduc, le ciel parut plus menaçant que jamais. Le vent avait enflé lui aussi et, tandis que la foule admirait le vaillant chevalier et sa bête de selle, de gros flocons duveteux se mirent à tomber.

Forlaïus arriva près du navire attaché à l'extrémité du Viaduc. Il fut accueilli par un Hax Vostillix exalté, dont la barbe blanche claquait au vent.

– La Grande Tempête approche! hurla-t-il alors que le ciel s'assombrissait.

Forlaïus haussa la visière de son casque et leva ses yeux verts. Le nuage en forme d'enclume se déplaçait vite et un début de rotation semblait s'esquisser. Mais la formation était dense, et aucun éclair ne scintillait dans ses profondeurs. Les tourbillons de neige, en revanche, semblaient devenir plus épais.

– Qu'attendez-vous? hurla Hax, presque fou d'impatience et d'ardeur. C'est une Grande Tempête! Il ne faut pas la laisser passer!

Forlaïus posa son regard intense sur le maître de la Bâtisse du haut nuage et prit la parole, sa voix grave presque noyée par le blizzard tournoyant:

– Je n'échouerai pas.

Sur ces mots, Forlaïus secoua les rênes, et Vanquix gagna d'un bond le pont du navire. La foule, s'abritant les yeux de la main, lança des cris de joie. Ceux-ci s'intensifièrent alors que Forlaïus mettait pied à terre et entreprenait de hisser les voiles, tour à tour. D'abord la grand-voile, puis le perroquet et la bonnette, qui claquèrent et se gonflèrent sous l'action du vent. Enfin, la plus forte clameur retentit lorsque Forlaïus détacha la haussière et que *Le Fendeur de vent*, avec un écart brusque, s'élança dans l'air agité.

— La vitesse du ciel vous accompagne !

— Revenez sains et saufs !

— Que le ciel vous protège !

Les paroles d'encouragement et les vœux de réussite furent emportés par le vent cinglant, et Forlaïus Tollinix n'entendit sans doute rien alors qu'il s'efforçait de maîtriser le navire. Bataillant avec les voiles gonflées tout en essayant de contrôler la roche de vol dangereusement instable, il décrivit un cercle autour de l'Observatoire céleste, avant de se diriger vers le cœur de la tempête, à l'instant où elle passait au-dessus de Sanctaphrax et continuait sa course du côté d'Infraville et du Bourbier.

Quint sentit son cœur battre la chamade en voyant le navire devenir minuscule dans le malstrom déchaîné. Il semblait si fragile, si frêle. Les voiles claquaient, les poêles de la roche de vol clignotaient et, parmi la foule, des spectateurs murmuraient des prières et des souhaits, les plus soupçonneux d'entre eux tripotant les amulettes et les porte-bonheur pendus à leur cou.

Durant une seconde, *Le Fendeur de vent*, bien visible, se découpa de profil sur la masse du turbulent nuage. Un instant plus tard, il disparut à l'intérieur. Tous les yeux, écarquillés, demeurèrent fixés sur le point où le navire avait pénétré dans la tempête, mais il n'y avait plus rien à voir : la Grande Tempête poursuivait sa trajectoire inexorable vers la forêt du Clair-Obscur, le

chevalier de l'Académie et son fidèle rôdailleur empri-
sonnés en elle.

– Que le ciel vous protège, Forlaïus Tollinix, murmura Quint. Que le ciel vous protège !

CORENTIN
QUISITIX

CHAPITRE 13

La lettre sur écorce

TOUT VA BIEN, QUINT, MON VIEUX ? DEMANDA RODÉRIX.
— Au pied du socle, il considérait son ami, un air perplexe sur son visage rougi, fouetté par le vent.

Déjà, la foule diminuait sur les escaliers du Viaduc ; les universitaires, les domestiques et tous les autres spectateurs se hâtaient en effet de regagner la chaleur et le couvert de leurs écoles et académies respectives.

— Je suis désolé d'interrompre ta rêverie, insista Rodérix, mais il fait de plus en plus frisquet, au cas où tu ne l'aurais pas remarqué.

Quint fit volte-face, s'apercevant soudain que Rodérix avait raison. Pendant qu'il était demeuré là, les yeux braqués sur l'horizon, un nouveau blizzard avait surgi du ciel infini, et l'atmosphère glaciale était redevenue neigeuse.

— Excuse-moi, dit-il, balayant les flocons qui s'accumulaient sur ses épaules et sautant au bas du socle. Mais je ne peux pas me sortir cette idée tenace de la tête…

— Quelle idée, mon cher ? demanda Rodérix.

Ils se donnèrent le bras et, prenant appui l'un sur l'autre, rebroussèrent péniblement chemin dans les rues encombrées de neige, en direction de l'Académie de che-valerie.

– L'idée, répondit Quint, alors qu'ils rattrapaient Léo qui bataillait pour rabattre une paire de lunettes enfon-cées sur sa toque, que Hax Vostillix a pu se tromper. Qu'il ne s'agissait pas réellement d'une Grande Tempête.

– Il vaudrait sacrément mieux qu'il ne se trompe pas ! s'enflamma Léo. Au fond, il vient juste d'envoyer le meilleur chevalier de Sanctaphrax à la poursuite de ce maudit malstrom !

Il grimaça, irrité.

– Quelle barbe, ces fichues lunettes ! Pourquoi n'obéissent-elles pas ?

– Allons, tu as tout emmêlé, dit Rodérix, venant à son aide.

Il tira sur les oreillettes de la toque, décoinça les lunettes et se retourna vers Quint.

– Tu n'as sûrement pas tort, mon vieux. Ils sont un certain nombre, dans les Salles supérieures, à douter de cette Grande Tempête annoncée par Hax. Mais le trésor a tellement besoin de phrax qu'ils sont prêts à se taire et à le croire.

Ils arrivaient près du débarcadère est, où le manège fonctionnait jour et nuit, déplaçant l'énorme poêle sphé-rique à la surface du gros rocher. Le piétinement régulier des rôdailleurs, qui trottaient, inlassables, dans la grande roue, était presque noyé par le vent mugissant, chargé de neige.

La tête baissée, leurs épaisses capes claquant, les trois écuyers se hâtèrent autant que la neige compacte le leur permettait. Aucun d'eux ne voulait admettre l'ef-frayante vérité quant au rocher flottant.

Déjà les rigueurs de l'hiver l'avaient rendu si léger que la Chaîne d'amarrage était tendue au maximum. Grinçante, gémissante, elle semblait près de se rompre d'un moment à l'autre. Les énormes poêles réchauffaient la roche du mieux qu'ils pouvaient, mais le combat était perdu d'avance. Les vents glacés qui traversaient le nid de pierre menaçaient de le geler jusqu'au noyau ; en pareil cas, ni chaîne ni poêle, si nombreux qu'ils fussent, ne pourraient empêcher le rocher de se libérer et de disparaître à tout jamais dans le ciel infini.

Non, pour la cité flottante, l'unique espoir était le phrax de tempête, et chacun des habitants le savait. Seule cette substance sacrée, dont une bolée pesait plus lourd que cent mille arbres de fer, une fois placée dans l'obscurité complète du trésor, pouvait fournir le contrepoids nécessaire à la flottabilité croissante du rocher. Sans surprise, donc, malgré les réserves et les doutes personnels, la foule avait réagi avec jubilation au départ du chevalier sur son chasseur de tempête.

– Et Forlaïus n'est que le premier, dit Rodérix d'un air sombre.

Arrivés en face de l'École de la brume, ils avançaient laborieusement au milieu des congères, en direction de la porte nord de l'Académie.

– Tous les chevaliers en attente dans les treize tours recevront l'ordre de partir, je vous le promets. Hophix, Dantius, Queritis... Hax les enverra en expédition au passage de la moindre bourrasque de neige, dans le cas (le plus improbable) où il s'agirait bel et bien d'une Grande Tempête. Et le plus curieux...

Il se tut.

– Le plus curieux ? chuchota Quint.

Ils saluèrent le robuste portier tout en se glissant par la haute ouverture entrebâillée.

– Le plus curieux, c'est qu'ils obéiront tous, affirma Rodérix en souriant. Tous les chevaliers, puis tous les écuyers promus pour les remplacer. Tous, jusqu'au dernier.

Son sourire devint désabusé.

– Même moi.

– Mais pourquoi ? demanda Quint. Si Hax ne te convainc pas…

– Parce que, mon cher ami, nous sommes à l'Académie de chevalerie, expliqua Rodérix. Nous sommes nés pour chasser la tempête.

Ils avaient atteint le bas des marches qui montaient vers les Salles supérieures.

– Et un de ces jours, lança-t-il, tandis qu'il s'éloignait dans l'escalier, le vieux Hax aura peut-être raison.

Dehors, sous l'averse neigeuse, une silhouette voûtée tourna au coin de l'École de la brume et se hâta vers l'Académie de chevalerie. La matrone troll des bois, ses jupes tourbillonnantes, retenant son bonnet d'une main gantée, avait beaucoup de mal à garder l'équilibre sur les pavés gelés. Sous ses pieds, la neige fondante, étalée par les bottes des nombreux passants, était en train de se figer : les pointes déchiquetées craquaient, crissaient et menaçaient de lui tordre la cheville à chaque pas.

– Est-ce que j'arrive trop tard ? demanda-t-elle, hors d'haleine, au robuste garde dans sa cape blanche à capuche, ornée du verrondin rouge des portiers. Ai-je manqué les jeunes écuyers ?

– Je le crains, la mère, rit le portier, sa grosse voix étouffée par la longue écharpe qui lui protégeait la figure. Il fait bien trop frisquet pour que ces petits chéris flânent dans les rues. Ils pourraient attraper froid ! Mais nous, les portiers, nous pouvons grelotter ici, c'est égal...

Il battit la semelle sur le sol gelé et frissonna, théâtral.

– Je me demandais, commença la matrone, retirant ses mitaines et fouillant dans son sac en cuir de tilde, si vous ne pourriez pas transmettre ceci à l'écuyer Quintinius Verginix, des Salles inférieures...

D'une main tremblante, elle présenta un rouleau d'écorce.

– Quintinius Verginix, dites-vous ? fit une voix grêle et mielleuse, et la matrone, pivotant sur ses talons, découvrit un garçon maigre et sec penché vers elle.

– Je crois que je me suis trompé, la mère, dit le portier. Il restait un petit chéri : le jeune Vilnix est toujours le dernier à rentrer au bercail. On parcourait encore les écoles du Viaduc, hein ?

– Mêlez-vous de vos oignons ! rétorqua l'autre. Et je vous précise, portier, que c'est «Écuyer Pompolnius», ne vous avisez pas de l'oublier !

Le portier s'esclaffa derrière son écharpe et s'inclina, railleur. Sans lui prêter attention, Vilnix tendit le bras et arracha le rouleau d'écorce à la matrone.

– Je le lui transmettrai, pas d'inquiétude ! déclara-t-il, avec un bref sourire vorace, avant de s'engouffrer dans l'ouverture.

– Dites-lui qu'Irina et Gazouilli lui font leurs amitiés... ajouta la matrone d'un ton hésitant.

Quelque chose la gênait dans les traits maigres et tirés, dans le regard fuyant de ce garçon. Néanmoins, il portait la robe des écuyers de l'Académie, et il semblait connaître Quint. En outre, puisqu'elle ne pouvait pas donner la lettre au jeune maître en personne, elle était bien obligée de se fier à lui. Devant elle, le portier referma le lourd battant et croisa les bras.

– Je vous conseille d'activer le mouvement, la mère, si vous comptez redescendre à Infraville cet après-midi. Avec toute cette neige, ils parlent de suspendre la circulation des paniers.

– Oh ! s'exclama Irina. Je ne peux pas me permettre de rester bloquée ici.

Et, lançant un hâtif «bonsoir» au portier, elle s'éloigna à pas pressés en direction du débarcadère est.

Tandis qu'il suivait le couloir central, tapotant la petite bosse dans sa poche intérieure, Vilnix s'accorda un léger rire grinçant. Il trouvait si drôle que la vieille matrone ridicule lui ait remis le rouleau d'écorce. Jusque-là, ç'avait été un après-midi glacial, maussade, frustrant, car la grotesque cérémonie de départ du vieux «cuirassier», à bord de ce prétentieux navire, avait interrompu son travail.

Oh, comme les autres écuyers avaient applaudi et crié, agité les bras en tous sens tels des fromps désaxés. Quelle bande d'imbéciles !

Vilnix sourit secrètement.

La chasse à la tempête ! Ils n'avaient que ces mots à la bouche, ces écuyers dorlotés, natifs de Sanctaphrax. Mais lui, Vilnix Pompolnius, allait leur montrer ! Arrivé au bout du couloir, il prit à droite, donnant une nouvelle tape furtive au rouleau.

Devant lui, plusieurs écuyers échangèrent un coup d'œil et s'écartèrent pour le laisser passer. Tous le haïssaient, il le savait – mais, un jour, ils le redouteraient aussi. Un jour, il les regarderait tous de haut, parce que lui, le modeste Vil Malgraine, ancien rémouleur à Infraville, deviendrait Vilnix Pompolnius, Dignitaire suprême de Sanctaphrax.

Il pointa le menton, et son visage prit un air de fierté sournoise.

Il deviendrait Dignitaire suprême, parce qu'il avait ce qu'il fallait pour atteindre le sommet : la ruse, la méchanceté, la traîtrise et la fourberie. Il le savait pertinemment, car c'était précisément ce qu'il lui avait fallu pour survivre dans les égouts fétides d'Infraville.

Sous la férule de l'écoutinal gris, alcoolique, qui l'avait découvert petit et élevé dans une canalisation des docks flottants, il avait appris à crocheter les serrures et à pratiquer le vol à la tire dès qu'il avait su marcher. Il s'était montré très doué en la matière, et il avait bien vite abandonné la vieille créature pathétique, ronflant dans son hamac, pour entreprendre une carrière de rémouleur.

Il était le meilleur, tous le savaient. Le moindre gobelin déterminé à se venger, le moindre troglo plouc cherchant la bagarre, le moindre écoutinal assassin venait le voir pour faire aiguiser sa faucille, affûter sa hache, affiler son poignard.

Pourtant, même à l'époque, Vilnix sentait que ce n'était pas assez. Il en voulait davantage, bien davantage. Il ne supportait plus de recevoir des ordres – il voulait commander, diriger. Bref, il voulait le pouvoir. Puis le professeur d'Obscurité avait fait tomber sa lunette. Le reste, comme on disait, appartenait à l'histoire.

C'était son mentor, le professeur, qui l'avait rebaptisé.

– Vil Malgraine… avait-il répété, songeur, alors qu'ils étaient assis face à face dans le bureau de l'universitaire. Un excellent nom pour un rémouleur, mais insatisfaisant, je le crains, pour un futur chevalier de l'Académie.

Il s'était caressé la barbe, pensif.

– Vil, avait-il fini par dire. Diminutif de Villox, Vilfius et Vilnix...

Froncement de sourcils.

– Hum, voilà un glorieux prénom... Vilnix...

– Pompolnius, avait terminé le jeune garçon.

C'était le patronyme d'un infortuné ligueur des quais ouest, tombé sous les coups d'un poignard que le meilleur rémouleur d'Infraville avait aiguisé à la perfection la semaine précédente.

– Vilnix Pompolnius, affaire conclue, avait approuvé le professeur d'Obscurité. Doté d'un tel nom, un érudit pourrait aller loin.

Jusqu'au sommet, avait pensé Vilnix, souriant avec respect. Jusqu'au sommet absolu.

Entrer à l'Académie de chevalerie constituait la première étape. Il avait senti d'emblée qu'il pourrait surpasser tous ses camarades. Tous, sauf un : Quintinius Verginix. Il se renfrogna. Qu'est-ce qui l'irritait tant, chez cet écuyer-là ?

Était-ce parce qu'il avait le soutien du professeur de Lumière ? Ou parce qu'il venait lui aussi d'Infraville ?

Vilnix grimaça, dédaigneux. Ces raisons n'avaient rien de valable. Quintinius était le fils choyé d'un célèbre pirate du ciel ; quant à son mentor, le professeur de Lumière, Vilnix le jugeait bien inférieur au professeur d'Obscurité.

Non, c'était autre chose qui rendait Vilnix furieux, une chose qu'il n'arrivait pas à définir...

Il avait maintenant atteint l'escalier central et, bousculant plusieurs écuyers qui descendaient, il s'engagea d'un pas résolu dans la montée.

Incontestablement, Quint l'avait empêché de briller durant tout l'apprentissage dans les Salles inférieures. Dans la Bâtisse du nuage orageux, il lui avait détruit son navire miniature. Ensuite, dans la Bâtisse du nuage blanc, il avait léché les bottes de Philius Braisetin, puis manifesté une sollicitude démesurée envers cet ouvrier de forge, Placide. Et, pire que tout, il avait simulé l'amitié, dans la Bâtisse du nuage gris, uniquement pour le trahir auprès de Flavien Vendix.

Vilnix effleura du doigt la cicatrice gonflée qui lui barrait la joue gauche et s'accorda un sourire ironique.

Cependant, la situation s'était bien arrangée sur la fin, se souvint-il : Vendix banni de l'Académie et lui, Vilnix, devenant le préféré de Hax Vostillix...

Mais non, aucun de ces faits n'expliquait sa haine glaciale, viscérale, pour Quint.

Sur le premier palier, Vilnix fit une pause. Dans le couloir sur sa droite, trois de ses camarades se délectaient d'une plaisanterie quelconque. Léo, Aurélien, Cyprien... Lorsqu'ils l'aperçurent, ils se turent et s'éloignèrent.

Eh bien, lui aussi se délectait, pensa-t-il avec un petit sourire amer. Pendant qu'ils lui battaient froid et l'ignoraient, il avait eu pour chacun une attention particulière. Le jeune écuyer décharné avait découvert que les écoles du Viaduc proposaient une foule de potions ingénieuses. Il suffisait de savoir où chercher.

Cyprien Troqueur n'avait jamais réussi à comprendre pourquoi les notes qu'il rédigeait avec tant d'application disparaissaient invariablement – mais comment aurait-il pu soupçonner l'encre de son stylo? Et Léonidas Mendellix, pourquoi se serait-il interrogé sur ses nuits trop longues? Assurément, ce ne pouvait être la faute du petit sac coincé dans la doublure de son oreiller, si? Quant à Aurélien, il avait beau laver et relaver ses robes, elles continuaient à lui causer de terribles démangeaisons; mais le savon ne pouvait pas jouer un rôle dans l'affaire, tout de même?

Et puis il y avait cette petite fiole très spéciale, avec son opercule vert en cire de guêpe, bien dissimulée. Celle qu'il gardait précieusement…

Il arriva au pied de l'échelle du dortoir et sourit en tapinois. La ruse, la méchanceté, la traîtrise et la fourberie – oui, c'était ce qu'il fallait pour atteindre le sommet absolu. Vite, il

gravit les barreaux, ouvrit les portes de son placard-couchette et s'y glissa. Puis, ayant allumé la lampe et s'étant mis à l'aise sur son matelas, il sortit le rouleau d'écorce de sa poche intérieure et dénoua le ruban – avec lenteur, avec mesure, savourant chaque instant.

Il avait beaucoup réfléchi à ses représailles contre Quint. De l'encre éphémère, des sachets d'herbe soporifique et du savon irritant étaient parfaits pour les autres, mais Quint méritait une meilleure punition, une punition bien plus diabolique. Vilnix avait même songé à sa fiole spéciale… Mais non, elle ne devait servir qu'en dernier ressort.

Et voilà que ce rouleau d'écorce lui tombait littéralement entre les mains ! Il était convaincu de tenir là sa vengeance. Une vengeance éclatante ? Il brûlait de le découvrir. Avec un petit gloussement amusé, il déroula le message et l'approcha de la lumière.

Cher Quint, lut-il, *merci pour la longue lettre charmante que tu m'as envoyée. J'ai été si heureuse de recevoir toutes ces nouvelles de toi. Ton ami Placide m'a donné l'ensemble des huit rouleaux sur la place du marché, cachés dans un magnifique poêle en fer forgé qu'il avait fabriqué lui-même, m'a-t-il expliqué. J'ai dit à Doria que j'avais acheté cet objet au marché, et elle ne s'est pas appesantie. Tu vois, votre plan a fonctionné ! Bravo pour votre ingéniosité !*

Placide m'a plu au premier regard, et il me plaît encore plus maintenant que j'ai lu ta lettre. Ces maîtres de forges sont si brutaux avec lui… De vrais vorissons des bois ! Tes autres amis ont l'air très sympathiques aussi. Léo et Rodérix… Oh, j'espère vraiment qu'un jour, je pourrai les connaître !

Tu ne m'oublieras pas, Quint, dis-moi, lorsque tu seras un grand et puissant chevalier de l'Académie, là-haut dans ta belle cité flottante ? Il me paraît si étrange d'écrire « ta » cité flottante, alors que je la considérais jadis comme la mienne. Mais cette époque semble fort lointaine...

N'empêche, je suis ravie que tu réussisses brillamment. Je suis sûre que tu seras parmi les écuyers choisis pour les Salles supérieures. Toutefois, dans le cas contraire, ne te sens pas trop déçu, Quint: devenir universitaire en armes est un grand honneur.

Je suis désolée que tes maîtres de bâtisse préférés soient tombés en disgrâce, surtout le pauvre Philius Braisetin. Il était un grand ami de Père, et je suis bien triste de le savoir malade. Hax Vostillix a toujours été beaucoup trop orgueilleux – c'est du moins ce que Père affirmait. Ce qui m'amène à mon sujet principal.

Vilnix jeta un coup d'œil automatique vers la petite porte du placard-couchette, juste pour s'assurer que personne ne l'avait suivi sur l'échelle et ne glissait, à cet instant même, un regard furtif par l'interstice. Puis, se retournant sur son matelas, il rapprocha un peu la lampe.

Je t'avais raconté (tu t'en souviens, je pense ?) que Gonzague et Doria, mes prétendus tuteurs, venaient sans cesse réclamer des faveurs à Père, parce qu'il était Dignitaire suprême et qu'ils faisaient partie de la famille. Eh bien... chassez le naturel, il revient au galop !

La plus récente manœuvre de Gonzague: essayer de convaincre les professeurs de Lumière et d'Obscurité de le nommer maître des manèges installés sur les débarcadères. Je le sais, parce qu'il m'a forcée à signer le rouleau d'écorce qu'il leur a envoyé. Tu aurais dû voir

217

ça, Quint ! Il soutenait que c'était leur devoir envers le tuteur de la fille unique de Linius Pallitax, afin qu'il puisse la traiter comme elle en avait l'habitude.

Si seulement les professeurs savaient que je suis enfermée toute la journée dans une pièce glaciale et que je n'ai presque jamais la permission de sortir !

En toute logique, ils ont refusé. Ils ont répondu poliment que si j'avais, moi, leur autorisation expresse de venir à Sanctaphrax quand il me plaisait, mon tuteur ne pouvait, quant à lui, bénéficier d'aucune faveur particulière. Ils ajoutaient que, vu sa cruauté notoire avec ses propres hammels, Gonzague ne devrait pas s'occuper d'animaux, surtout pas des rôdailleurs et des fromps géants employés sur les manèges.

À cette dernière remarque, Gonzague s'est mis à bouillonner de colère. Il a déclaré qu'il se vengerait des Dignitaires suprêmes, même s'il devait y laisser sa peau, puis il m'a enfermée dans ma chambre, comme si tout était ma faute ! Mais pas avant d'avoir marmonné qu'il contacterait son excellent ami, Daxiel Xaxis, et qu'il était temps de donner une bonne leçon à ces universitaires arrogants…

Daxiel Xaxis n'est-il pas le capitaine des portiers ? Ne travaille-t-il pas pour Hax Vostillix ?

Gonzague a une idée derrière la tête, Quint, j'en suis persuadée. Et son projet, quel qu'il soit, a un rapport avec ton Académie de chevalerie.

En attendant, je suis bloquée dans cette glacière, sans même mon petit minaki pour me tenir compagnie. Je vais tâcher de transmettre ma lettre à Irina. S'il te plaît, pense à moi, Quint, et écris-moi vite !

Ton amie, Maria

P.-S.: Cet écuyer dénommé Vilnix Pompolnius me paraît horrible! Mais peut-être que tu as raison, que c'est juste la solitude, le manque d'assurance et d'amitié. Tu essaies de voir le meilleur en chacun, Quint. Voilà pourquoi tu es un compagnon si précieux.

Vilnix devint blême.

– Horrible? marmonna-t-il. La solitude? Le manque d'assurance et d'amitié?

Enfin, il commençait à discerner la cause exacte de son immense haine pour Quintinius Verginix. Ce n'était pas le modèle de vertu qu'il représentait, sa manière de lécher les bottes des professeurs, son intimité avec la pimbêche de fille de Linius Pallitax en personne.

Non, ce que Vilnix détestait vraiment, qu'il abhorrait avec une fureur qui, en cette minute même, lui nouait l'estomac et lui donnait d'écœurantes palpitations, c'était le fait que Quint le plaignait. Qu'il répondait à sa haine par la pitié!

La pitié!

Quelle insolence! Quel culot! Comment osait-il?

Des larmes de rage jaillirent des yeux de Vilnix. Il n'était pas arrivé si loin pour tomber dans le plus vieux des pièges. L'amitié était bonne pour les faibles et les ratés. Là où il y avait amitié, il y avait trahison…

Lentement, Vilnix se mit à déchirer la lettre en lambeaux minuscules. Et chaque lambeau lui apporta un léger réconfort, jusqu'au moment où un large sourire s'épanouit sur son visage – et où le rouleau d'écorce fut presque réduit en sciure sur la couverture en laine de tilde.

– Alors, Quintinius Verginix… chuchota Vilnix d'une voix grinçante. Tu veux te lier d'amitié, dis-moi?

CHAPITRE 14

Le faussaire

FULBERT LUISIN RAMENA SES ROBES SALES, TACHÉES DE peinture, couleur bleu «Viaduc», autour de son maigre corps anguleux, et frissonna. L'atmosphère était glaciale dans la tour encombrée de l'École d'art pictural, et le froid régnait depuis si longtemps qu'il semblait avoir pénétré dans les pores du peintre, qui se sentait transi jusqu'à la moelle des os, les articulations raidies et douloureuses.

Mais, au fond, songea le vieil universitaire, les autres habitants étaient logés à la même enseigne. Ces temps-ci, Sanctaphrax tout entière grelottait.

Bien sûr, les quelques petits losanges fendus ou manquants dans ses vitraux se révélaient fâcheux, car le vent glacé sifflait dans les interstices ; que son poêle en ricanier fût éteint depuis plusieurs heures n'arrangeait rien non plus. Sa réserve de bûches était épuisée ; vu le prix exorbitant qu'avait atteint le bois, il devrait attendre avant de pouvoir en racheter et rallumer son feu.

Il soupira et frotta ses mains l'une contre l'autre, ses mitaines bruissant avec douceur.

Le problème, c'était que les gros poêles sphériques suspendus aux débarcadères est et ouest dévoraient le moindre rondin. Pour se chauffer, les universitaires n'avaient plus que des éclats, des copeaux et divers fragments d'écorce qui produisaient davantage de fumée que de chaleur. La veille encore, Fulbert était si découragé qu'il avait brûlé plusieurs panneaux de bois réservés à des portraits.

Il savait bien que c'était de la folie, car sans panneaux pour peindre, il perdrait son gagne-pain. Mais il était désespéré. D'ailleurs, l'installation de ces énormes poêles extérieurs n'obéissait-elle pas à la même logique : brûler désespérément du bois, afin de gagner du temps pour les chevaliers en quête de phrax de tempête ?

Fulbert s'approcha de la fenêtre et effaça les dentelles de givre sur la vitre. Il colla son œil au petit cercle qu'il avait dégagé, comme un espion lorgnant par le trou d'une serrure, et scruta dehors.

Pas d'expédition de chasse aujourd'hui, nota-t-il, promenant un regard sur le ciel gris jaunâtre, neigeux. Il faisait bien trop froid. Néanmoins, pensa-t-il, des conditions pareilles ne les dissuadaient pas toujours. Avec un soupir, il se rassit devant son chevalet et secoua la tête.

L'entreprise avait paru si prometteuse, lorsque Forlaïus Tollinix s'était embarqué à bord du *Fendeur de vent*. Pensez donc, un véritable chevalier ! Le meilleur de l'Académie…

Mais son départ remontait à trois longs mois et, en dépit d'inévitables rumeurs (Untel l'aurait aperçu) et suppositions (il lui serait arrivé ceci ou cela), on ne disposait d'aucune nouvelle concrète à son sujet – comment il se portait, où il se trouvait. Le glorieux Forlaïus et son magnifique navire du ciel s'étaient tout simplement évanouis au cœur de la Grande Tempête, pour ne plus reparaître.

Et il n'était que le premier de la série. Chaque fois que de sombres nuages en forme d'enclume bouillonnaient et que des particules de brume aigre emplissaient l'air, un nouveau chevalier recevait l'ordre d'appareiller. La totalité des treize promus d'origine avait maintenant quitté Sanctaphrax, et Forlaïus Tollinix demeurait le seul susceptible de réussir. Quant aux autres – Hophix, Dantius, Queritis, Flax, Osirix, Appius et leurs compagnons –, leurs navires avaient chaviré quelques minutes après le décollage.

Les fautives ? Les roches de vol, incontrôlables par ce froid extrême. Après que le navire du pauvre Appius Silex, *Le Faucon des brumes*,

se fut instantanément volatilisé dans le ciel infini, sous les yeux horrifiés de la foule massée sur les escaliers du Viaduc, Fulbert avait cessé de se rendre aux cérémonies de départ. La cloche de la Grande Salle aurait beau sonner, il avait, lui, perdu le goût de tels spectacles.

Ces jours-ci, une bouffée de brume aigre semblait suffire pour que ce maître de bâtisse désaxé, Hax Vostillix, lance une nouvelle expédition. Il envoyait à présent, rendez-vous compte, de simples écuyers ou presque, tout récemment adoubés, encore sans expérience ! Mais le désespoir régnait à l'Académie de chevalerie, sentiment que partageaient les moindres habitants de la cité flottante, depuis les Dignitaires suprêmes jusqu'aux plus humbles domestiques des académies secondaires.

Et qui pourrait le leur reprocher, se dit Fulbert, songeur, en caressant sa mâchoire saillante d'une main osseuse, alors que les bûches de ricanier coûtaient huit pièces d'or la brassée ?

À cet instant, un léger tintement rompit le silence, et Fulbert leva ses yeux jaune pâle vers la clochette d'argent, fixée au mur près de lui. Elle s'agita une deuxième fois au bout de son cordon et, poussant un soupir las, Fulbert se hissa sur ses pieds, puis se dirigea vers l'escalier à vis de la tour.

– Qui peut bien être ce visiteur ? bougonna-t-il tout en descendant les marches de pierre, rendues glissantes par le gel.

Fulbert n'attendait pas de modèle aussi tard dans la journée ; en outre, il était certain de ne pas avoir de commande « particulière » à rendre dans l'immédiat. La clochette tinta une troisième fois.

– Oui, oui, j'arrive, grommela-t-il. Minute, rôdailleur !

Parvenu en bas, il fit coulisser les gros verrous, supérieur et inférieur, entrouvrit le battant et approcha son œil jaune de la fente. Un garçon maigre, au visage cireux, portant la cape blanche des écuyers de l'Académie, braquait les yeux sur lui, derrière une paire de lunettes protectrices, teintées.

– Oui ? Puis-je vous aider ? demanda Fulbert d'un ton méfiant. Si vous cherchez du combustible, ce n'est pas ici que vous en trouverez.

– Ai-je l'air d'un chapardeur de bois ? répliqua le jeune homme, toisant l'universitaire avec mépris. Je viens de la part d'un grand ami à moi. Je crois que vous modifiez la miniature de son épée...

– Vous feriez mieux d'entrer, dit Fulbert, ouvrant la porte un peu plus largement et pressant l'écuyer de franchir le seuil. Secouez la neige de vos bottes avant de monter, vous serez gentil. Oh, vous pouvez garder votre cape. Le poêle n'est pas allumé aujourd'hui.

Conciliant, l'écuyer tapa des pieds, puis suivit le peintre dans l'escalier qui menait à l'atelier. Parvenu en haut, il prit une brusque inspiration. La pièce était pleine à craquer ; on pouvait tout juste s'y tourner.

Il y avait des placards, des coffres et des commodes, des étagères le long des murs, toutes ployant au milieu sous le poids des innombrables objets entassés là.

Les pots s'alignaient par centaines, à moitié remplis de solvants capiteux et d'huiles visqueuses, d'où pointaient des brosses. Des boîtes et des bonbonnes contenaient chacune des poudres et des pâtes ; des bocaux étiquetés renfermaient les divers ingrédients que le peintre utilisait pour créer sa palette de pigments ; les mortiers en pierre dans lesquels il les mélangeait et les lourds pilons avec lesquels il les broyait étaient rangés non loin.

Scarabées rouges. Appât jaune. Tiques émeraude. Sève ambrée. Des pétales séchés, violets et magenta, d'escutil et de bouclane, et des racines indigo du modeste buisson pailleté. Des tiroirs débordaient de roches friables, aux multiples nuances subtiles ocre et orange, prélevées dans les marécages des Grands Bois, et de braises d'arbres aux berceuses, source du noir le plus noir.

Venaient ensuite les instruments de l'artiste. Les pinceaux et les spatules, les grattoirs et les racloirs, les bâtons de fusain et les blocs de craie. Les pastels, les crayons, les encres et les teintures ; les monceaux de croquis et les empilements de toiles clouées à leurs cadres. Et, occupant le centre de l'atelier, les accessoires et les tissus noirs dont le peintre se servait pour composer ses portraits, ainsi que les hauts chevalets branlants sur lesquels reposaient des tableaux plus ou moins achevés.

– Bon, cet ami à vous, demanda Fulbert en se faufilant à travers la pièce encombrée jusqu'à son établi plus encombré encore, comment s'appelle-t-il ?

– Tenez, dit l'écuyer, lui lançant un rouleau d'écorce.

Fulbert le prit et contempla la belle écriture limpide qui ornait sa surface lisse.

Quintinius Verginix, lut-il, pendant que l'écuyer au teint cireux continuait d'explorer les lieux, *écuyer des Salles inférieures de l'Académie de chevalerie, demande que lui soit rendue la miniature de son épée, apportée au professeur Fulbert Luisin, de l'École d'art pictural, pour modification – à savoir l'ajout, dans l'arrière-plan, de l'Observatoire céleste, symbole du mentor de l'écuyer, le professeur de Lumière, Dignitaire suprême jumeau – trois pièces d'or ayant été versées.*

– Ah, oui, finit par déclarer Fulbert, ses yeux jaune pâle considérant l'écuyer des pieds à la tête. Je me souviens de ce garçon. Un ami à vous, donc...

– En effet, dit le visiteur, sans manifester l'intention d'ôter ses lunettes teintées ou l'épaisse écharpe qui lui masquait la moitié de la figure.

– Et vous êtes ?... demanda doucement Fulbert, tandis qu'il se penchait pour scruter les miniatures étalées devant lui.

– Un simple ami, persista l'écuyer. Quintinius Verginix va être reçu dans les Salles supérieures de l'Académie, poursuivit-il, or vous savez ce que cette désignation signifie, j'en suis persuadé…

Fulbert poussa un rire sourd, prit une miniature sur son établi et l'examina soigneusement.

– Je le sais, jeune écuyer. Je le sais. Votre ami au noble visage, si magnifique dans son armure étincelante, deviendra un jour chevalier…

Tenant le portrait de Quint entre son pouce et son index, il le haussa vers la lumière.

– Je l'ai deviné dès le premier regard, affirma-t-il. Quelque chose dans son attitude, et l'expression interrogatrice de ses yeux indigo foncé, aussi sombres que les nuages d'orage roulant des profondeurs du ciel infini…

Impatienté, l'écuyer observa les propres yeux pâles de Fulbert qui se voilaient, rêveurs.

– Je l'imagine très bien, lors de son accession aux Salles supérieures, dit le peintre, un sourire s'esquissant sur ses lèvres. Il salue les maîtres de bâtisse au pied des marches, il prend congé des autres écuyers qui viennent d'être nommés universitaires en armes et s'efforcent tous de cacher leur déception… Puis il gravit l'imposant escalier central pour présenter son épée, garde la première, aux grands professeurs des Salles supérieures.

Il se tut un instant.

– Quand la cérémonie d'accession aura-t-elle lieu ?

– Bientôt, répondit l'écuyer d'un ton doucereux. Très bientôt.

Il tendit une main gantée, dans laquelle Fulbert plaça avec précaution la miniature de Quint. Les doigts de l'écuyer se refermèrent sur elle.

— Cela m'amène, enchaîna celui-ci, au second motif de ma visite, beaucoup plus délicat.

— Délicat ? répéta Fulbert, soupçonneux.

L'écuyer sourit en rangeant le portrait dans une poche intérieure de sa cape, puis il sortit une bourse en cuir.

— Quintinius Verginix est très occupé à préparer son accession, comme vous le comprendrez, j'en suis convaincu...

Il dénoua le cordon qui fermait la bourse et la vida sur l'établi du peintre. Une poignée de joyaux des marais scintilla sous les yeux de Fulbert. Ces pierres représentaient un stock de bois suffisant pour alimenter son poêle durant des mois et des mois.

— Dites-m'en plus, encouragea-t-il, affable.

— Il a une amie intime à Infraville, qui espère follement une lettre de lui...

— Une amie ? l'interrompit Fulbert, comptant les joyaux d'un œil avide.

— Mais il n'a tout simplement pas le temps de lui écrire, reprit le jeune écuyer. Bien sûr, je pourrais le faire en son nom, mais songez combien elle trouverait ce geste froid et impersonnel... Alors, j'ai pensé à une petite supercherie : peut-être que si je vous donnais un brouillon...

L'écuyer tira un second rouleau de sa cape.

— Je pourrais, moi, fournir cette touche personnelle ? suggéra Fulbert, souriant.

– Oui, confirma l'écuyer. Vous lisez dans mes pensées, dit-il, lui tendant le rouleau.

Le peintre délaissa le texte calligraphié par Quint pour s'intéresser au nouveau document, couvert d'un griffonnage minuscule, puis se tourna vers l'inconnu.

– Revenez demain soir, lui dit-il. La lettre sera prête.

– Il faut qu'elle soit convaincante, insista l'écuyer, s'apprêtant à partir. Cette amie doit croire que le rouleau vient de Quintinius…

– Je m'en charge, assura Fulbert, ramassant les joyaux des marais. Lorsque j'aurai terminé, Quintinius lui-même sera incapable de jurer qu'il ne s'agit pas de sa propre écriture.

Le peintre suivit son visiteur jusqu'au bas de l'escalier en pierre et ouvrit la porte. L'écuyer ramena sa cape autour de lui et s'enfonça dans le blizzard engourdissant. Derrière lui, Fulbert referma la porte et tira le verrou, puis remonta une nouvelle fois jusqu'à son atelier. Une longue soirée de travail s'annonçait. Après tout, le jeune écuyer l'avait payé pour le meilleur ouvrage.

– Notre cher Quintinius ne connaît pas sa chance, gloussa-t-il dans sa barbe, sarcastique. Avoir un si grand ami !

Deuxième partie

Les Salles

supérieures

CHAPITRE 15

La miniature de l'épée

QUINT PRIT UNE PROFONDE INSPIRATION ET SE LANÇA dans l'ascension du grand escalier en noirier. À côté de lui, il entendait Vilnix, son souffle rauque et saccadé.

Sous la main de Quint, la rambarde savamment sculptée était lisse et froide au toucher. Malgré la pénombre, il distinguait de remarquables détails sur les balustres noirs et renflés, à la surface des marches et sur les contremarches. Des aérovers tordus montraient leurs ventouses recourbées, des quarms ouvragés scrutaient, tapis derrière des buissons de délises chantournés, tandis que des rouleaux serrés de sanguinaria, dont les vrilles plus vraies que nature semblaient chercher des proies au sang tiède, serpentaient de marche en marche sous ses pieds.

Quint avait une folle envie de se retourner, mais il savait qu'il devait résister à la tentation. Les écuyers promus dans les Salles supérieures ne se retournaient pas. Ils gardaient le dos droit, la tête levée, les yeux braqués sur l'escalier en noirier qui montait vers l'étage.

En contrebas, sur le palier central, à mi-chemin entre les Salles supérieures et inférieures, se tenaient tous les autres écuyers : Aurélien, Cyprien et, bien sûr, son meilleur ami, Léo. Une grosse boule se forma dans la gorge de Quint. Après tout le temps qu'ils avaient passé ensemble dans les Salles inférieures, leurs rires en chœur et leurs aventures partagées, la séparation semblait bien abrupte. Quint soupira. Il entendait le bruit des lourdes bottes de ses amis s'éloigner alors qu'ils descendaient l'escalier, en route vers leur carrière d'universitaires en armes, à la caserne de l'Académie.

Pourtant, deux jours plus tôt, quel enthousiasme, lorsque la nouvelle de la proclamation des résultats s'était répandue ! Aussitôt, tous les écuyers s'étaient rassemblés autour du pilier en bas de l'escalier central, dans une joyeuse bousculade bon enfant, afin d'examiner la liste.

– Regarde ! Regarde ! avait crié Aurélien, survolté.

– C'est ce que je ferais, si tu bougeais un peu ta trombine ! avait ri Cyprien en écartant son ami pour mieux voir.

– Les catapultes pivotantes ! Pour nous deux ! Nous sommes affectés aux catapultes !

Aurélien, enchanté, avait embrassé son ami.

Léo s'était efforcé d'observer par-dessus leurs têtes.

– Oui ! s'était-il écrié en lisant son nom. Léonidas Mendellix : apprenti épéiste ! Et te voilà, Quint, avait-il dit, tirant son camarade avec ardeur vers l'avant de la cohue.

Le regard de Quint était tombé sur son propre nom, la mention *Salles supérieures, écuyer lige*, inscrite à côté en italique soigné. Il avait senti son estomac se nouer.

– Qu'est-ce qui ne va pas ? lui avait demandé Léo en voyant sa mine. N'était-ce pas ton souhait depuis le début ?

– Si, avait répondu Quint avec calme. Simplement… Eh bien, tu seras un universitaire en armes, et moi je serai un écuyer des Salles supérieures…

– Nous nous verrons encore, avait affirmé Léo en riant. À la Rotonde.

Il avait tapoté l'épaule de Quint.

– Après tout, même messieurs les écuyers des Salles supérieures doivent manger !

– Oui, mais regarde…

Quint pointait le doigt vers le rouleau. Léo avait plissé les yeux et scruté la liste.

– Incroyable ! s'était-il exclamé. Vilnix Pompolnius…

– Salles supérieures : apprenti grand professeur, avait déclaré une voix grêle, sarcastique.

Se retournant, ils avaient découvert Vilnix, un vilain sourire narquois sur les lèvres.

– À vrai dire, Vilnix… avait commencé Quint, désignant la liste, mais une main osseuse avait surgi, lui attrapant la manche, et il s'était trouvé entraîné par l'écuyer maigre.

– Nous, écuyers des Salles supérieures, devrions vraiment nous serrer les coudes, ne crois-tu pas, Quint ? avait déclaré Vilnix d'une voix cajoleuse, sans accorder la moindre attention à Léo. À propos, j'ai appris que tu n'avais pas récupéré la miniature de ton épée à l'École d'art pictural. Allons, allons ! avait-il grogné, réprobateur. Tu as de la chance, Quint, que je veille sur toi. Au fond, les amis servent à ça.

Vilnix, son ami ! Qui l'eût cru ? Quint sortit brusquement de sa rêverie. Ils étaient au milieu de l'escalier, et la pénombre s'épaississait. Il jeta un regard de biais à l'écuyer qui gravissait les marches à son côté. Néanmoins, c'était précisément ainsi que Vilnix semblait le considérer.

Quint n'aimait pas se l'avouer, mais le rictus méprisant et le sourire vorace de Vilnix lui donnaient la chair de poule. Ces expressions, et cette habitude de flatter Hax Vostillix à la moindre occasion… Réflexion faite, par quel autre moyen Vilnix avait-il obtenu sa promotion dans les Salles supérieures ? Il souriait à cette heure, s'aperçut Quint en frémissant, et son visage rappelait le loup des bois sculpté devant lequel ils venaient de passer sur l'escalier.

Bizarre, pensa Quint, comme son esprit se remettait à vagabonder, que depuis l'après-midi où Forlaïus Tollinix avait embarqué sur *Le Fendeur de vent*, l'attitude de

Vilnix ait paru changer à son égard. De ce jour, l'écuyer à la mine maussade rôdait sans cesse dans les parages, le saluait, bavardait avec lui, proposait de lui rendre de menus services.

Au début, Quint s'était méfié, s'attendant un peu à ce que Vilnix lui joue un sale tour ou lui crée des problèmes avec Hax. Mais, à mesure que les mois s'étaient écoulés, il avait dû reconnaître qu'en dépit d'attitudes glaçantes et hostiles envers les autres écuyers, Vilnix semblait bel et bien vouloir être son ami – que cela lui plût ou non.

Rien que l'autre jour, par exemple, il y avait eu cet incident avec la miniature de son épée. Vilnix avait lourdement insisté pour aller la lui chercher, malgré le blizzard qui soufflait dehors. Quint secoua la tête. Cette corvée ne s'imposait pourtant pas ; il aurait eu tout le temps d'aller récupérer l'objet lui-même avant la cérémonie d'accession. Mais Vilnix ne voulait pas entendre parler d'un refus : il avait harcelé Quint pour qu'il rédige un mot d'explication au peintre, puis, parvenu à ses fins, s'était extasié sur une si belle écriture.

Oh, oui, ce Vilnix Pompolnius était un personnage bizarre, pas de doute…

Mais que se passait-il ?

Quint s'arracha à sa rêverie. Au-dessous d'eux, des voix courroucées montaient du palier central. Quint reconnut la plus forte : profonde, gutturale, légèrement zézayante…

Elle appartenait au chef élu des universitaires en armes, Cornélius Ocrebroche. C'était un grand gobelin huppé élancé, un maître d'armes à la tunique couverte de « pièces de duel » rouges, qui montraient ses prouesses à l'épée. Léo lui vouait une admiration sans bornes, et Quint l'avait souvent vu à la Rotonde.

– En sommes-nous arrivés là ?

La voix de l'épéiste montait vers Quint et Vilnix, qui poursuivaient leur ascension.

– Les forges de l'Académie fournissent-elles les portiers avant les universitaires en armes, à présent ?

– Mes portiers ont besoin d'armes supplémentaires ! rétorqua la voix de Daxiel Xaxis, d'un ton de défi. Pour défendre l'Académie !

– Fromp insolent ! lança Cornélius. Les universitaires en armes défendent Sanctaphrax tout entière, et l'armement que produisent les forges nous appartient de droit !

La voix de Hax Vostillix intervint dans la dispute :

– Moi, seul maître de bâtisse restant, représente ici l'autorité !

Du coin de l'œil, Quint vit le sourire carnassier de Vilnix, mais il garda la tête haute et le regard braqué devant lui.

– La cérémonie d'accession n'est pas un lieu pour de telles querelles ! siffla le maître de bâtisse. Il faut néanmoins que les portiers obtiennent ce qu'ils demandent...

– C'est scandaleux ! tonna Cornélius.

Mais Hax devait avoir brandi son sceptre pour renvoyer l'épéiste, car un instant plus tard, Quint entendit des pas furieux résonner dans l'escalier en direction des Salles inférieures.

Vilnix et lui approchaient maintenant du faîte de l'escalier ; dans les ombres épaisses face à lui, Quint, levant les yeux, découvrit une magnifique voûte en noirier. Elle était formée par deux ours bandars impressionnants, placés de chaque côté des marches, dont les grands bras montaient au-dessus de la tête et se rejoignaient au sommet. Défenses, griffes, dents, poils, tous avaient été sculptés avec une précision et une justesse tellement admirables que le jeune garçon dut y regarder à deux fois pour se persuader qu'il ne s'agissait pas de véritables ours.

L'heure avait sonné. Le cœur battant, Quint s'avança sous la voûte et pénétra dans le vaste foyer, plein d'échos, des Salles supérieures.

Du parquet jusqu'aux grandes poutres cintrées du plafond, les murs étaient garnis de panneaux décorés à motifs. Le soleil de l'après-midi filtrait par les hautes fenêtres aux volets tirés, rayons obliques de lumière scintillante. Devant, montant du plancher comme de

majestueux arbres aux berceuses dans un bosquet des Grands Bois, se dressaient les chaires.

Rodérix en avait parlé à Quint, mais rien dans sa description n'avait vraiment préparé le jeune garçon à ce tableau. Chacune des chaires était ornée de motifs uniques, corne d'abondance de cercles et de spirales, de disques et de torsades, de cannelures et de volutes. Haute de trente mètres, elle se terminait par une plate-forme accessible seulement par une mince échelle, genre d'estrade où une quarantaine de professeurs et d'écuyers pouvait se grouper.

C'était ici que les grandes théories de la navigation aérienne avaient été élaborées, les découvertes en matière de chasse à la tempête débattues, de fantastiques projets conçus et expérimentés. Les poils se hérissèrent sur la nuque de Quint. Il se trouvait au cœur de l'Académie de chevalerie, et les lieux étaient aussi magnifiques qu'il l'avait espéré.

À cet instant, il sentit un violent coup de coude dans les côtes. Envoyé par Vilnix. L'ancien rémouleur pointait le menton vers l'énorme chaire devant eux, illuminée par un rayon de soleil étincelant. Les chaires environnantes étaient remplies d'écuyers qui dévisageaient les nouveaux venus, tandis que la plus proche abritait les treize chevaliers en attente et les treize grands professeurs.

Quint reconnut plusieurs d'entre eux, venus donner des conférences dans les Salles inférieures. Le sévère Griset Linum et le souriant Florus Aquatil. Les autres, il les connaissait uniquement de réputation. Impossible de se tromper sur Fabien Tinctex, par exemple.

Érudit le plus brillant de sa génération, Fabien aurait été un grand chevalier, sans une jambe estropiée dans un accident d'équitation. Il se servait d'une canne en albumier, censée contenir une épée; en outre, exception parmi les grands professeurs, il arborait une cuirasse et plusieurs pièces de duel sur ses robes.

Partout où il allait, ses deux quarms apprivoisés, Couineur et Hurleur, l'accompagnaient: ils jacassaient d'ailleurs, à l'instant même, sur les épaules du professeur. Beaucoup pensaient que Fabien était un nouveau Linius Pallitax et qu'il deviendrait un jour Dignitaire suprême de Sanctaphrax. Quint, quoiqu'un peu fébrile, était impatient de le côtoyer.

Les chevaliers, en revanche, étaient des inconnus pour lui. Toutes les anciennes têtes avaient disparu depuis longtemps, remplacées par des écuyers confirmés aux mines nerveuses, adoubés à la hâte. Ils paraissaient mal à l'aise dans leurs armures fraîchement façonnées, trop grandes pour leurs frêles charpentes, malgré les efforts des maîtres forgerons. Quant à leurs visages, songea Quint, ils semblaient pâles et tirés, à force d'attendre des expéditions de chasse à la tempête plus désespérées que jamais.

Du haut de la chaire, Griset Linum fit signe à Quint et à Vilnix de s'approcher.

– Bienvenue, écuyers, dans les Salles supérieures, où règne l'égalité au service de Sanctaphrax, déclara le grand professeur d'une voix douce mais sonore, tandis que les nouveaux, arrivés à la cime de l'échelle, posaient le pied sur la plate-forme. Veuillez présenter vos miniatures.

Tremblants d'ardeur et de nervosité, les deux écuyers tendirent la main vers les sacs en cuir de tilde à leur ceinture et ôtèrent les minuscules portraits en ricanier. Ils les montrèrent aux grands professeurs et aux chevaliers, qui firent cercle autour d'eux.

Alors qu'il le regardait dans la paume de sa main, Quint eut presque l'impression de voir son portrait rayonner. Comme il paraissait jeune, malgré l'armure étincelante ! Comme il paraissait confiant et insouciant, malgré l'éclat sombre de ses yeux indigo ! Derrière sa tête, l'Observatoire céleste brillait sur l'arrière-plan neigeux.

Quint sourit. Il était admis dans les Salles supérieures ! Et, qui sait, pensa-t-il, peut-être qu'un jour il pourrait lui aussi devenir chevalier.

Près de lui, Vilnix examinait son propre portrait. L'artiste avait saisi les lèvres minces et déterminées, avec leur légère moue dédaigneuse. Il plissait ses yeux noirs, comme gêné par la lumière, et pointait la mâchoire inférieure d'un air de défi.

Alors qu'il attendait la suite des propos du grand professeur, Vilnix eut un petit sourire satisfait. Désormais, enfin, il allait vraiment pouvoir montrer ce dont il était capable à ces professeurs et chevaliers arrogants. D'abord en tant qu'apprenti grand professeur, puis en tant que grand professeur, et ensuite…

– Maintenant, présentez vos épées, dit Griset de sa voix calme et douce.

Quint dégaina la lourde épée de pirate recourbée que lui avait donnée son père, le Chacal des vents, et un élan de fierté mêlée de tristesse l'envahit. Si seulement son père pouvait voir cette scène, pensa-t-il.

Vilnix tira la fine rapière pendue à sa ceinture, la lame affilée presque inaudible tandis qu'elle glissait hors du fourreau. Un air d'attente intense, mêlée à une malveillance jouissive, éclaira ses yeux.

Il avait soif de pouvoir, et ces imbéciles le lui offraient sur un plateau !

Deux chevaliers s'avancèrent, portant dans leurs gantelets de petits braseros rougeoyants au bout de chaînes en argent. Chacun contenait un dé de sève de pin ferreux incandescente, bouillonnant dans les flammes. Griset prit les miniatures et appliqua la sève de pin ferreux au verso ; une odeur de cônes grillés emplit alors les narines de Quint. Puis, les positionnant avec soin, le grand professeur fixa délicatement les portraits respectifs sur les pommeaux des épées.

– Bienvenue, Quintinius Verginix, écuyer lige, dit-il, affable.

– Bienvenue, répétèrent ses collègues et les chevaliers.

– Bienvenue, Vilnix Pompolnius, écuyer lige.

Griset posa sur lui un regard ferme, serein.

Le sourire satisfait de Vilnix se figea.

Avait-il mal entendu ? Écuyer lige ? Mais il devait devenir apprenti grand professeur !

– Bienvenue, souhaita le chœur.

– V... vous faites erreur... c'est sûr... bredouilla Vilnix en blêmissant. Le maître de la Bâtisse du haut nuage m'a promis un apprentissage de grand professorat...

– Il n'y aura plus de tel apprentissage jusqu'à nouvel ordre, expliqua Griset Linum d'un ton grave. Sanctaphrax manque cruellement de chevaliers et d'écuyers liges.

Autour de lui, les figures pâles des chevaliers en attente s'inclinèrent, solennelles.

– Mais Hax m'avait dit...

– Les ordres viennent de Hax Vostillix en personne, l'interrompit Griset, se tournant pour partir. Ici règne l'égalité au service de Sanctaphrax.

Vilnix demeura immobile, abasourdi, tandis que les chevaliers et les grands professeurs quittaient la chaire un à un. Son estomac se noua et une colère froide s'empara de lui. Devenir écuyer lige, quel intérêt ? Cette voie menait à une carrière de chevalier, aux chasses à la tempête... et à une mort certaine. Il suffisait de regarder les mines de ces pauvres imbéciles, dans leurs armures mal ajustées, pour le comprendre.

Hax Vostillix lui avait promis un apprentissage de grand professorat pour le récompenser de tous ses bons offices, de tous ses renseignements, de toutes les petites démarches qu'il avait effectuées... D'ailleurs, Vilnix n'avait même pas pris la peine de lire son nom sur la liste, tant le résultat était couru d'avance...

Quel idiot il avait été! Il s'en apercevait maintenant.

Près de lui, ce niais de Quint souriait jusqu'aux oreilles, véritablement ravi qu'ils aient reçu tous deux ce qui équivalait à un arrêt de mort.

Eh bien, si quelqu'un devait mourir, songea l'ancien rémouleur en s'écartant de Quint, qui suivait le dernier chevalier à s'engager sur l'échelle, sa stupide épée de pirate disgracieuse serrée dans la main, ce ne serait pas Vilnix Pompolnius.

Il plissa les yeux en entrant dans la zone illuminée au centre de la chaire. Un mince sourire vorace s'épanouit sur son visage alors qu'un plan commençait à se dessiner dans sa tête. Un plan de génie. Un plan digne de ce vieil imposteur, sournois et tortueux, de Hax Vostillix lui-même!

CHAPITRE 16

Le Briseur de nuages

I
La tour de lancement

WHOUF! WHOUF! WHOUF! WHOUF!

Quint leva les yeux. Loin au-dessus de lui, étirant sa longe rattachée à la tour de lancement, le vieux navire du ciel décrivait des cercles. À chaque rotation, il tressautait et déviait sous les bourrasques qui giflaient sa membrure ancienne.

Whouf! Whouf! Whouf!

La silhouette cuirassée d'un chevalier en attente se découpait sur la passerelle, bataillant avec les leviers de vol pour essayer de maîtriser le vaisseau. Celui-ci gîta soudain, et les lettres d'or écaillées ornant la vieille proue apparurent : *Le Briseur de nuages*.

Un jour, pensa Quint, ce serait lui qui se préparerait là-haut à une expédition. Et, vu la vitesse à laquelle l'Académie perdait ses chevaliers, le moment viendrait peut-être plus tôt qu'il ne l'imaginait. La veille encore, le jeune Ephrem Racine avait été désigné pour l'expédition suivante, et il attendait maintenant avec angoisse, dans sa tour, que Hax confirme l'arrivée d'une Grande Tempête en sonnant la cloche de la Grande Salle.

Quel écuyer des Salles supérieures allait le remplacer ? se demanda Quint. Sûrement pas lui, s'il n'était même pas capable d'effectuer une descente en solitaire.

– Bouge, maudit appareil, grogna Quint en s'acharnant sur le treuil gelé. Bouge !

Au-dessous de lui, son rôdailleur harnaché, suspendu par des cordes fixées au poteau de la tour, se tortillait et ruait. Barbichu était désormais un adulte que sa robe lustrée orange et son magnifique collier de poils distinguaient des autres montures. Quand les portiers avaient pris le contrôle de la Bâtisse du nuage gris, les chevaliers avaient mis leurs précieux rôdailleurs en sécurité sur des perchoirs temporaires, dans les entrepôts de bois sous les Salles supérieures. Ce balourd de Daxiel Xaxis avait protesté, mais les chevaliers et les grands professeurs l'avaient plié à leur volonté. Barbichu et ses compagnons rôdailleurs étaient désormais dispensés de l'éreintante corvée sur les grands manèges.

– Tout doux, mon gars, dit Quint, rassurant la créature de la main gauche tandis que, de la droite, il continuait à tirer sur le levier récalcitrant.

L'opération aurait dû se dérouler autrement, pensat-il avec amertume. Il avait prêté une oreille attentive à l'exposé de Fabien Tinctex, la veille au soir, s'interdisant de se laisser distraire par les quarms apprivoisés qui cabriolaient et criaient sur les épaules du grand professeur en chaire.

«Un chevalier doit harnacher son rôdailleur et descendre avec lui jusqu'à la forêt du Clair-Obscur, manœuvre acquise par de longues heures de pratique à la tour de lancement... »

Le lendemain, de bon matin, Quint avait donc quitté son vaste bureau, était allé chercher Barbichu et s'était dirigé vers le sommet de la haute tour de lancement en bois, afin de s'entraîner. Il avait récapitulé les instructions de Tinctex dans sa tête, puis s'était attelé à la tâche.

Tout s'était bien passé... au début.

Pour commencer, alors qu'il avait toujours les deux pieds sur le portique, il devait enfermer son rôdailleur dans le harnais et accrocher celui-ci à un poteau – ce qu'il avait fait. Puis il devait se mettre en selle – ce qu'il avait fait. Ensuite, il devait éperonner son rôdailleur, de sorte que l'animal bondisse dans le vide – ce qu'il avait fait également. Et maintenant, suspendu dans les airs à l'extrémité du poteau saillant, comme un limonard au bout d'une ligne, il était censé actionner le treuil et accomplir une lente descente élégante le long de la tour. Mais il n'y arrivait tout simplement pas.

Il n'avait pourtant aucune intention de renoncer. Il se retourna et saisit le levier.

– Un, deux, trois, marmonna-t-il, déterminé. Tirons !

Il s'appliqua de toutes ses forces. Le levier obéit avec un grincement et un craquement sonore, il y eut une brusque secousse, et la corde se mit enfin à glisser. Lentement, mais sans grande élégance, car Barbichu persistait à ruer, monture et cavalier entamèrent leur descente.

– Du calme, Barbichu. Tout va bien, dit Quint.

Il se pencha pour caresser le contour sensible des naseaux de la créature, qui s'ébrouait et se cabrait, tandis qu'il continuait à dévider la corde sur les rouages.

– Du calme, mon gars.

Subitement, alors qu'ils atteignaient la graduation indiquant le milieu de la haute tour, le rôdailleur cessa de s'agiter. Quint lui adressa une tape chaleureuse, comprenant que sa monture n'avait réagi ni à l'altitude vertigineuse, ni à l'instabilité du harnais, mais bien à sa propre anxiété. Maintenant que le treuil fonctionnait et que lui, Quint, était redevenu confiant, Barbichu retrouvait sa sérénité. Et, alors que la descente continuait, le jeune garçon les imagina descendre ensemble de son navire chasseur de tempête, jusqu'à la forêt du Clair-Obscur en contrebas...

Whouf! Whouf! Whouf!

Au-dessus de lui, *Le Briseur de nuages* décrivait un nouveau cercle en vibrant. Ç'avait été jadis un fier navire pirate, qui filait à travers ciel. Mais l'époque où il exerçait un commerce lucratif (toutes sortes de marchandises, depuis le bois flottant jusqu'aux perles clandestines du Bourbier) entre les Grands Bois et Infraville était depuis longtemps révolue. Aujourd'hui, réduit à un navire-école, il ne servait plus qu'au perfectionnement des jeunes chevaliers, en attendant la livraison de leurs beaux chasseurs de tempête neufs, en provenance des chantiers d'Infraville.

Au-dessous de Quint, alors que le vent glacial sifflait entre les cordes, la plate-forme d'atterrissage au pied de la tour se rapprocha.

Voici la partie délicate, songea Quint, repassant les paroles du grand professeur dans sa tête. « Il faut retirer le harnais avec douceur mais rapidité, afin que le rôdailleur touche terre sans difficulté. » Quint tira sur la boucle du harnais, une fois, deux fois... « Le pire destin que puisse connaître un chevalier, c'est de rester suspendu au-dessus du sol de la forêt, prisonnier de son harnais. » Tinctex avait observé un silence avant d'ajouter : « Suspendu pour l'éternité ! »

Quint frémit et tira désespérément sur la boucle. Celle-ci s'ouvrit avec un cliquetis et, à l'instant même où la corde se raidissait, le harnais s'écarta. Barbichu hennit et ses puissantes pattes prirent contact avec la plate-forme.

– Très bien ! s'exclama Quint, mettant aussitôt pied à terre. Bravo !

Il chatouilla la longue crinière abondante de la créature. Barbichu émit un ronronnement sourd, soutenu, et roula les yeux de plaisir.

– Oh, tu n'es qu'un gros bébé tendre, hein, mon gars ? rit Quint.

Il s'apprêtait à conduire son rôdailleur au bas de la plate-forme lorsqu'un grincement métallique aigu lui fit lever la tête.

Le Briseur de nuages avait chaviré et était monté tout droit au-dessus de la tour. Le grincement venait de la chaîne qui, presque tendue à se rompre, l'empêchait tout juste de disparaître dans le ciel infini.

Sous le regard inquiet de Quint, le chevalier culbuta de la barre retournée, les ailachutes noires dans son dos se gonflant comme les ailes d'un gigantesque oisorat.

Sa lourde armure accélérant la descente, le chevalier eut à peine le temps de pivoter et de bander ses muscles avant de heurter la plate-forme d'atterrissage dans une gerbe de neige et de bois fendu.

Quint se précipita vers la silhouette allongée. Il s'accroupit, défit les agrafes au niveau du cou et libéra le chevalier de son casque pesant. Un visage bien connu lui sourit.

– Rod ? s'étonna Quint.

Le jeune chevalier s'assit.

– Mon vieux Quint ! s'exclama-t-il. Je ne t'avais pas vu.

Il pointa le menton vers le rôdailleur.

– Alors, tu t'entraînes un peu au harnais ? Félicitations !

– Oui, je m'entraînais, dit Quint. Mais... mais toi, Rod... Tu es armé de pied en cap...

Rodérix sourit de travers et remonta ses lunettes sur son nez.

– Tu l'as remarqué, dit-il en riant. C'est la tenue de tous les meilleurs chevaliers en attente, ai-je appris.

– Toi ? Chevalier ? s'écria Quint, stupéfait.

– Exact, mon vieux, confirma Rodérix. Enfin, presque...

Il se redressa péniblement et balaya la neige collée à son armure.

– Quand ce vieil Ephrem partira, ton serviteur le remplacera comme chevalier en attente, a décidé la hiérarchie.

– Mais Rod... commença Quint.

Son ami l'interrompit en levant une main gantée.

– Je sais, je sais, dit-il, regardant la tour de lancement, où un groupe de domestiques, sortis sur le portique supérieur, s'occupaient de ramener *Le Briseur de nuages* retourné. Les perspectives de chasse à la tempête ne sont pas très réjouissantes, je le concède...

– Pas très réjouissantes ? répéta Quint, incrédule. Mais naviguer par ce temps, c'est de la folie ! Tu le sais aussi bien que moi. Le seul qui semble ne pas le savoir, grogna-t-il, c'est Hax Vostillix !

– Eh bien, à ce sujet, tu te trompes, affirma Rodérix, un large sourire s'épanouissant sur son visage.

Il essuya quelques flocons sur ses lunettes.

– Quelqu'un d'autre pense qu'il est possible de maîtriser une roche de vol par ce temps.

– Qui ? demanda Quint.

– Un très bon ami à nous... gloussa Rodérix.

II
La caserne
de l'Académie

L'activité régnait dans la caserne de l'Académie. Sous le haut plafond voûté, avec ses bouquets de lampes en cuivrier, des groupes d'universitaires en armes occupaient les fauteuils à grand dossier, tapissés de cuir de tilde, auxquels étaient attachées de petites tables flottantes.

Quelques-uns consultaient des cartes nuageuses, des listes balistiques, ou entretenaient des conversations animées sur la tactique avec leurs collègues des fauteuils voisins. Certains polissaient des épées, nettoyaient des mécanismes d'arbalètes décorées ; certains se servaient sur les chariots bien garnis apportés par la foule des domestiques de la caserne, tandis que d'autres laissaient leur tête dodeliner au-dessus de chopes de bière vides.

Dans diverses parties de la grande salle, des groupes d'universitaires en armes se livraient à des exercices militaires en tout genre, depuis le duel à l'épée et le maniement de la pique jusqu'au lancer de couteau et au tir à l'arbalète. Au centre de la pièce, baigné par la lumière qui entrait à flots par la grande fenêtre circulaire percée dans le mur nord, Cornélius Ocrebroche, maître épéiste et chef élu des universitaires en armes, leva les bras dans un geste d'horreur feinte.

– Non, non, non, maître Léo! s'exclama-t-il de sa voix profonde, très légèrement zézayante. Baisser ainsi la garde vous expose à une parade sur le flanc gauche.

Il fit signe au jeune apprenti épéiste de s'écarter, puis il dégaina sa rapière. Face à lui, un mannequin en gâtinier flottait à mi-hauteur. La lame de Cornélius siffla en tous sens dans un tourbillon indistinct, après quoi le maître d'armes recula et rengaina son épée.

Léo resta bouche bée. Une spirale de sciure voleta comme un halo autour du mannequin, qui pencha lentement sur le côté.

– Entraînez-vous, maître Léo, conseilla Cornélius en riant lorsqu'il vit l'expression sur le visage du jeune garçon, si vous voulez une tunique pleine de pièces de duel!

À cet instant, à l'autre bout de la salle, les grosses portes en plombinier s'ouvrirent brusquement, et une escouade d'universitaires en armes fit son entrée, chacun secouant la neige de ses bottes, retirant son armure et sa lourde cape. Les domestiques de la caserne entourèrent aussitôt les arrivants, prirent leurs tenues trempées et leur donnèrent des vêtements secs, tiédis devant le feu.

La plupart s'installèrent dans des fauteuils et demandèrent de la liquorine chaude, mais l'un d'eux s'approcha du maître épéiste.

– C'est au sujet des catapultes sur les remparts près du Collège de la pluie… commença-t-il.

D'un sourire, Cornélius congédia Léo, puis se tourna pour saluer l'universitaire :

– Je n'avais pas oublié, Maël, mon vieil ami. Ce matin même, j'ai soumis le problème au maître de bâtisse.

– Eh bien, si les maîtres de forges ne révisent pas les mécanismes de ces catapultes, et sans tarder, je ne pourrai plus exiger de nos hommes qu'ils les utilisent. Il semble que les portiers n'en aient jamais assez, déplora Maël, tandis que nous, universitaires en armes, sommes les derniers servis.

Cornélius hocha la tête.

– Hax Vostillix est obnubilé par ces folles expéditions de chasse à la tempête, grommela-t-il.

– Pendant ce temps, les portiers font comme ça leur chante, ajouta Maël d'un air sombre. À propos de folles expéditions…

Il montra la grande fenêtre ovale.

– En voici une nouvelle qui part.

Cornélius se tourna pour regarder. En effet, montant au-dessus du Viaduc, un chasseur de tempête, dont le bois ruisselait encore du vernis brillant appliqué sur les chantiers d'Infraville, mettait les voiles.

À ce spectacle, des universitaires en armes quittèrent leurs fauteuils, mais la plupart poursuivirent leurs activités. Peu d'habitants de Sanctaphrax croyaient encore aux chasses à la tempête ; ils préféraient souhaiter que l'hiver se termine avant qu'il ne soit trop tard.

Depuis une position avantageuse, à mi-hauteur de l'escalier suspendu conduisant aux salles d'étude, Léo scruta par la vitre de la fenêtre ovale. Il aperçut tout juste, au sommet du Viaduc, la silhouette déguenillée de Hax Vostillix. Le maître de bâtisse levait les bras, sa robe et sa barbe claquaient dans le vent chargé de flocons, tandis qu'il pressait le navire de s'éloigner.

Alors que le vent tourbillonnait et que la neige s'épaississait, le vaisseau ralentit et trembla. Durant une minute incongrue, il sembla presque s'immobiliser. Un instant plus tard, ses voiles s'affaissèrent et il chavira, son mât pointé vers le sol. Puis, comme Léo le regardait toujours, le navire réduit à l'impuissance par sa roche de vol glacée, devenue extrêmement légère, fila tout droit dans le ciel infini.

Sur le Viaduc, un Hax Vostillix émacié se plia soudain en deux et se prit la tête dans les mains. La silhouette trapue de Daxiel Xaxis, capitaine des portiers, apparut à son côté. Il pivota vers Hax, lui passa un bras réconfortant autour des épaules et reconduisit le maître de bâtisse effondré.

Léo se détourna de la fenêtre. Qui était le pilote, cette fois ? Il avait entendu Aurélien citer son nom… oui, Ephrem Racine. Deux ou trois soirs plus tôt à la Rotonde, Léo l'avait vu tristement courbé sur son steak de hammel. Il avait maintenant disparu, en une fraction de seconde.

Qui serait le suivant ? s'interrogea-t-il. Un jour, songea-t-il, accablé, viendrait le tour de son ami Quint. Ce n'était qu'une question de temps…

Léo continua de gravir l'escalier, s'engagea dans le couloir au sommet et se dirigea vers son alcôve d'étude.

Léo adorait son alcôve. Contrairement aux placards-couchettes des Salles inférieures, où les écuyers dormaient dans des casiers qui s'empilaient du sol au plafond, les alcôves d'étude des universitaires en armes étaient vastes et confortables. Léo avait son propre lutrin flottant, un lit moelleux et plus d'étagères que nécessaire. Il disposait même, dans un coin, d'un petit poêle en ricanier qui diffusait une bonne chaleur.

En fait, l'alcôve était idéale, à un détail près : située à l'extrémité ouest de la caserne, elle jouxtait la Bâtisse du haut nuage – proximité trop grande avec Hax Vostillix, au goût de Léo. Mais enfin, on ne pouvait pas tout avoir ! se disait-il.

Atteignant son alcôve, il s'apprêtait à tirer l'épais rideau en laine de tilde et à entrer lorsqu'il entendit une frêle plainte gémissante.

– Au secours ! Au secours !

L'appel venait du passage qui conduisait à la Bâtisse du haut nuage. Léo hésita un moment.

– Au secours ! Au secours, par pitié !

L'appel reprenait, fragile et pathétique, mais Léo ne pouvait en ignorer l'inflexion pressante. Il se détourna de son alcôve et s'engagea dans le passage sombre, au bout du couloir. Il s'arrêta devant une petite porte en ricanier, entrebâillée. Les belles chambres des universitaires du haut nuage et celle de Hax Vostillix lui-même se trouvaient dans l'autre aile du bâtiment, donnant sur la cour intérieure. Pour autant que Léo le sût, les petites salles qui bordaient ce passage étaient surtout des resserres et des réserves de bois...

– Au secours !

Léo poussa la porte et entra. Devant lui, dans une pièce encombrée mais glaciale, se tenait Philius Braisetin en personne, le maître disgracié de la Bâtisse du nuage blanc.

Il était avachi dans un fauteuil en gâtinier flottant et, au lieu de son habituelle armure de chevalier, le vieux maître de bâtisse était enveloppé dans des foulards, des écharpes, des gilets molletonnés et des jambières rembourrées. Au pied du fauteuil se trouvaient un tas de rouleaux d'écorce et une chandelle renversée. Léo retint une brusque exclamation. Crépitant et crachotant, les flammes consumaient les rouleaux secs comme de l'amadou et menaçaient d'embraser le fauteuil qui flottait juste au-dessus.

– Au secours ! s'écria Braisetin, agitant en direction de Léo le rouleau d'écorce qu'il serrait dans sa main gantée.

Sans plus réfléchir, le jeune garçon se précipita, écarta le fauteuil flottant et se mit à piétiner les rouleaux en feu pour éteindre l'incendie.

– Je… lisais… quand… quand… haleta le vieux professeur.

Il leva la tête et promena un regard incertain sur la pièce sombre en s'efforçant de comprendre ce qui arrivait.

– Tout va bien, le rassura Léo. Vous avez dû

259

lâcher votre chandelle… Une chance que je sois passé et que je vous aie entendu. Les dégâts auraient pu être bien pires…

– Pires ? Pires ? dit Braisetin, le front plissé par l'inquiétude. La situation empirera très bientôt !

Soudain, il se pencha en avant et saisit la manche de l'apprenti. Il l'attira vers lui, et Léo rencontra les yeux bleus intenses du vieux maître de bâtisse.

– Tu es un universitaire en armes, je me trompe ? souffla Philius d'une voix rauque. Puis-je te faire confiance, mon garçon ? Le puis-je ?

Léo acquiesça en silence.

– Prends ce rouleau, continua le vieux professeur, lui fourrant le document dans les mains, et va dans mon appartement de la Bâtisse du haut nuage. Près du quarm sculpté de ma chambre à coucher, un panneau s'ouvre dans le mur… Tu as compris, mon garçon ?

Léo acquiesça de nouveau.

– Fais coulisser le panneau, chuchota faiblement le vieux chevalier. Derrière, tu trouveras un coffret à lumière. Tu l'apporteras, ainsi que le rouleau, à mon grand ami Forlaïus Tollinix, chevalier en attente. Dis-lui que le moment est venu, « non pas de prendre au ciel, mais de redonner ». Il saura ce qu'il faut faire…

Le jeune garçon approuva, une boule se formant dans sa gorge. Le pauvre Philius Braisetin avait les idées toujours aussi confuses. Léo n'eut pas le cœur d'objecter au vieux maître de bâtisse que Forlaïus Tollinix était parti, sans doute perdu à jamais dans le ciel infini, comme tous les autres chevaliers qui l'avaient suivi.

– Je… je vais voir ce que je peux faire, dit-il doucement.

— Va-t'en vite, lui dit Philius, posant sur lui un regard implorant. Avant leur retour.

Il plissa les yeux et serra plus fort le bras de Léo.

— Ils sont à la botte de Hax, siffla-t-il, et ils me retiennent prisonnier.

Léo roula le document et le dissimula sous ses robes.

— Puis-je vous rendre un autre service ? demanda-t-il, des larmes de compassion et de pitié lui montant aux yeux.

— Non, prends juste ce rouleau et va dans mon appartement, chuchota Philius d'un ton pressant. Aussi vite que tu le pourras. L'avenir de Sanctaphrax en dépend !

— J'y cours, répondit Léo tandis qu'il s'écartait et quittait la pièce en hâte.

Des rouleaux ? pensa-t-il. Des panneaux ? L'avenir de Sanctaphrax ? Le pauvre vieux chevalier avait manifestement perdu la raison.

Léo atteignait tout juste le bout du passage lorsqu'il entendit des voix sonores et des pas lourds se rapprocher derrière lui. Jetant un coup d'œil dans son dos, il vit deux portiers à l'air brutal tourner dans la chambre de Philius.

— Au nom du ciel, mais qu'est-ce que tu mijotais, vieux bouc des bois sénile ? vociféra l'un d'eux. Il y a des cendres partout.

— Impossible de te laisser seul une minute, hein ? rugit l'autre. Tu veux donc être enchaîné ? lança-t-il. Tu le veux vraiment ?

La gorge de Léo se noua. Peut-être que le vieux Philius n'avait pas les idées si confuses, après tout, songea-t-il.

III
La forge

L'ouvrier gobelin gris plongea son regard dans les profondeurs du fourneau rugissant. Il portait un épais tablier en cuir de tilde, des gants renforcés et un haut capuchon de forge conique, mais il sentait toujours la chaleur intense qui commençait à lui brûler la peau.

– Encore un petit peu, chuchota-t-il pour lui-même, chassant d'un battement de paupières la sueur qui lui piquait les yeux.

D'une main, il tenait une paire de pinces à long manche ; de l'autre, une mince tige en métal. Au bout de la tige, une boule de métal fondu rougeoyait dans la chaleur du fourneau.

Avec grande précaution, l'ouvrier se servit des pinces pour tirer de la boule en fusion une fibre incandescente, qu'il tourna et retourna sur elle-même. Une fois, deux fois, trois fois, comme un fileur pelotonnant de la laine de tilde, l'ouvrier de forge tissa le fil de métal fondu jusqu'à lui donner la forme d'une cage délicate, rougeoyante.

En général, c'était le moment où les opérations se gâtaient. L'intense chaleur du fourneau devenait insupportable et obligeait l'ouvrier à reculer : il voyait alors la cage en fusion s'affaisser sur elle-même et couler à terre, vaine flaque de métal liquide.

Pas tellement surprenant, à la réflexion, se dit Placide. Après tout, le projet de tisser du métal fondu à la manière dont une araignée des bois tissait sa toile était fou, même lui devait l'admettre.

L'idée lui était venue sur le débarcadère ouest, alors qu'il observait l'énorme poêle empli de rondins qui réchauffait le rocher de Sanctaphrax. Si seulement les roches de vol pouvaient bénéficier d'un tel système, peut-être que les vaillants chevaliers de l'Académie auraient une meilleure chance de maîtriser leurs navires du ciel, avait-il pensé.

Il avait regagné en hâte la forge de la Bâtisse du nuage blanc, afin de se pencher sur la question. Au lieu des rondins, beaucoup trop volumineux et flambant trop vite, Placide avait opté pour le charbon de gâtinier, léger comme une plume et lent à brûler.

Mais quel serait le contenant ? C'était là le problème. Il avait essayé de fabriquer des parallélépipèdes, des braseros compacts et des structures ovales percées de trous, mais aucun n'avait

fonctionné correctement. Soit ils étouffaient la chaleur, soit ils laissaient le charbon ardent glisser entre les barreaux. La solution, comprit Placide, après de longues heures à la forge (tard le soir, en général, une fois que les maîtres de forges étaient couchés), consistait en une cage métallique sphérique, si fine que la chaleur pourrait passer à travers et dont l'entrelacs retiendrait le gâtinier enflammé.

Il avait donc entrepris de filer le métal. Son ami Rodérix, l'écuyer dégingandé des Salles supérieures, l'avait encouragé : il venait souvent à la forge dans la soirée et restait presque jusqu'à l'aube, actionnant les soufflets du fourneau, riant et plaisantant pour ne pas perdre le moral.

La chaleur du fourneau desséchait le visage de Placide tandis qu'il s'obligeait à garder les yeux fixés sur le foyer brûlant. Six… sept… huit boucles, compta-t-il. Et maintenant…

D'un bond, il s'écarta du fourneau et, décrivant un arc incandescent, amena les pinces à long manche jusqu'au bassin de trempage. Après un sifflement puissant, des nuages de vapeur âcre tournoyèrent pendant que Placide arrachait son capuchon de forge et regardait l'eau bouillonnante. Là, passant du blanc incandescent au jaune vif, puis à un rouge cuivré intense, une fine cage de métal tissé apparut.

Placide la leva dans la lumière de l'aurore qui entrait maintenant par les hautes fenêtres étroites de la forge. La cage métallique brillait et miroitait. Une petite ouverture, avec de minuscules charnières en argent et un fermoir en or, et elle serait terminée. Placide sourit, enchanté. Il avait hâte de la montrer à Rodérix.

Il fit tourner la cage dans la lumière.

— Un flotteur chauffant, chuchota-t-il.

IV
L'Observatoire céleste

– Qu'était-ce donc ? murmura distraitement le professeur de Lumière pour lui-même.

Il leva les yeux de son grand télescope et promena un regard sur la tour d'observation ténébreuse. Il avait entendu quelque chose, il en était sûr… Mais peut-être que son imagination lui jouait des tours. Voilà ce qui arrivait, quand on passait trop de temps à scruter le ciel infini.

Il s'était employé à examiner les hauteurs, cherchant un signe du pauvre Ephrem Racine, le dernier chevalier envoyé vers la forêt du Clair-Obscur en quête de phrax. Il secoua tristement la tête. Le vaisseau avait presque immédiatement chaviré et filé vers le ciel infini, sans laisser à Ephrem la moindre chance d'abandonner le navire et de sauter en ailachutes.

Un nouveau brave et jeune chevalier qui disparaissait, et pour quoi ?

– Pour satisfaire les chimères insensées de Hax Vostillix, marmonna le professeur.

En ce qui le concernait, il n'y avait pas eu un soupçon de brume aigre dans le vent. Mais Hax refusait d'écouter, et comme il dirigeait l'Académie de chevalerie, la décision lui appartenait. L'avis des Dignitaires suprêmes jumeaux lui-même ne pouvait prévaloir sur le sien.

– De la folie, de la folie pure, grommela le professeur tout en se levant et en descendant l'échelle jusqu'à la salle en contrebas.

Au moment où il quittait le dernier barreau, il sentit que la situation n'était pas normale : il y avait un courant d'air

glacé, des coups sourds…
Il se retourna et constata
que l'une des quatre portes
vitrées, qui ouvraient chacune sur une plate-forme
en surplomb, battait, mal
fermée.

– Comment est-ce ar-
rivé ? se demanda-t-il tout
haut, claquant la langue
avec irritation. Mon jumeau
devient sans doute négligent,
avec l'âge.

Tout en continuant
à maudire le professeur
d'Obscurité dans sa barbe,
il s'approcha de la porte et
la referma. Il y avait, décou-
vrit-il, un problème avec la
serrure – qui semblait avoir
été forcée – si bien qu'il dut
la pousser fermement pour
parvenir à tourner la clé. Ce

faisant, ses pieds rencontrèrent plusieurs boulons éparpillés sur le sol, qui filèrent dans les ombres.

– Que fabrique ce vieux fou, à laisser traîner son
matériel ? dit-il en se détournant. J'aurais pu glisser et me
rompre le cou !

Dehors, le blizzard revenait, et le vent soufflait plus
violemment que jamais. La plate-forme en surplomb
grinça, vibra. Et, tandis qu'il descendait l'escalier en

hélice, avec lenteur et précaution, le professeur ne cessa de marmonner, sans s'apercevoir du curieux écho double que produisaient ses pas, comme s'il y avait non deux, mais quatre pieds sur les marches de pierre.

CHAPITRE 17

Hax

I
Le capitaine des portiers

AVEC UN MOULINET DE SON ÉPAISSE CAPE, GARNIE DE fourrure et ornée du verrondin rouge, Daxiel Xaxis poussa les hautes portes voûtées de la Bâtisse du nuage gris et entra d'un pas conquérant. Un froid mordant régnait dans la pièce caverneuse.

Comme Sanctaphrax manquait de bois, Daxiel avait ordonné de ne pas allumer les braseros. « Les rôdailleurs sont ici pour travailler, pas pour être dorlotés, avait-il grondé lorsque le palefrenier en chef avait protesté. Prenez cette populace, avait-il ajouté, désignant les garçons et les valets d'écurie, les entraîneurs et les palefreniers, occupés à entretenir les perchoirs, et envoyez-la sur les manèges ! » À regret, tous les domestiques de la Bâtisse du nuage gris avaient obéi à leur nouveau maître.

Il n'avait pas fallu longtemps pour que le parfum tiède, terreux et légèrement musqué de l'écurie soit remplacé par une puanteur aigre et âcre, mélange d'abats pourris, de graisse rance et de vieille paille, décomposée par les crottes des rôdailleurs. Néanmoins, Daxiel Xaxis, capitaine des portiers de l'Académie de chevalerie, ne semblait jamais remarquer l'odeur. Il arpentait maintenant la salle, le nez en l'air, plissant les yeux, inspectant les perchoirs en hauteur.

– Que fait cet animal pie alors que le travail attend ? demanda-t-il à un jeune garçon d'écurie, pointant le menton vers un rôdailleur brun et blanc, perché sur une branche basse.

– Il boite, monsieur, lui répondit le domestique. Il s'est abîmé la patte gauche sur le manège la semaine dernière, voyez-vous.

Furieux, Xaxis s'en prit au garçon tremblant.

– La semaine dernière ! tempêta-t-il. Combien de fois faudra-t-il vous le répéter, à vous tous ? S'ils ne peuvent pas travailler, ils sont bons pour l'abattoir. Compris ?

– O… oui, monsieur, répondit le garçon d'écurie, au bord des larmes.

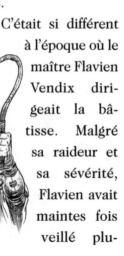

C'était si différent à l'époque où le maître Flavien Vendix dirigeait la bâtisse. Malgré sa raideur et sa sévérité, Flavien avait maintes fois veillé plusieurs nuits d'affilée pour soigner lui-même un rôdailleur blessé. Quand Daxiel Xaxis et ses portiers avaient pris le pouvoir, Hax Vostillix leur avait donné un ordre, un ordre unique : « Que les manèges tournent, jour et nuit ! »

Très vite, le travail perpétuel sur les débarcadères avait causé de gros dégâts parmi les rôdailleurs de la Bâtisse du nuage gris, et la stricte organisation des perchoirs s'était complètement effondrée. Pour conserver sa place, chaque rôdailleur n'avait d'autre choix désormais que trimer sans relâche, et les portiers, toujours plus nombreux dans l'écurie, avec leurs tuniques au verrondin et leurs armes nouvellement forgées, vérifiaient qu'ils remplissaient bien leur mission.

Il n'y avait plus de poteaux de « retraite », destinés aux créatures qui avaient fourni de bons et loyaux services à Sanctaphrax. Tout rôdailleur vieilli ou malade était simplement abattu, transformé en ragoût ou en colle, suivant son âge. C'en était fini aussi des perchoirs de procréation et des pouponnières. Personne n'avait le temps d'élever et de nourrir les petits, en s'assurant qu'ils devenaient robustes et s'épanouissaient, afin de compenser les pertes. Non, pour maintenir l'effectif, l'Académie sollicitait les ligueurs d'Infraville... qui tiraient un profit considérable des troupeaux d'individus souffreteux, mal nourris, qu'ils expédiaient de leurs enclos d'élevage nauséabonds.

Quant au magnifique pilier de chevalerie, depuis que ses treize rôdailleurs d'origine, bien entraînés, de pure race, étaient partis pour leurs funestes expéditions, il abritait des montures de plus en plus jeunes et capricieuses, aussi mal à l'aise que leurs cavaliers débutants.

Répondant aux saluts d'un groupe de portiers récemment recrutés, Xaxis quitta la grande salle par une voûte basse et, d'un pas vif, monta l'escalier de l'autre côté. La journée avait été longue et fatigante. Comme si composer secrètement son armée de portiers et convaincre les maîtres de forges de leur fournir les armes nécessaires ne suffisait pas, Daxiel avait aussi dû courir derrière Hax Vostillix dès son lever.

À chaque nouvelle expédition ratée, Hax se sentait de plus en plus menacé, et il insistait désormais pour que son capitaine demeure auprès de lui en permanence. La tâche était épuisante, une corvée, pensait Daxiel, surtout que ses propres projets l'appelaient…

Il pressa le pas dans le couloir, saisit la poignée d'or de sa porte en noirier et fit irruption dans sa chambre, où il découvrit la vague silhouette d'un ligueur debout près de la fenêtre, le dos tourné. Au claquement que fit le vantail en se refermant, l'intrus pivota sur ses talons.

Il avait la figure rouge et transpirante, et il portait des vêtements qui, malgré leur opulence, étaient visiblement vieux et usés, comme si leur propriétaire ne pouvait se résoudre à les remplacer. Les motifs en fil d'argent raffiné, brodés sur sa veste ouatinée, étaient raccommodés avec soin en de multiples endroits, tandis que les somptueux volants, autour de son cou et de ses poignets, s'effilochaient.

— Que fais-tu donc ici, Gonzague ? demanda Xaxis, agrippant le pommeau de son épée d'un geste automatique. Je croyais t'avoir interdit de venir à l'Académie. Des visites répétées paraîtront suspectes…

— Je ne serais pas obligé de venir, répondit Gonzague Vespius, sa voix plaintive teintée de menace, si tu respectais le marché conclu. Je t'ai trouvé de nouveaux portiers : les bagarreurs de taverne les plus méchants, les plus rudes, les plus féroces qu'Infraville ait à offrir. Et la tâche n'a pas été facile, je te le garantis.

Il plissa les yeux.

– Maintenant, je veux être chef d'équipe des débarcadères est et ouest, comme nous en avions convenu.

– Ce n'est pas si simple, Gonzague, dit Xaxis d'un ton doucereux. Tu le sais. Nous ne sommes pas à Infraville, où les ligues peuvent imposer leur volonté impunément.

Il rejoignit le gros ligueur derrière la fenêtre et contempla les tours et les flèches couvertes de neige.

– À Sanctaphrax, il faut observer et attendre, flatter et duper, calculer le bon moment avec précision, puis... frapper ! termina-t-il en brandissant un poing ganté, qu'il enfonça dans le ventre mou de Gonzague.

– Ooouille ! s'exclama le ligueur, plié par la douleur et s'écroulant aux pieds de Daxiel.

– Peut-être que dorénavant, tu m'écouteras, quand je te dirai de ne pas te montrer… ces jours-ci, en particulier…

– Pourquoi… ces jours-ci… ? demanda Gonzague, le souffle coupé, tournant un visage rouge et empli de crainte vers le capitaine des portiers.

– Parce que, mon gros ami, répondit Daxiel avec un ricanement mauvais, les universitaires en armes ont des soupçons. Ce petit effronté de maître épéiste cherche le moindre prétexte pour exiger de Hax Vostillix la dissolution des portiers. Or, s'il se révélait que leur capitaine reçoit des ligueurs dans ses appartements, ce serait le prétexte parfait.

Daxiel tendit la main et sourit d'un air sinistre.

– Mais ne nous querellons pas, dit-il.

Gonzague prit avec précaution la main secourable et se releva, penaud.

– Si tu pouvais seulement essayer de parler à Hax. Le persuader de me promouvoir chef d'équipe, dit-il de sa voix plaintive, comme tu me l'avais promis…

– Oui, oui, dit Daxiel avec lassitude. Hax.

Devoir faire des courbettes devant le maître de la Bâtisse du haut nuage commençait à devenir vraiment pénible, car l'homme ne pensait qu'à l'observation des nuages et aux chasses à la tempête, et voyait des fantômes érudits terrestres cachés dans tous les coins. Daxiel sourit sans humour. Pour avancer, il faudrait provoquer des changements radicaux à l'Académie de chevalerie.

– Ne t'inquiète pas, mon vieil ami, dit-il. Laisse-moi m'occuper de Vostillix…

II
Le maître épéiste

Cornélius Ocrebroche
descendait à grands pas la
vaste avenue, le long des
innombrables groupes d'académies secondaires, leurs
flèches, tourelles, coupoles
et balcons enveloppés dans
une épaisse couche de neige.
Derrière lui marchaient une
vingtaine d'universitaires en
armes, lourdement équipés
et cuirassés.

Il avait neigé durant la
journée puis, au crépuscule,
les nuages s'étaient dissi-
pés et la température avait
chuté. Les amas tourbillonnants, désormais figés par
le gel, ne rappelaient rien
tant que de grands édre-
dons de marbre. Le son des
grosses bottes des universitaires en armes, crissant
et grinçant dans la neige
dure, se répercutait d'édifice en édifice. Une cen-
taine de mètres plus loin,
l'avenue débouchait sur une

spacieuse esplanade, bordée d'autres écoles – du grésil, de l'ondée, de la tornade, de l'aube, de la grêle – et, tout au bout, d'une imposante plate-forme en pierre aménagée dans la muraille.

Cornélius Ocrebroche, maître épéiste et chef des universitaires en armes de l'Académie de chevalerie, traversa l'esplanade enneigée et gravit les marches conduisant au sommet de la plate-forme. Là, tels les os d'une gigantesque créature, s'amoncelaient des étais, des supports et des poutres, seuls restes de la catapulte pivotante à deux sièges naguère incluse dans les défenses de la grande cité flottante. À côté, appuyant ses mains gantées sur le parapet de pierre, un universitaire en armes isolé regardait en bas.

Lorsqu'il entendit le bruit des pas du maître épéiste, l'universitaire recula et fit volte-face. C'était presque encore un débutant, émacié, pâle, les yeux caves, ses traits réguliers déformés par la détresse. Une expression de reconnaissance se lut sur son visage.

– Maître épéiste, dit-il, s'égayant un instant. Vous êtes venu, grâce au ciel.

– Que s'est-il passé, universitaire ? demanda Cornélius.

– Passé ? répéta-t-il, déconcerté. Ç'a été si brutal...

Sa gorge se serra.

– La... la catapulte... s'est brisée net... Ils n'avaient pas la moindre chance, ni l'un ni l'autre...

– Ne vous tourmentez pas, mon petit, dit Cornélius d'une voix grave, au calme rassurant.

Il avait déjà observé une telle stupeur chez des universitaires en armes témoins de combats : l'air déconcerté, les paroles bégayées... Il confia au contingent d'universitaires qui l'accompagnaient la tâche d'examiner les débris de la catapulte géante. Puis, s'avançant, il prit le jeune universitaire par les épaules.

– Youri, c'est bien ça ? dit-il. Youri Orx, si je ne me trompe pas.

Cornélius Ocrebroche s'enorgueillissait de connaître le nom de tous les universitaires en armes de la caserne. Le jeune garçon hocha la tête.

– Eh bien, Youri, je veux que vous commenciez au début, déclara le grand gobelin huppé, et que vous me racontiez tout ce qui s'est passé. À votre rythme...

Le jeune universitaire acquiesça bravement et renifla.

– Huit heures allaient sonner, dit-il, et notre tour de garde était presque terminé.

Il renifla encore.

– La journée avait été très tranquille dans l'ensemble, et il nous tardait de nous mettre au chaud et de prendre un bon dîner à la...

Il s'interrompit, son visage se décomposant alors qu'il semblait sur le point d'éclater en sanglots.

– À la Rotonde.

– Continuez, l'encouragea fermement Cornélius Ocrebroche.

– Je faisais le guet, reprit le jeune garçon. Mes deux camarades étaient assis sur la catapulte... Nous n'avions pas pu tenter grand-chose de la journée, avec ce blizzard. Mais quand la neige s'est arrêtée, nous avons décidé... euh, nous nous sommes dit... juste pour rire...

– Oui ? le relança Cornélius d'un air grave.

— Voilà, monsieur, nous nous sommes dit que nous allions nous entraîner un peu au tir. Juste quelques essais... Histoire de vérifier que le mécanisme de propulsion et les dispositifs de réglage d'angle fonctionnaient tous correctement.

— Et que comptiez-vous utiliser pour vous entraîner, exactement ? l'interrogea Cornélius. Votre réserve de rochers, peut-être ? Ou les boulets en plombinier enflammés, là-bas ?

— Non, monsieur, répondit Youri. Bien sûr que non ! Nous n'aurions pas gaspillé de vraies munitions...

Il courba le front.

— Alors, quoi donc, Youri ? demanda Cornélius.

— Des boules de neige, avoua doucement le jeune apprenti.

Le maître épéiste secoua la tête. Depuis l'arrivée du mauvais temps, de jeunes universitaires en armes avaient déjà été surpris, pendant leur faction, à utiliser les grandes catapultes pivotantes pour livrer des batailles de boules de neige, envoyant de grosses sphères glacées dans le ciel, par-dessus la Falaise.

— Et ensuite, que s'est-il passé ? dit-il.

— Comme je vous l'ai indiqué, monsieur, quelque chose s'est brisé net, expliqua Youri. Il y a eu un énorme craquement. Je me suis retourné, j'ai vu le bras de la catapulte se détacher de son support, en emportant Aurélien et Cyprien… Ils n'avaient pas la moindre chance de s'en tirer, se désola-t-il.

À cet instant, un cri jaillit du tas d'éclats de bois et de métal tordu. Cornélius et Youri virevoltèrent et aperçurent l'un des universitaires en armes agenouillé au beau milieu, le bras levé, un boulon massif brillant entre ses doigts.

– Je l'ai trouvé, monsieur, annonça-t-il.

Il se redressa et apporta son butin au maître épéiste, pour que celui-ci l'inspecte.

– Il est vieux et usé. Il aurait dû être remplacé ; un accident ne pouvait manquer d'arriver…

Le visage de Cornélius Ocrebroche devint blême.

– J'ai sollicité ces maîtres de forges, dans la Bâtisse du nuage blanc, grogna-t-il. Je les ai suppliés. Les catapultes ont besoin d'une révision complète, leur ai-je dit ; de réparations, si nécessaire… Mais non, ils étaient trop occupés à satisfaire les moindres requêtes des portiers !

Il frappa le parapet du poing, soulevant une gerbe de flocons. Aurélien Tonsor et Cyprien Troqueur ? Le sang de Cornélius se mit à bouillir alors qu'il se remémorait les deux jeunes garçons. Ils arrivaient tout juste des Salles inférieures. Inséparables, pleins de vie, rieurs ; enchantés d'avoir été nommés ensemble aux catapultes pivotantes ; et où cette désignation les avait-elle conduits ?

Les yeux du maître épéiste flamboyèrent tandis qu'il scrutait le vide au-delà de la Falaise. Les maîtres de forges avaient ignoré les universitaires en armes au profit des portiers, parce que cet arriviste de capitaine le leur avait ordonné – et tout le monde savait qui était le maître de Daxiel Xaxis…

Les universitaires en armes dévisageaient tous le maître épéiste à présent, leur propre physionomie montrant clairement qu'ils partageaient sa fureur. Cornélius laissa libre cours à sa colère montante :

– Hax Vostillix ! cria-t-il au ciel assombri. Tu paieras pour ce drame ! Deux braves universitaires en armes sont morts ! Et, le ciel en soit témoin, tu le paieras !

III
L'ancien maître de la Bâtisse du nuage gris

Flavien abaissa ses lunettes teintées, rabattit le capuchon de sa cape sur sa tête et se glissa hors des ombres de la voûte. Rasant le mur, il se dirigea vers l'immense roue en bois au bout du débarcadère est.

Malgré ses lunettes, Flavien Vendix, ancien maître de la Bâtisse du nuage gris, mit sa main en visière alors qu'il s'approchait. Le soleil venait de se coucher, et d'étincelants nuages houleux s'amoncelaient et tournoyaient sur l'horizon lointain. De nouvelles chutes de neige se produiraient avant l'aube, c'était certain. Les

rôdailleurs et les fromps géants devraient travailler dur, cette nuit, au va-et-vient des énormes poêles sphériques qui maintenaient la chaleur du gros rocher flottant.

En ce moment même, ils trimaient devant lui : quatre-vingts rôdailleurs et deux fromps géants, tous harnachés, piétinaient sans relâche, assurant la rotation continue de la grande roue en forme de barrique. Pendant ce temps, les planches grinçaient et gémissaient, et les supports de l'axe crissaient. À chaque tour, le poêle sphérique s'abaissait de trente mètres. Il continuait sa descente jusqu'à ce que la corde fût entièrement déroulée ; alors, à un cri en contrebas, la tige de levage sur le côté de la roue pivotait brutalement, la bobine changeait de sens et la corde commençait à remonter le poêle.

Flavien s'arrêta derrière un poteau pour panier suspendu et observa tristement les rôdailleurs. Les pauvres créatures s'épuisaient au travail. Déjà, un grand nombre de ses préférés du perchoir étaient morts, et leurs remplaçants d'Infraville ne se portaient pas mieux. Ils avaient le poil terne, les côtes saillantes, des cicatrices et des plaies suintantes sur le dos, à cause des coups de fouet et de bâton qu'ils recevaient sans cesse. Mal nourris, maltraités, voilà le sort qui leur était réservé ; selon la rumeur, les écuries qu'ils regagnaient péniblement n'étaient même plus chauffées.

– Attention ! tonna une voix derrière lui. Écartez-vous !

Se retournant, il découvrit un nouveau contingent de rôdailleurs, poussés dans sa direction le long du débarcadère par un groupe de valets et de palefreniers de la Bâtisse du nuage gris. Les opérations s'effectuaient sous l'étroite surveillance des portiers. C'étaient eux qui vociféraient les ordres. Chacun avait un fouet dans une main, une cravache dans l'autre, et n'hésitait pas à s'en servir – à la fois sur les animaux et sur leurs soigneurs.

– Avance par là, le ciel te maudisse ! cria un grand portier trapu à la figure aplatie, brutale, et aux oreilles pendantes, tout en cinglant l'arrière-train blessé d'un rôdailleur gris.

Flavien tressaillit comme si le bourreau l'avait frappé. La créature laissa échapper un cri plaintif et se précipita vers ses semblables.

Un instant plus tard, une sirène retentit, le son âpre tranchant l'air comme une lame rouillée. L'équipe de jour allait céder la place à l'équipe de nuit. Aussitôt, les rôdailleurs présents dans le manège glapirent et hurlèrent, reconnaissant la sonnerie qui annonçait la fin de leur labeur – provisoirement, du moins.

Alors que, débarrassés de leur harnais, ils étaient ramenés sur la plate-forme, les rôdailleurs tout juste arrivés des perchoirs prenaient le relais. Le remplacement s'effectuait dans un grand désordre de bêtes épuisées, trébuchant et se bousculant, tandis que les portiers rustres les battaient et les houspillaient.

Cependant, au-dessus, les deux fromps géants (qui, forcés d'accomplir une double tâche, n'en étaient qu'à la moitié de leur effort) promenaient un regard désolé alentour et, levant leurs museaux en forme de trompe, mugissaient, lugubres. Leurs oreilles duveteuses pendaient, molles, de part et d'autre de leur tête, tandis que leur fourrure tachetée, autrefois lustrée, était maintenant terne et pelée, couverte de zones rougies, à vif, irritées par les harnais rugueux.

– Continuez ! rugit l'un des portiers, donnant de violents coups sur le dos des animaux géants. Continuez !

Flavien regardait toujours, une rage impuissante bouillant dans ses veines. Les immenses créatures étaient connues pour leur douceur et leur docilité ; en bonnes mains, la plus légère cajolerie aurait suffi à les faire obéir. Dans les lointains Grands Bois, elles étaient employées sur des chantiers de construction dans les hauteurs des pins ferreux et, conduites par les gobelins arboricoles, elles aidaient aussi à la récolte des larves aux berceuses, précieuse denrée qui, une fois rôtie, produisait un jus violet, source de sommeil peuplé de rêves.

Flavien savait également que les gobelins arboricoles utilisaient parfois les fromps géants au combat, où ils se montraient rusés et intrépides. Et, alors même qu'il les considérait, il souhaita de tout cœur que ces fromps-ci se battent, se révoltent contre leurs bourreaux et les mettent en pièces… Mais jamais cela n'arriverait, comprit-il. Les pauvres créatures pitoyables qu'il avait devant lui étaient trop effrayées, leur fougue brisée par les châtiments continuels.

– *Iaou-aïïi-aïïi-aïïi…*

Un cri fusa soudain. L'un des rôdailleurs, fatigué, affamé et désorienté, après tant d'heures passées à actionner la roue, avait trébuché en descendant du manège, et était tombé. Un portier, dominant de toute sa taille l'animal à terre, jurait d'une voix forte et le frappait avec son fouet, lui arrachant des glapissements de douleur.

Tout autour, les autres rôdailleurs s'agitaient, nerveux, roulant les yeux dans leurs grosses têtes tandis qu'ils se cabraient et griffaient l'air. Les valets d'écurie empoignaient les rênes et faisaient leur possible pour les calmer et les éloigner.

– Je vais t'apprendre, espèce de sale bête paresseuse, bonne à rien! criait le portier, brandissant son fouet bien au-dessus de sa tête.

Flavien s'approcha du manège à grandes enjambées, sa cravache serrée dans son poing aux articulations blanchies. Comment ces butors, brutaux et fielleux, osaient-ils traiter de cette façon une quelconque créature vivante? Et, en particulier, ses rôdailleurs adorés? C'était barbare. Inexcusable. Intolérable…

– Arrière! ordonna-t-il.

Le portier fit volte-face, prêt à affronter l'insolent valet qui avait le culot de le défier. Flavien Vendix retira lentement ses lunettes et posa un regard ferme sur le portier cramoisi.

– Arrière! répéta-t-il.

Le portier baissa son fouet et, haussant les épaules, se détourna.

– Les rôdailleurs idiots sont une chose, marmonna-t-il en rejoignant ses camarades, mais les universitaires timbrés en sont une autre!

Flavien se pencha et caressa tendrement la tête du rôdailleur. Mais c'était trop tard. L'animal avait le souffle court, frissonnant, et, alors que l'ancien maître de bâtisse continuait à le caresser, ses yeux se voilèrent et il mourut paisiblement.

Flavien ferma les paupières et courba le front. Peu après, il sentit une main sur son épaule et, levant la tête, aperçut Titus, le gobelinet palefrenier de la Bâtisse du nuage gris, qui le dévisageait, l'air très inquiet.

– Vous devriez vous méfier, maître, chuchota Titus d'un ton pressant. Si les portiers rapportent à Hax Vostillix que vous êtes intervenu...

Flavien bondit sur ses pieds et brisa sa cravache en deux, tout en lançant un seul mot :

– Hax !

IV
Le maître de la Bâtisse du haut nuage

L'unique maître de bâtisse demeuré en fonction considérait le ragoût de tilde dans le bol devant lui. La cuillère qu'il tenait entre ses doigts maigres tremblait tellement que le contenu se renversa sur ses robes.

– Fichu ragoût ! grogna-t-il, lâchant la cuillère dans le bol, saisissant la serviette et tapotant la tache marron.

Un instant plus tard, il fronça les sourcils. Sa main s'immobilisa. Il continua de scruter son vêtement.

– Les joyaux des marais, murmura-t-il. Ces robes violettes étaient autrefois ornées de joyaux des marais...

Durant un instant, le comble lui parut atteint. Quelqu'un (sans doute un domestique de la bâtisse ou un écuyer) avait soigneusement retiré chacun des précieux joyaux, jusqu'au dernier! Le haïssaient-ils à ce point? s'interrogea, lugubre, Hax Vostillix, maître de la Bâtisse du haut nuage et dirigeant solitaire de l'Académie de chevalerie.

Il tendit la main vers sa cuillère, mais interrompit son geste. Il n'avait pas faim. Renonçant à toute idée d'avaler le ragoût, il reposa le bol plein sur le plateau d'argent et repoussa le tout. Comme la veille, et l'avant-veille, il n'avait tout simplement aucun appétit.

Comment pouvait-il manger dans des circonstances pareilles, de toute façon? se demanda-t-il. Le ciel ne répandait que neige et glace, et le rocher flottant sanctifié devenait plus léger à chaque blizzard.

Il se tourna vers la fenêtre, ses yeux cernés cherchant un signe, même infime, que le temps changeait. Mais, constata-t-il, démoralisé, le blizzard continuait de rugir – et il n'y avait pas la moindre particule de brume aigre dans l'air. S'il y en avait eu, il aurait aussitôt ordonné une expédition, malgré les piètres résultats de ces tentatives. Cependant, il n'avait pas le choix.

Il secoua la tête d'un air morne.

– Pourquoi une telle catastrophe m'arrive-t-elle, à moi, érudit céleste dévoué? gémit-il. N'en ai-je pas fait assez? J'ai banni l'érudition terrestre. J'ai purifié l'Académie de chevalerie.

Il tira négligemment sur les fils de sa robe.

– J'ai mené les purges dans les écoles et les académies de Sanctaphrax, extirpé l'érudition terrestre partout où elle apparaissait... Et pourtant, le ciel manifeste sa mauvaise humeur...

Les graines du doute, déjà semées, avaient commencé à gonfler et à germer. Avait-il pu se tromper dans ses prédictions sur l'arrivée imminente d'une Grande Tempête, en fin de compte ?

Il serra le poing et frappa la table, faisant tressauter la vaisselle et renversant un gobelet de liquorine.

« Non ! se dit-il. Je ne peux pas avoir de telles pensées, pas après avoir envoyé tous ces braves chevaliers dans le ciel où filent les tempêtes. Je ne le dois pas ! Je suis Hax Vostillix, le plus grand érudit céleste qui ait jamais existé ! »

Mais il avait vu la manière dont les deux Dignitaires suprêmes le regardaient. Et les autres : les professeurs, les écuyers, les universitaires en armes... Ils avaient perdu toute confiance en lui.

Il secoua de nouveau la tête, tandis que les souvenirs revenaient à flots.

L'atmosphère avait été si différente, cet après-midi-là, sous le vaste dôme de conférence ! Ils l'avaient écouté alors, tandis que, Daxiel Xaxis et les portiers à son côté, il purgeait les Salles inférieures de tous ces traîtres et voyous qui se faisaient passer pour de loyaux érudits célestes. Même Forlaïus Tollinix s'était rallié à son point de vue, et mis en route pour servir Sanctaphrax...

Qu'était-il arrivé à ce courageux chevalier ? s'interrogea-t-il.

Assurément, la situation avait changé. À l'époque, ils l'admiraient. Aujourd'hui, ils le méprisaient. Le détestaient. Il baissa les yeux vers ses robes violettes, dépouillées de leurs joyaux des marais. Oui, ils le haïssaient bel et bien, pensa-t-il avec amertume. Sans Daxiel Xaxis et son armée de portiers, les universitaires se seraient certainement révoltés et l'auraient chassé de Sanctaphrax depuis longtemps déjà. Néanmoins, il devait être prudent; vérifier que Daxiel Xaxis lui-même ne nourrissait pas des ambitions démesurées.

– Après tout, nous ne voulons pas que le serviteur devienne le maître, hum? marmonna-t-il.

Il examina sa table de travail. Elle était jonchée de cartes célestes, de prévisions météorologiques, de relevés hygrométriques...

Il fronça les sourcils.

– Qu'est-ce que c'est? se demanda-t-il à voix haute.

Là, sur son plateau en argent, près du pichet de liquorine, se trouvait une petite coupe en or, contenant des délises candies.

Quelqu'un avait pris le temps d'enrober les petites délises d'un fin glaçage exquis et de les présenter dans une petite coupe en or, pour son plaisir à lui. Visiblement, ils ne le haïssaient pas tous, se dit-il avec un léger sourire.

Il prit une friandise entre son pouce et son index et la fit tourner dans la lumière. Le sucre scintillait. Hax se lécha les lèvres. Un maître de bâtisse mangeant des bonbons! Vraiment, il ne devrait pas – mais un seul ne pouvait lui nuire.

Il le fourra dans sa bouche et ferma les yeux. Le bonbon fondit lentement sur sa langue. Quel goût délicieux...

CHAPITRE 18

Les rouleaux d'écorce

HÈRE MARIA,

Je suis ravi que tu aies apprécié ma dernière lettre. Désolé, mais celle-ci sera beaucoup plus courte. Je la donne à Vilnix Pompolnius, qui te la remettra, car, malgré mes impressions premières, il est en réalité un camarade digne de confiance et un fidèle compagnon. Tu sais, je l'ai vraiment mal jugé, et je regrette beaucoup de t'avoir communiqué mes doutes absurdes.

Ce qui m'amène à ma grande nouvelle : Vilnix et moi allons tous les deux être promus dans les Salles supérieures ! Je serai écuyer lige, et Vilnix apprenti grand professeur (il ne mérite pas moins, vu comme il travaille dur). Notre cérémonie d'accession aura lieu dans trois jours, et il faut que je récupère mon portrait miniature, que j'achète de nouvelles robes, que je fasse polir et aiguiser mon épée, bref, mille et une choses.

Malheureusement, tout cela coûte cher, et l'argent que me donne mon père ne suffit pas. De plus, mon mentor, le professeur de Lumière, se révèle aussi avare que la rumeur l'affirme. Vilnix a bien de la chance, lui, avec le professeur d'Obscurité !

Je me demandais si tu ne pourrais pas me prêter une petite somme, disons cinquante pièces d'or. Après tout, ton père a dû te laisser une petite fortune. Pourquoi ne pas glisser les pièces dans la boîte en cuivrier que je cache dans ce rouleau, et les confier à Vilnix demain, sur la place du marché ?

Je sais que tu ne me laisseras pas dans la difficulté.

Ton ami,
Quintinius Verginix,
Écuyer des Salles supérieures.

Cher Quint,

Depuis quand signes-tu « Quintinius Verginix » les lettres que tu m'envoies ? C'est si étrange et si guindé ! J'espère que ta promotion dans les Salles supérieures ne va pas te rendre trop arrogant ! (Je te taquine juste…)

Je comprends ton problème d'argent et le coût que doit représenter tout ce dont tu as besoin pour la cérémonie d'accession, mais tu te trompes sur ma fortune. Gonzague est un avare fini, et Doria ne vaut pas mieux. Si tu voyais leurs vêtements ! Troués et rapiécés, du premier jusqu'au dernier, et conformes à la mode… d'il y a cinquante ans !

Gonzague s'est emparé de tout ce que Père m'a laissé et l'a enfermé avec son or à lui. C'est terriblement injuste, mais chaque fois que je proteste, il agite le testament de Père, qui le désigne comme mon tuteur, et il répète qu'il doit s'occuper de moi jusqu'à ce que je sois adulte et raisonnable. Il me tarde d'être adulte, mais j'espère ne jamais devenir raisonnable, si ce mot signifie agir comme Gonzague, Doria et tous leurs amis rasoirs.

Oh, justement! Il se trame quelque chose, à coup sûr: l'autre soir, le dénommé Daxiel Xaxis s'est montré dans sa cape blanche, avec cet horrible insigne, et il a eu un long entretien avec Gonzague. De ma chambre (la porte était fermée à clé, comme la majorité des soirs), je n'ai presque rien entendu, sauf des cris. Mais Betty (la servante nabotone pleurnicheuse dont je t'ai parlé) a dû apporter une bûche pour le feu; elle a donc pu me renseigner, par la suite, sur les détails de leur grave dispute.

Daxiel, m'a-t-elle raconté, exigeait de Gonzague qu'il trouve encore d'autres Infravillois pour augmenter le nombre de ses horribles portiers, parce qu'il aurait bientôt besoin du plus gros effectif possible! Gonzague s'est contenté de gémir (il sait bien gémir, d'ailleurs, quand il ne tyrannise pas son entourage): il avait déjà employé une trop grande part de son or, durement gagné, à engager des recrues pour Daxiel, et il voulait à présent que «l'investissement lui rapporte». Je suppose qu'il faisait allusion à ce poste stupide sur les débarcadères, le contrôle des poêles sphériques, qui l'obnubile.

Il semble que Daxiel ait tenu ensuite des propos vraiment intéressants: Gonzague devait se montrer patient, lui fournir de nouvelles recrues et attendre le moment où «les humbles gouverneraient». Mais Gonzague a continué de le harceler, et ils ont fini par se disputer. Daxiel lui a défendu de se présenter à l'Académie de chevalerie sans invitation, puis il a claqué la porte.

Ne trouves-tu pas cette entrevue curieuse ?

Je crois que tu devrais en parler aux Dignitaires suprêmes, car je suis presque certaine que Hax Vostillix tire les ficelles. Est-il aussi fou qu'ils le prétendent tous ? J'ai entendu dire qu'il pense envoyer un nouveau chevalier en expédition, même si presque plus personne ne croit que ces blizzards continuels ressemblent, de près ou de loin, à de Grandes Tempêtes.

Oh, sois prudent là-haut, Quint, promis ? Même si c'est peu, je conserve l'argent que me donne Doria une fois par semaine : il y a cinq pièces d'or en tout, que j'ai mis des lustres à économiser ! Gonzague garde tout son or à lui dans un grand coffre en ricanier au pied de son lit (d'après Betty, du moins). Et, tous les soirs, il l'ouvre et fait ses comptes avant de dormir. Quel avare !

Je regrette de ne pas pouvoir t'en envoyer plus. Tu sais que je le ferais, si je le pouvais. Je remettrai ces pièces à Vilnix, avec cette lettre, comme tu me l'as proposé. Bonne chance pour la cérémonie d'accession.

Ton amie,

Mademoiselle Maria Pallitax-Vespius

(Je plaisante !)

P.-S. : Pour finir, Quint, le plus bizarre : Père a rédigé son testament sur un rouleau d'écorce identique à ta lettre. Une texture lisse, avec de petites taches grises. Je me rappelle avoir trouvé cela étrange, à l'époque, parce que Père utilisait toujours des rouleaux en gâtinier, plus granuleux et clairs. Mais c'était indiscutablement son *écriture. Et aujourd'hui, voilà que tu emploies le même matériau !*

Chère Maria,

Je regrette que la signature de ma dernière lettre, Quintinius Verginix, t'ait paru étrange et guindée, mais tu dois comprendre que j'ai été promu dans les Salles supérieures et que j'ai laissé les enfantillages derrière moi. Il s'agit peut-être de simples taquineries à tes yeux ; néanmoins, ces détails ont de l'importance. Je considère que tu le comprendras, toi, fille de Dignitaire suprême.

Je suis très déçu que tu m'aies envoyé seulement cinq pièces d'or, et m'estime heureux que mon fidèle ami, Vilnix Pompolnius, me soit venu en aide pour la cérémonie d'accession. Il a magnifiquement aiguisé la lame de mon épée, il s'est chargé d'une multitude de courses pour moi, y compris passer prendre ta lettre et ces misérables pièces d'or que tu as décidé de me donner.

Si tu étais une amie aussi véritable et fidèle que Vilnix, tu inventerais un moyen pour reprendre l'or dont ton tuteur t'a dépossédée et tu me l'enverrais. Je suis certain que ton pauvre père adoré l'aurait souhaité – d'autant plus que mon nouveau mentor, le professeur de Lumière, se révèle si pingre. En véritable amie, tu prendrais autant d'or que possible et confierais le tout à Vilnix, dans la boîte en cuivrier. Une fois par semaine, le jour du marché, il passera sous ta fenêtre, jusqu'à ce que tu agites un mouchoir rouge montrant que tu as réussi. N'attends plus de lettres de ma part, tant que tu ne m'auras pas prouvé ainsi ton amitié.

295

Je parlerai de tes inquiétudes au professeur de Lumière. Je ne serais vraiment pas étonné que Hax Vostillix manigance un mauvais coup; il n'est pas seulement fou, mais sournois, comme le pauvre Vilnix l'a découvert à ses dépens. En échange de ses bons offices et de nombreux services, une place d'apprenti grand professeur lui était promise dans les Salles supérieures. Mais Hax Vostillix l'a cruellement trahi: il l'a désigné comme écuyer lige, alors même que la chasse à la tempête n'intéresse pas Vilnix et n'entre pas dans ses objectifs.

J'étais si en colère, lorsque Vilnix m'a raconté cette perfidie, que j'ai eu envie d'assassiner Hax Vostillix de mes propres mains. Il ne mérite pas moins! Voilà le secours mutuel que s'apportent de véritables amis.

Ne me laisse pas une nouvelle fois dans la difficulté.

Bien à toi,
Quintinius Verginix,
Écuyer des Salles supérieures

Cher Quintinius,
J'ai été très peinée par le ton de ta dernière lettre. Pour ne rien te cacher, j'ai pleuré une semaine entière. Je veux vraiment être ta grande amie, tu le sais. Je ne crois pas qu'assassiner quelqu'un à mains nues, même Hax Vostillix, soit une preuve d'amitié; en outre, malgré la haute opinion que tu sembles avoir de Vilnix, il me donne toujours la chair de poule, je le crains.

Depuis trois semaines, il se montre sous ma fenêtre le jour du marché, avec ce hideux petit sourire fourbe aux lèvres. C'est comme s'il se réjouissait de ta fureur contre moi et de ma propre tristesse. En vérité, je me suis sentie si triste que j'ai consenti à faire ce que tu m'as demandé... avec réticence, parce que le vol est condamnable, nous le savons tous les deux.

La nuit dernière, j'ai réussi à me glisser dans la chambre de Gonzague et de Doria ; j'ai regardé ce gros mollusque répugnant siffler de la liquorine et se balancer d'avant en arrière pendant qu'il comptait sa fortune. Doria était aussi ivre que lui, ils n'arrêtaient pas de rire et de chanter «Les humbles gouverneront». C'était horrible !

Mais ils ont fini par s'endormir tous les deux ; j'ai pu sortir de derrière les tentures et puiser une centaine de pièces d'or dans le coffre en ricanier, littéralement sous le nez du gros ronfleur !

Je dis «une centaine», parce que je n'ai évidemment pas perdu de temps à compter. Tes souhaits sont donc comblés ! Tu trouveras les pièces dans la boîte en cuivrier, avec cette lettre. Je donnerai tout à Vilnix demain, quand il viendra (car il viendra, j'en suis persuadée). Peut-être qu'il perdra son hideux petit sourire narquois !

Quand Gonzague découvrira le vol, j'aurai des ennuis, je le sais, mais tu m'as demandé de prouver mon amitié, ce que j'ai fait, alors voilà ! Et j'écris «quand il découvrira», pas «s'il découvre», parce que Gonzague sait précisément quelle somme il possède – ou plutôt, possédait. Je ne suis pas fière de mon acte, et j'ai l'intention de me sauver à la première occasion. J'irai voir les Dignitaires suprêmes jumeaux et je mettrai mon sort entre leurs mains. Quint, j'ai décidé de tout leur révéler ; ce sera pour le mieux, j'en suis convaincue.

Ta véritable amie,
Maria

Chère Maria,
Il faut que nous nous voyions ! Je t'en supplie, ne commets pas de sottise !

Sauve-toi et rends-toi à l'Observatoire céleste. Tu m'attendras sur la plate-forme nord, à huit heures demain matin, et je t'expliquerai tout...

Excuse-moi pour cette vilaine écriture, je me suis blessé à la main en m'entraînant sur la tour de lance-ment.

Merci pour l'argent. Tu es une véritable amie.
Ton ami,
Quint

Maria glissa une pièce dans la main calleuse du vieux hisse-panier gobelinet et s'avança sur le débarcadère ouest. Elle trembla et baissa la tête. Avec le vent hurlant qui agitait sa cape, elle avait l'impression qu'ici, sur les hauteurs du gros rocher flottant, il faisait encore plus froid qu'à Infraville.

Derrière elle s'élevait le grincement du grand manège en bois assurant la circulation des poêles sphériques, dont elle avait si souvent, de sa fenêtre, observé les énormes cages rougeoyantes. De près, elle entendait maintenant hennir et aboyer les rôdailleurs qui s'échinaient à l'actionner, ainsi que les curieux mugissements lugubres des fromps géants.

298

«Tant de changements depuis mon départ», songea-t-elle.

Elle se hâta sur la plate-forme en surplomb, restant le plus possible cachée dans les longues ombres matinales. Il y avait des portiers partout, remarqua-t-elle avec un frisson, dans leur tunique blanche ornée de l'horrible verrondin rouge. Mais ils étaient trop occupés à crier et à rudoyer les valets d'écurie pour lui prêter attention. Quel contraste avec l'époque où son père était Dignitaire suprême ! Il n'aurait jamais laissé Hax Vostillix se constituer une armée personnelle…

Néanmoins, pensa-t-elle alors qu'elle arrivait au bout du débarcadère et s'engageait sur la vaste avenue enneigée, majestueuse étendue entre la Grande Salle et l'Observatoire céleste, les Dignitaires suprêmes jumeaux allaient mettre un terme à ces menées, elle en

299

avait la certitude. Surtout qu'elle allait tout leur révéler des entrevues suspectes du capitaine des portiers avec son tuteur, Gonzague. Mais, pour commencer, elle devait se rendre à l'Observatoire céleste avant huit heures, afin d'y retrouver Quint.

Son cœur bondit. Quint! Quel bonheur ce serait de le revoir, après une si longue séparation.

Elle avait tant d'anecdotes à lui raconter, elle brûlait de lui poser tant de questions. Alors, sa vie d'écuyer dans les Salles supérieures? Ses chevauchées en rôdailleur? Ses essais de pilotage d'un chasseur de tempête? Et ses amis: elle voulait tout savoir d'eux, Placide, Rodérix, Léo... même Vilnix.

Que voyait-il donc chez cet apprenti maigre, au regard sournois, dont le sourire fourbe la faisait frémir?

Les lettres n'étaient pas propices à ce genre d'explications, mais Maria savait que Quint éclaircirait tout, maintenant qu'ils allaient enfin être réunis. Elle pressa le pas.

Coupant par une ruelle derrière l'École de la brume, elle déboucha sur l'avenue principale, et les hautes tours du Collège des nuages se dressèrent devant elle. Des nabotons et des troglos ploucs déblayaient la neige du mieux qu'ils pouvaient; le raclement des pelles emplissait l'air. Cependant, au-dessus des têtes, un amas de nuages noirs voilait déjà la lumière matinale. Maria prit à gauche. L'Observatoire céleste se dessinait un peu plus loin.

Incessamment, se dit-elle, elle reverrait Quint et pourrait tout lui décrire. Les longues nuits glaciales et solitaires, enfermée dans sa chambre, les cruautés mesquines et la malveillance de ses tuteurs, la douleur aiguë au milieu de sa poitrine chaque fois qu'elle laissait affluer les souvenirs de sa vie d'autrefois, dans la grande cité flottante.

Puis il y avait la peine. La peine mêlée de colère que sa lettre lui avait causée, avec ce ton hautain et l'accusation sous-jacente : elle n'était pas « une véritable amie ». Piquée au vif, elle avait saisi la première occasion pour lui démontrer son erreur. Elle n'avait pas eu longtemps à attendre...

Un portier était arrivé avec un message pour Gonzague, et le tyran geignard s'était transformé en imbécile riant et gloussant. Ravi, il avait caracolé dans tout le palais, ordonné aux domestiques d'apporter de la liquorine et crié à Doria de venir fêter la nouvelle avec lui. Très bientôt, tous deux avaient tangué jusqu'à leur chambre, soûls comme des grives, en chantant « Les humbles gouverneront »... et en oubliant d'enfermer Maria.

Non sans émotion, la jeune fille avait quitté sa chambre en catimini, descendu le couloir et pénétré dans la chambre de ses tuteurs. Là, elle s'était précipitée derrière les lourdes tentures de la fenêtre, au bout de l'immense pièce. Le cœur martelant dans sa poitrine, elle avait risqué un regard par un interstice dans les tentures. Doria s'était affalée sur l'énorme lit sculpté en ricanier et ronflait comme un vorisson de bois, tandis que Gonzague se tenait agenouillé devant un coffre ouvert, au pied du lit.

Maria continuant d'observer, elle avait vu ses paupières s'alourdir et se fermer, sa tête dodeliner. Il n'avait pas tardé à ronfler bruyamment lui aussi, avachi sur le coffre au trésor comme s'il en vénérait le contenu.

Maria avait attendu un peu, juste pour s'assurer qu'ils ne bougeraient plus. Puis, prenant une profonde inspiration, elle était sortie de sa cachette et, sur la pointe des pieds, s'était approchée du coffre ouvert.

Comme il était rempli ! se souvint-elle, indignée. Il contenait plus de pièces d'or qu'elle n'en avait jamais vu – éclatantes, étincelantes dans la lumière jaune de la grande chandelle à trois sous qui vacillait sur son support. Sans hésiter, Maria avait retroussé sa jupe et prélevé plusieurs poignées – une fraction, elle en était sûre, de l'héritage paternel. Puis, osant à peine respirer, elle s'était esquivée en toute hâte.

De retour dans sa propre chambre, elle avait enveloppé les pièces et sa lettre dans un petit tissu, puis fourré le tout dans la boîte en cuivrier. Ensuite, incapable de dormir, prise de vertige à la pensée de son audace, elle avait veillé toute la nuit, attendant le matin. À l'aube, alors que les étals du marché étaient déjà dressés, elle avait aperçu, rôdant à nouveau dans l'ombre, Vilnix Pompolnius. Pour la toute première fois, elle avait été contente de le voir. Au lieu de l'ignorer, elle avait sorti le mouchoir rouge de sa manche et l'avait agité.

Puis elle avait poussé la boîte entre les barreaux de sa fenêtre et l'avait fait descendre, au bout d'un drap noué, jusqu'aux mains en attente. Vilnix s'était emparé du précieux paquet, qu'il avait caché dans sa veste avant de filer sans le moindre signe de reconnaissance.

Très bien, avait-elle pensé, avec un sentiment de triomphe amer. Au moins, Quint saurait à présent qu'elle était «une véritable amie». Mais elle allait payer le prix fort, lorsque Gonzague recompterait son or. Et elle n'avait que peu de temps – un jour ou deux, au maximum…

Une heure après, emmitouflée dans ses vêtements les plus chauds, un ballot d'affaires sous le bras, Maria était partie tout avouer aux Dignitaires suprêmes jumeaux. Tandis qu'elle s'éclipsait, Gonzague et Doria cuvaient toujours leur liquorine, là-haut dans leur chambre.

Elle n'avait pas parcouru dix mètres qu'elle sentit quelqu'un lui tirer la manche. Étouffant un cri de terreur, elle avait fait volte-face… et s'était retrouvée nez à nez avec la figure déplaisante de Vilnix Pompolnius.

– Je suis content de t'avoir rattrapée, avait-il dit, la voix nasillarde sifflante et pressante.

Plongeant la main dans sa veste, il en avait tiré un rouleau d'écorce, qu'il lui avait jeté.

– Je redescends à l'instant de Sanctaphrax : Quint m'a demandé de te donner ce message. C'est très important, alors lis-le tout de suite !

Sur ces mots, avant qu'elle puisse le retenir, il avait décampé.

Quel étrange rouleau, lui donnant rendez-vous ici, à l'Observatoire céleste, sans aucune explication. Et l'écriture ! Un minuscule griffonnage, si différent des textes calligraphiés auxquels l'avait habituée Quint...

Quelque chose n'était pas normal, Maria le sentait, et elle s'apprêtait à découvrir le fond de l'affaire. Ouvrant la porte de l'observatoire, elle s'élança dans l'escalier, montant les marches deux à deux. Lorsqu'elle atteignit la salle circulaire, elle haletait d'épuisement. Dehors, au sommet de la Grande Salle, la cloche sonna huit heures moins le quart.

– Quint ? appela-t-elle, courant vers la porte de la plate-forme nord, dont elle franchit le seuil. Quint ? Es-tu là ?

Quint marchait d'un pas décidé vers l'Observatoire céleste, à travers la neige épaisse. Au loin, la cloche de la Grande Salle sonnait huit heures moins le quart. Sa lourde cape noire se gonflait derrière lui alors qu'il pressait le pas, et la lanterne rougeoyante dans son poing ganté répandait un éclat miroitant sur la vieille armure bosselée qui le recouvrait.

Comme il était fâcheux que son mentor, le professeur de Lumière, l'ait convoqué à l'Observatoire céleste, ce matin-ci entre tous ! songea-t-il.

Jusqu'à présent, le projet que lui, Léo, Placide et Rodérix organisaient depuis des semaines déjà se déroulait à la perfection. Placide avait terminé son travail à la forge, Rodérix avait préparé *Le Briseur de nuages* et Léo était allé chercher le coffret à lumière dans la chambre de Braisetin. Quint n'avait plus qu'à s'équiper. Il était descendu en cachette dans l'amphithéâtre de la Bâtisse du nuage blanc et, avec précaution, avait décroché de son support la vieille armure de chevalier. Elle était étonnamment légère, et il avait éprouvé une griserie coupable à la revêtir, pièce après pièce.

« Voilà donc les sensations qui animent un chevalier armé de pied en cap », avait-il pensé, souriant secrètement.

L'armure était sans conteste trop grande pour lui, usée et cabossée, mais Quint s'était senti magnifique alors qu'il sortait en silence de la bâtisse et gravissait l'escalier central, prenant soin de la dissimuler sous sa lourde cape noire. Il venait d'atteindre le palier central quand arriva derrière lui, à la dérobée, nul autre que Vilnix, tout rouge d'avoir couru, la voix réduite à un chuchotement pressant, haletant.

– Grâce au ciel, te voici, Quint ! Je t'ai cherché partout. Pourquoi n'es-tu pas dans ton bureau ? souffla Vilnix.

– Impossible de dormir, mentit Quint.

Ils n'avaient surtout pas besoin que l'écuyer sournois découvre leur plan. Par chance, Vilnix semblait avoir d'autres préoccupations en tête, car il ne sourcilla pas devant la lourde cape de Quint et ses bottes métalliques.

– Ça tombe bien, dit-il, parce que le professeur de Lumière désire te voir de toute urgence sur la plate-forme nord de l'Observatoire céleste, à huit heures. Ne sois pas en retard, recommanda-t-il à Quint, lui adressant un sourire vorace. Ton avenir même en dépend !

Vilnix s'était éloigné, gloussant sous cape et se frottant les mains. Malgré ses efforts, Quint ne parvenait pas à percer à jour l'ancien rémouleur. Mais au fond, s'était-il dit, tandis qu'il se dépêchait d'aller rejoindre Rodérix dans le foyer des Salles supérieures, il avait d'autres priorités que le décryptage du comportement de Vilnix Pompolnius.

Il atteignit l'entrée de l'Observatoire céleste et s'y engouffra. Il espérait que ce rendez-vous avec son mentor serait bref. Rodérix et les autres l'attendaient, là-bas à l'Académie. Hors d'haleine, Quint arriva au sommet de l'observatoire. Si l'armure lui avait d'abord paru légère, elle semblait maintenant, après l'ascension de toutes ces marches, peser plus lourd que le phrax lui-même.

La porte de la plate-forme nord était entrebâillée. Quint s'en approcha et l'ouvrit.

– Maria ! s'exclama-t-il. Que fais-tu donc ici ?

La jeune fille se détourna de la balustrade, le visage rayonnant de joie.

– Quint ! souffla-t-elle. Enfin.

Quint s'avança sur la plate-forme. À cet instant, un énorme craquement retentit, et la joie laissa la place à l'épouvante sur le visage de Maria, tandis que la plate-forme se dérobait soudain sous ses pieds.

Dans des réflexes fulgurants, Quint tendit une main gantée et attrapa Maria par le poignet, s'accrochant de l'autre côté au bouton de la porte grinçante. Au-dessous d'eux, la plate-forme cliquetait et cognait contre les flancs de la tour dans sa chute vers le sol. Au-dessus de lui, Quint sentait les charnières de la porte trembler alors qu'elles cédaient peu à peu. Quatre boulons métalliques se déformant sous la tension, voilà tout ce qui les séparait d'une mort certaine.

Maria leva vers lui un visage strié de larmes, et Quint resserra son étreinte. Il avait l'impression que ses bras se désarticulaient, des élancements aigus lui transperçaient les épaules. La porte commença à se gauchir et, en contrebas, Maria sembla le percevoir…

Alors qu'elle demeurait en équilibre précaire au-dessus du vide, elle hurla :

– Sauve-toi, Quint !

CHAPITRE 19

Du sang sur la neige

AU-DESSUS DE SANCTAPHRAX ENDORMIE, LE CIEL NOIR comme du charbon était couvert de sombres nuages houleux qui retardaient le lever du jour. À l'intérieur de la Bâtisse du nuage blanc, les fourneaux ne contenaient plus qu'un feu mourant et avaient besoin de nouvelles bûches, mais les tisons continuaient de répandre une douce lumière cramoisie dans toute la forge.

Dans l'angle du fond, derrière un bouquet de tuyaux sinueux, un jeune et mince gobelin gris sortit d'un nid de chiffons, frotta ses yeux gonflés de sommeil et rassembla les quelques affaires qu'il avait préparées la veille au soir. Il mit le ballot sur son épaule ; puis, vérifiant que personne d'autre n'était debout à une heure aussi matinale, il quitta la forge en catimini et se dirigea vers l'escalier central.

À l'autre bout de l'Académie de chevalerie, dans une alcôve d'études de la caserne, un universitaire en armes, encore tout ensommeillé, bâilla, s'étira et se gratta la tête avant de se glisser hors de son lit. Il resta immobile une minute, frissonnant. Le petit poêle à ricaner s'était éteint durant la nuit, et malgré l'épaisse couverture en laine de tilde suspendue à l'entrée, un froid glacial régnait dans son alcôve. Toujours frissonnant, il attrapa ses vêtements et s'habilla en hâte. Puis, sa cuirasse d'apprenti épéiste bouclée, il enfila promptement le couloir en direction de l'escalier central.

Dans le foyer des Salles supérieures, un jeune chevalier en attente dégingandé, portant des lunettes ovales, faisait les cent pas. Il avait les sourcils froncés. S'arrêtant un instant sous l'une des hautes chaires décorées, il tendit le bras et, de l'index, suivit les vrilles et les volutes de la sanguinaria sculptée. C'était là que le Cercle des premiers érudits débattait jadis.

Il reprit sa déambulation, contemplant les imposantes chaires tout autour de lui. Sur l'une d'elles, côté gauche, les Chevaliers de la Grande Tempête tenaient leurs réunions secrètes ; sur celle-là, près du mur du fond, les Amis de la brume et du brouillard se rassemblaient pour parler sans fin des conditions atmosphériques…

Tant de discussions et de débats, songea-t-il avec un sourire désabusé, avant de remonter ses lunettes sur son nez. Les Associations des chaires des Salles supérieures bouillonnaient assez pour réchauffer jusqu'au cœur le rocher de Sanctaphrax. En dépit de tous ces discours, aucun des écuyers, chevaliers et grands professeurs qui fréquentaient les lieux n'était néanmoins capable d'expliquer cet hiver interminable – ni de se prononcer sur les mesures à adopter.

À ce moment précis, il entendit un bruit de pas et, se tournant, aperçut deux silhouettes qui s'approchaient. Il y avait un ouvrier de forge, à la charpente frêle, et un apprenti épéiste.

– Où est Quint ? chuchota ce dernier, les traits tirés, l'air anxieux.

– Son mentor lui a donné rendez-vous à huit heures à l'Observatoire céleste, répondit le jeune chevalier. Une convocation urgente...

– Que faire, alors ? demanda l'ouvrier de forge d'un ton pressant. Pas question d'annuler. L'occasion ne se représentera peut-être pas...

– Mais nous ne pouvons pas laisser Quint, objecta le chevalier, aussi calmement que possible. Je crois que nous devrions continuer comme prévu, terminer les préparatifs. Quint nous rejoindra au plus tôt. Maintenant, dit-il avec un sourire, au lieu de rester ici à débattre comme une Association des chaires, agissons !

Ils allaient s'éclipser lorsqu'un nouvel écho de pas retentit dans la vaste salle vide. Le petit groupe, faisant volte-face, découvrit un écuyer des Salles supérieures, maigre et voûté, qui traversait la pièce en se frottant les mains avec joie. Apercevant les trois silhouettes près de la chaire, l'écuyer s'immobilisa une seconde. Il parut, lui aussi, stupéfait de trouver quelqu'un d'autre debout à cette heure. Il s'approcha, et le sourire satisfait sur sa figure se changea en ricanement.

– Qui avons-nous donc là ? demanda-t-il. Rodérix, Léo ! Et... voyons... Oh, oui, Placide l'ouvrier de forge, je me souviens de toi...

– Vilnix Pompolnius, dit Rodérix. Que rôdes-tu ici, à la pointe du jour ?

– Je pourrais vous retourner la question, rétorqua Vilnix, plissant les yeux avec méfiance.

– Nous ? dit Rodérix, nonchalant. Euh… Nous venons de former une Association des chaires… Très modeste, comprends-tu…

– Comme c'est intéressant ! railla Vilnix. Et quel nom porte-t-elle, votre association ?

– Quel nom ? répéta Rodérix en rougissant.

Vilnix gloussa.

– Alors, tu as traîné jusqu'à ces hautes sphères un universitaire en armes et un petit ouvrier de forge crasseux pour former une Association des chaires, et tu n'as même pas inventé de nom ?

– C'est-à-dire… commença Rodérix.

– Laisse-moi t'aider, l'interrompit Vilnix. Les Apprentis jaseurs ! Ou bien les Vorissons verbeux… Non, j'ai trouvé : les Mollusques ramollis !

Il ricana à sa propre plaisanterie.

Rodérix se contint, les joues écarlates.

– Si tu dois vraiment le savoir, répliqua-t-il d'un ton sec, s'efforçant d'imaginer un nom plausible qui ôterait à l'écuyer son sourire vaniteux, nous nous appelons… les Chevaliers de l'hiver.

La chambre à coucher du maître de la Bâtisse du haut nuage était sombre et glaciale. Une plainte, sourde et inquiétante, sortait du grand lit en gâtinier fixé au centre de la pièce. Le lit oscillait et remuait tandis que son occupant se débattait et tentait d'attraper les draps.

Hax Vostillix faisait un mauvais rêve.

À bord d'un chasseur de tempête, il se cramponnait fermement à la rambarde, car le fragile vaisseau roulait et tanguait, plongeait et piquait du nez. Tantôt le dormeur avait horriblement chaud, comme si son corps brûlait; tantôt, alors que des blizzards glacés enveloppaient le frêle navire, le froid le saisissait au point qu'il claquait des dents et tremblait sans pouvoir se contrôler.

Soudain, un vacarme strident lui emplit les oreilles et, regardant au-dessous de lui, il découvrit une nuée d'oisorats qui fuyaient la coque du navire et décrivaient une courbe dans l'air avant de s'éloigner à tire-d'aile vers l'horizon lointain. Impossible à maîtriser, le navire du ciel, pris dans une spirale impétueuse, descendait en vrille vers l'étendue blanche du Bourbier...

Hax Vostillix ouvrit brusquement les yeux. Il était baigné de sueur, sa peau ruisselait et sa chemise de nuit collait, trempée. Mais il avait froid. Cruellement froid. Ses doigts et ses orteils étaient si glacés qu'il les sentait à peine, et pourtant, à l'intérieur, son ventre en feu s'agitait et se convulsait. Et il y avait la douleur...

Hax n'avait jamais ressenti une douleur pareille. Elle lui déchirait, lui lacérait l'estomac, tel un millier d'aiguilles chauffées au rouge qui l'auraient piqué, lardé, lui nouant les entrailles.

– Aaaïe! geignit-il. Ooouuuille...

La douleur intense le transperçait, spasme après spasme, les crampes et les brûlures le forçant à se plier en deux. Gémissant, au supplice, Hax se retourna et rampa hors du lit oscillant. Il tituba jusqu'à sa table (couverte de cartes nuageuses, de prévisions météorologiques, de listes balistiques et de relevés hygrométriques) et se laissa tomber dans le fauteuil.

La douleur s'intensifia encore, et il eut l'impression que les mots et les chiffres inscrits sur les rouleaux d'écorce vacillaient devant ses yeux, le raillaient et le tourmentaient. Il les écarta et, dans son geste, heurta de la main le plateau d'argent avec l'assiette de nourriture intacte, le pichet de liquorine, la petite coupe en or…

Tout à coup, il se courba de nouveau en deux, le menton contre les genoux, tandis qu'une violente convulsion le traversait. La douleur était si terrible que son ventre lui semblait près d'exploser.

– Sûrement quelque chose… que… j'ai… mangé… se lamenta-t-il.

Il aperçut la coupe en or.

Bien sûr ! Les délises candies. Et il avait cru voir en elles la preuve que tout le monde ne le détestait pas. Comment avait-il pu se montrer aussi stupide ? Aussi négligent ?

La douleur lancinante augmentait de plus en plus. Le regard de Hax se brouilla. De son ventre, le feu monta dans sa gorge…

– Aaarrrgh ! hurla-t-il, s'arrachant au fauteuil et s'affaissant, la bouche ouverte, sur les dalles de marbre, comme un limonard vidé sur un étal.

Au bout de plusieurs minutes, les convulsions cessèrent, les membres ne remuèrent plus et le maître de la

Bâtisse du haut nuage devint raide. Alors qu'un filet de sang écarlate coulait du coin de sa bouche sur sa barbe blanche, un bourdonnement sourd sortit de sa gorge.

Un instant plus tard, un insecte rayé de noir apparut, solitaire. Il se posa quelques secondes sur la langue gonflée, saillante, de Hax, ses antennes vibrant alors qu'il palpait l'air. Puis la minuscule créature déploya ses ailes scintillantes et, avec un bourdonnement aigre, s'envola.

Un autre insecte apparut à sa place...

Et un autre, et un autre encore, jusqu'au moment où une véritable nuée jaillit de la bouche béante du maître de bâtisse. Un bourdonnement furieux ne tarda pas à envahir la chambre : l'essaim de guêpes des bois, tout juste écloses, tournoyait dans la pièce, tandis que les yeux du défunt fixaient le plafond, aveugles.

– À l'assassin ! À l'assassin !

Daxiel Xaxis entra comme un ouragan dans la Bâtisse du nuage gris, le visage déformé par une masse de cloques violettes suintantes. Il empoigna le portier le plus proche et fourra sa figure gonflée, pustuleuse, sous le nez du gardien stupéfait.

– Réveillez tous les portiers ! siffla-t-il entre ses lèvres boursouflées. Il n'y a pas une minute à perdre. Hax Vostillix, notre dirigeant bien-aimé, a été assassiné !

– À l'assassin !

– À l'assassin !

– À l'assassin !

La nouvelle se répandit comme une traînée de poudre, et des cris d'indignation fusèrent bientôt dans toute la Bâtisse du nuage gris alors que les portiers dégringolaient de leurs hamacs et de leurs banquettes, enfilaient tant bien que mal leurs robes blanches et attrapaient la première arme qui leur tombait sous la main. Ils se rassemblèrent autour de leur capitaine, qui repoussa avec colère le valet d'écurie désireux d'appliquer un cataplasme de cicatre sur ses piqûres de guêpe. Il leva le bras pour réclamer le silence.

– Quand j'ai apporté son dîner au maître de la Bâtisse du haut nuage hier au soir, il était plein d'entrain, commença Daxiel, grimaçant de douleur. Mais ce matin, à sept heures, lorsque j'ai ouvert la porte de sa chambre, j'ai trouvé le maître mort et les lieux infestés de guêpes des bois !

Tout autour de lui, les portiers retinrent une exclamation et échangèrent des regards sombres.

– Oui, oui, je sais ce que vous pensez, déclara Daxiel. Des œufs de guêpes des bois… une ruse d'érudit terrestre ! Mais c'est précisément ce qu'ils veulent vous faire croire !

– Qui ça, ils ? demanda un gobelin à tête plate, couvert de tatouages, l'air perplexe.

– Les universitaires en armes, bien sûr ! gronda Daxiel. Eux, et leurs amis des Salles supérieures. Des natifs de Sanctaphrax, tous sans exception, qui détestaient Hax Vostillix parce qu'il ne tolérait pas leur arro-

316

gance ! Voilà pourquoi il a engagé comme portiers des Infravillois tels que nous.

Daxiel promena les yeux sur les rangs puissamment armés alignés dans la bâtisse, leur effectif renforcé par les recrues des pires quartiers d'Infraville. Gonzague Vespius avait bien choisi.

– Ce Cornélius Ocrebroche voulait à tout prix le convaincre de renvoyer les portiers, continua-t-il. N'obtenant pas satisfaction, il a persuadé un des sournois individus sous ses ordres d'assassiner notre cher dirigeant ! Eh bien, nous ne les laisserons pas s'en tirer à bon compte, ces résidents de la caserne ! Les portiers vont leur donner une leçon qu'ils ne risquent pas d'oublier…

Dans la bâtisse entière, il y eut des hochements de tête et des murmures d'approbation.

– D'ailleurs, nous ne nous arrêterons pas là ! cria Daxiel. Nous montrerons à tous les habitants de Sanctaphrax qu'ils ne peuvent plus nous régenter ainsi, nous les Infravillois. Moi, votre capitaine, me suis fait des amis importants parmi les ligueurs. Ensemble, nous allons changer pour toujours cette cité flottante !

Les portiers poussèrent une acclamation. Daxiel tira son épée et la brandit bien haut.

– Les humbles gouverneront ! rugit-il.

Unanimes, les portiers entonnèrent le refrain :

– Les humbles gouverneront ! Les humbles gouverneront !

– C'est le moment d'agir ! leur assura Daxiel. Nous allons cadenasser chaque grille, verrouiller chaque porte et barrer chaque accès au sein de l'Académie. Quiconque surpris en train d'errer dans les parties communes périra.

Le temps qu'ils se réveillent, ces universitaires en armes, paresseux et consanguins, trouveront les portes de leur caserne closes, barricadées de l'extérieur.

Il sourit.

— Ils seront parqués comme des hammels le jour du marché ! Parqués, prêts pour le massacre !

Une clameur effroyable s'éleva, si puissante que les poutres du plafond voûté tremblèrent et que la cloche de la Grande Salle sonnant huit heures fut à peine audible.

Bientôt, les portiers coururent en tous sens. Ils montaient les escaliers, enfilaient les couloirs, traversaient la cour intérieure, bloquant les entrées, condamnant les portes, fermant les grilles à double tour. Ils n'avaient pas une seconde à perdre s'ils voulaient prendre le contrôle de l'Académie de chevalerie, et ils étaient bien trop occupés pour remarquer le chasseur de tempête vermoulu qui, au sommet de la tour de lancement, larguait ses amarres et filait dans le ciel moucheté de flocons...

— Fermées ? s'étonna Cornélius Ocrebroche. Comment ça, fermées ?

— Oui, monsieur le maître épéiste, dit le jeune universitaire en armes, le regard apeuré et exalté à la fois. Les portes principales ont été fermées... de l'extérieur.

— Nous allions tous deux relayer l'équipe de nuit, ajouta son camarade, les yeux brillants. Aux frondes, sur les remparts est...

— Et nous n'avons pas pu sortir...

— En outre, renchérit le premier, toutes les entrées latérales et les couloirs ont été barrés aussi... par les portiers.

Cornélius plissa les yeux en se calant dans son fauteuil à haut dossier.

– Hax Vostillix est donc enfin passé à l'action, murmura-t-il.

À cet instant, un groupe d'universitaires en armes traversa la caserne, deux d'entre eux soutenant un palefrenier naboton au visage blême, à la tunique tachée de sang.

– Maître épéiste.

Un des universitaires lourdement armés salua Cornélius.

– Je crois que son récit mérite attention, dit-il, invitant le palefrenier à parler.

– Monsieur, Hax Vostillix est mort… Assassiné ! souffla le naboton, déposé dans un fauteuil.

Il avait une flèche d'arbalète plantée dans le flanc et beaucoup de mal à respirer.

– Gwenel, que voici, est palefrenier dans la Bâtisse du nuage gris, expliqua l'universitaire en armes, se penchant et chuchotant à l'oreille de Cornélius. Il s'est échappé par les toits des dortoirs et a franchi les créneaux de la caserne…

– Les portiers ont fermé toutes les entrées au sein de l'Académie… souffla Gwenel, plus blême que jamais. Ils m'ont touché au moment où j'atteignais le mur de la caserne… Mais j'ai continué…

Il retomba en arrière, épuisé.

– Alors, Olaf ? voulut savoir Cornélius. Qui a commis cette atrocité ? Hein ? Qui a assassiné Hax Vostillix ?

L'universitaire en armes rougit, et s'inclina plus encore vers l'oreille de Cornélius.

– Les portiers croient que c'est vous, capitaine.

Dehors, tandis qu'un froid soleil gris jaune pointait au-dessus du mur ouest étincelant et qu'un vent pénible mugissait près des tours de l'Académie de chevalerie, un vol de corbeaux blancs décrivait des cercles, haut dans le ciel. L'hiver sans fin avait réduit leur nombre : même si une foule de créatures périssaient en raison des températures glaciales, leurs cadavres devenaient aussitôt inaccessibles, ensevelis par la neige impénétrable. À cette heure, les féroces charognards à demi morts de faim croassaient et craillaient d'excitation, enchaînaient les acrobaties tout en tournoyant, comme s'ils devinaient que le terrain en contrebas leur offrirait bientôt un grand festin.

Déjà, des empreintes s'enchevêtraient dans la neige blanche et gelée de la cour intérieure, là où les portiers avaient pris position. Daxiel Xaxis, le visage couvert de pansements, regardait les grandes portes en plombinier de la caserne, au-delà du tapis neigeux. Autour de lui, sa garde personnelle, composée de troglos ploucs massifs sélectionnés sur les docks flottants par Gonzague Vespius en personne, tenait ferme ses gros gourdins cloutés. Devant eux, un océan agité de portiers, armés d'un arsenal ahurissant, se bousculaient en surveillant la caserne.

– Du calme, les gars, gronda Daxiel derrière son masque de bandages. Laissez-les venir ; ensuite, nous les jetterons en pâture aux corbeaux...

Boum !

Dans les hauteurs, les oiseaux blancs croassèrent, alarmés, tandis qu'un objet lourd cognait contre les portes, de l'intérieur.

Crrraaaac !

Les portes basculèrent, arrachées à leurs gonds par le pilier massif en pin ferreux qui glissait maintenant sur la neige et percutait la tour des chevaliers, à l'angle du mur ouest. Suivit une troupe d'universitaires armés de pied en cap, traînant une pesante fronde en ricanier.

Ils s'arrêtèrent près des marches de la Bâtisse du haut nuage, alors que des portiers apparaissaient sur le toit et décochaient sur eux une pluie drue de flèches d'arbalètes.

Plusieurs universitaires hurlèrent et s'écroulèrent : les flèches mortelles trouvaient les défauts de leurs cuirasses rigides et se plantaient dans la chair tendre. Certains se figèrent sur-le-champ ; d'autres se tordirent et se convulsèrent dans la neige, tandis que le sang jaillissait de leurs visières ou de leurs aisselles, révélant leurs blessures.

Les autres s'empressèrent de placer un nouveau projectile (une lourde table de réfectoire) dans la fronde et, pendant que les flèches ricochaient sur leurs armures, ils tendirent les lanières.

– Feu !

L'ordre retentit, les lanières reprirent brusquement leur place et le grand plateau de bois fila vers l'océan de portiers que Daxiel venait de lancer contre les universitaires, à travers la cour enneigée. La table s'abattit au milieu d'eux dans un fracas de bois et d'os brisés, accompagné par un horrible flot de sang.

Au même instant, poussant une clameur effroyable, Cornélius et ses maîtres épéistes firent irruption de la caserne. Passant devant les frondeurs, ils chargèrent, hurlant à pleins poumons, et assaillirent les portiers.

Les yeux brillants derrière son masque de pansements, Daxiel fit signe à ses troglos ploucs d'avancer. Comme ils obéissaient, il pivota sur ses talons et rebroussa chemin en direction de la Bâtisse du nuage gris.

Derrière lui, les maîtres épéistes, bien qu'en nombre très inférieur, triomphaient de leurs adversaires portiers. Bondissant dans l'air, leurs épées vrombissant au-dessus de leurs têtes, ils laissaient de grandes spirales sanglantes dans leur sillage, gouttes rouges sur la neige blanche, alors que leurs pesantes lames lardaient, tranchaient et transperçaient.

Les portiers n'avaient jamais connu pareille violence contrôlée lors des rixes de taverne à Infraville. Avec des cris terrorisés, ils battirent en retraite, bousculant les troglos ploucs massifs dans leur fuite éperdue loin des lames étincelantes.

Pendant ce temps, sur les remparts de la caserne, un détachement de catapultes avait réussi à chasser les arbalétriers postés sur le toit voisin – au prix de gros dégâts, néanmoins : les vitres du dôme de conférences avaient toutes volé en éclats. En bas dans la cour, les troglos ploucs lancèrent des rugissements rauques tonitruants et chargèrent Cornélius et ses maîtres épéistes.

– Eh bien, venez donc, marmonna Cornélius avec froideur.

Il se baissa sous la garde de son adversaire tandis qu'un assaillant troglo plouc s'approchait, lui perfora le cœur d'un seul coup d'épée, puis virevolta en souplesse sur le côté. Le troglo plouc s'effondra comme un pin ferreux foudroyé, suivi par vingt de ses compagnons, chacun des autres épéistes ayant fait mouche.

Alors, le reste des universitaires en armes afflua de la caserne : jeunes chargeurs de projectiles, préposés aux catapultes et aux frondes, maîtres de cage et gardiens de roche, ils serraient tous des haches, des matraques, des piques et n'importe quelle autre arme disponible. Sous le regard dédaigneux des maîtres épéistes, les derniers troglos ploucs tournèrent casaque et se replièrent sur la Bâtisse du nuage gris.

À cette minute même, dans un fracas de verre cassé et de bois brisé, l'entrée des dortoirs s'ouvrit brutalement, et un grand professeur des Salles supérieures s'avança dans la neige. Ses robes étaient déchirées, maculées de sang, et deux quarms sautillaient et jacassaient sur ses épaules. Derrière lui étaient massés les universitaires des Salles supérieures, leurs épées rougies par le sang des portiers.

Cornélius leva les yeux et sourit jusqu'aux oreilles, ses défenses jaunes étincelant.

— Par exemple ! Mon cher ami, le grand professeur Fabien Tinctex... sans oublier Couineur et Hurleur !

Il s'inclina très bas.

Le grand professeur traversa la cour, ses bottes laissant des empreintes ensanglantées dans la neige. Il regarda autour de lui.

— Les corbeaux vont festoyer ce soir, dit-il avec un sourire sinistre. Et une foule de ces misérables traîtres décore aussi l'escalier central...

Fabien essuya son épée sur ses robes en lambeaux.

— Mais le combat fut rude, Cornélius, je te le garantis. Plus d'une fois, j'ai cru que nous étions perdus.

Il secoua la tête.

— Que manigançait donc ce vieux Hax, en autorisant Xaxis à constituer une telle armée au sein même de l'Académie ?

Cornélius rejoignit le professeur et chatouilla l'un des quarms sous le menton dans un geste affectueux.

— Le ciel seul le sait, Fabien, marmonna-t-il. Mais l'aventure s'arrêtera là !

Cornélius indiqua aux universitaires en armes de le suivre et, la mine sinistre, s'approcha à grandes enjambées de la haute voûte marquant l'entrée de la Bâtisse du nuage gris. Fabien et les résidents des Salles supérieures leur emboîtèrent le pas : des écuyers blêmes serrant leur épée avec détermination, de grands professeurs à l'air bouleversé vêtus de robes tachées de sang, de jeunes chevaliers en attente, leur armure bosselée et souillée.

Faisant halte devant l'entrée, Cornélius tambourina contre la porte et rugit :

– Sortez, Xaxis, et affrontez le courroux des chevaliers !

Durant quelques minutes, un silence absolu régna, troublé seulement par les cris rauques des corbeaux qui tournoyaient dans le ciel, et par les faibles toux et aboiements des rôdailleurs à l'intérieur de l'écurie. Puis, sans prévenir, les hauts battants voûtés s'ouvrirent soudain, répandant une terrible puanteur qui obligea les universitaires en armes à reculer et à se protéger le visage de la main.

Alors, ce fut la déferlante…

Une charge de rôdailleurs affolés, blessés par les fouets, à demi morts de faim, chevauchés par Daxiel Xaxis et ses lieutenants les plus fanatiques. Et, derrière

eux, des rangs serrés de portiers en tunique blanche, qui avaient attendu sans bruit, au-dedans de la bâtisse, que les universitaires en armes se montrent au grand jour.

Comme les rôdailleurs bondissaient au-dessus d'eux, Cornélius se trouva projeté à terre.

– Les arbres à joutes ! cria désespérément Fabien Tinctex. Réfugiez-vous dans les arbres à joutes !

Il attrapa Cornélius, le hissa sur ses pieds et s'élança au pas de course à travers la cour.

Tout autour d'eux fusaient des cris et des appels pathétiques tandis qu'universitaires en armes, écuyers des Salles supérieures et professeurs succombaient, les uns comme les autres, à l'assaut dévastateur des portiers montés. Au-dessus, Daxiel et ses cavaliers concentraient leurs tirs de flèches meurtrières sur les maîtres épéistes et les chevaliers, tout en prenant soin de rester hors d'atteinte des épées étincelantes de leurs ennemis.

Alors qu'ils atteignaient la sécurité relative des arbres à joutes, Fabien et Cornélius se jetèrent dans la forêt de poteaux et de traverses, des flèches d'arbalètes sifflant à leurs oreilles. À bout de souffle, Cornélius évalua leur situation d'un coup d'œil.

Elle n'était pas brillante.

Certes, les troncs faisaient dévier les volées de flèches adverses… mais ils empêchaient presque les universitaires de manier leurs épées. En outre, vu que les arbres à joutes avaient été spécialement conçus pour que les rôdailleurs s'entraînent au combat, les portiers montés réussiraient sans aucun doute à pénétrer la forêt par en haut – ce n'était qu'une question de temps.

Promenant un regard à la ronde, Cornélius constata que seule une petite centaine de résidents des casernes et des Salles supérieures avait gagné les arbres à joutes, la plupart étant de jeunes écuyers agiles et des universitaires en armes nouvellement promus. Là-bas dans la cour, les corps de leurs camarades abattus tachaient de rouge la neige blanche, tandis que, de l'autre côté, le flot de portiers sortant de la Bâtisse du haut nuage et encerclant les arbres à joutes paraissait sans fin. En tête, juché sur un rôdailleur aux yeux farouches, Daxiel Xaxis brandissait un poing triomphant, son sourire mauvais presque dissimulé par les pansements.

– Le courroux des chevaliers, hein, Cornélius? railla-t-il. Maintenant, c'est votre tour d'affronter le courroux des portiers!

– Le ciel maudisse ce misérable effronté! gronda Cornélius, saisissant son épée. S'il veut tellement la bagarre, il faudra qu'il vienne nous chercher, Fabien…

Il fronça les sourcils.

– Fabien?

Cornélius demeura stupéfait devant l'expression qui se peignait sur le visage de son collègue. Le grand professeur considérait l'étendue blanche et rouge de la cour, entre les arbres et les rangs de portiers, avec une attention soutenue mêlée à un air de révolte. Sur son épaule, l'un des quarms poussait d'étranges pépiements plaintifs. Cornélius suivit le regard de Fabien.

Là, à mi-chemin entre eux et les portiers, gisait l'autre quarm du professeur, une flèche plantée dans sa poitrine minuscule. Cornélius vit l'animal lever sa petite tête poilue et lancer un cri de douleur.

– Couineur ! souffla Fabien Tinctex, d'une voix si sourde que Cornélius l'entendit à peine. Ne t'inquiète pas, mon mignon…

– Fabien, non ! défendit Cornélius Ocrebroche d'un ton bourru. Ne sois pas idiot !

En vain. Avec un cri de rage guttural, le grand professeur quitta le couvert des arbres à joutes et se précipita sur la neige en direction du quarm mourant, aussi vite que sa jambe boiteuse le lui permettait… mais il s'écroula lourdement un instant plus tard, le corps criblé de vingt flèches d'arbalètes en pin ferreux.

Les doigts tremblants, Fabien tendit le bras et toucha le corps sans vie de son minuscule compagnon. Puis, avec un soupir, sa tête s'affaissa dans la neige, maintenant rougie par son propre sang.

Cornélius Ocrebroche gémit et s'enfouit la figure dans les mains. Tout était fini. L'Académie de chevalerie – la meilleure école de Sanctaphrax, unique protectrice de tous les habitants sans exception du gros rocher flottant – était à la merci de Daxiel Xaxis !

Soudain, à proximité, un hurlement perçant retentit. Cornélius leva les yeux. Le cri venait des portes de l'humilité, dans le mur ouest, tout près des arbres à joutes. Le battant s'entrouvrit, une silhouette courbée s'avança sur les genoux et se redressa lentement. Dans un énorme poing tatoué, elle tenait par la peau du cou un portier terrifié ; dans l'autre, la grande épée cintrée d'un guerrier gobelin à tête plate. Siegfried, capitaine de la garde du trésor, scruta les rangs serrés de portiers, ses yeux roulant sous son épaisse arcade sourcilière. Les cicatrices de son visage témoignaient des récents sévices qu'il avait subis.

– Déposez vos armes et capitulez ! rugit-il. Sur ordre des Dignitaires suprêmes jumeaux !

– Les Dignitaires suprêmes jumeaux n'ont aucune autorité sur l'Académie de chevalerie ! répliqua Daxiel, les yeux brûlants de rage. Seuls les maîtres de bâtisse peuvent donner un tel ordre !

– Eh bien, capitulez ! commanda quelqu'un d'un ton sec.

Une seconde silhouette, grande et décharnée, serrant une cravache entrelacée de ficelle des bois, sortit par les portes de l'humilité.

– Vous ! s'écria Daxiel Xaxis, tirant avec violence sur les rênes de son rôdailleur, qui se cabrait et piaffait.

Flavien Vendix, maître de la Bâtisse du nuage gris, toisa son usurpateur d'un œil impassible.

– Capitulez! commanda-t-il de nouveau.

Siegfried leva son épée : le sommet du mur ouest se hérissa soudain de redoutables gobelins de la garde du trésor.

Daxiel entendit un fracas métallique dans son dos, alors que les plus veules des portiers déposaient leurs armes.

– Jamais! hurla-t-il, enfonçant ses éperons dentelés dans les flancs du rôdailleur et se précipitant à toute vitesse sur le maître de bâtisse.

Flavien plaça deux doigts sur ses lèvres et lança un brusque sifflement aigu. En réponse, un mugissement grave résonna de l'autre côté du mur ouest, et les rangs de la garde s'ouvrirent alors que deux fromps arboricoles géants escaladaient les remparts et descendaient dans la cour.

Daxiel hurla lorsque, d'une énorme patte griffue, un fromp géant l'attrapa en plein élan et le jeta aux pieds de Siegfried. Son congénère lança un autre mugissement impétueux et fonça sur ses anciens bourreaux du manège. Voyant la créature arriver, les portiers se dispersèrent, affolés, et le fracas des armes tombant à terre retentit pour la seconde fois alors que les derniers d'entre eux renonçaient au combat.

D'un sifflement bref, Flavien rappela l'énorme créature.

Au-dessus des têtes, le ciel était plein de corbeaux blancs croassant, qui tournoyaient de plus en plus près de l'appétissant festin étalé dans la cour intérieure.

Les yeux écarquillés par la peur, Daxiel Xaxis dévisageait entre ses pansements le capitaine de la garde du

trésor. Siegfried passa un doigt sur les marques enflam-
mées de son propre visage, aux endroits où, pour l'obliger
à signer la fausse confession, il avait été marqué au fer
rouge. Il rêvait de ce jour depuis longtemps. Un sourire
se dessina aux coins de ses lèvres.

– Nous avons un petit compte à régler, vous et moi,
déclara-t-il.

Sur ces mots, il plongea la lame de son épée dans le
cœur du capitaine des portiers et se détourna.

– Que les corbeaux festoient ! gronda-t-il d'un air de
triomphe.

À cet instant, sans prévenir, le sol trembla violemment ; gardiens du trésor, portiers comme universitaires
chancelèrent tous. Sortant des arbres à joutes, Cornélius
Ocrebroche secoua la neige accrochée à sa tunique
tachée de sang, le quarm sur son épaule piaillant avec
tristesse.

– Qu'ils festoient en effet, capitaine Siegfried, dit-il,
lugubre. Mais si cet hiver ne se termine pas bientôt, nous
finirons tous en viande à corbeaux.

CHAPITRE 20

Les Chevaliers de l'hiver

Un antique rouleau d'écorce
de la Grande Bibliothèque de Sanctaphrax

MOI, CORENTIN QUISITIX, PREMIER ÉRUDIT CHEVALIER
de Sanctaphrax, dois coucher ce témoignage à
l'encre de nigriracine sur un rouleau d'écorce
et le déposer pour toujours dans la Grande Bibliothèque,
très récemment bâtie, afin que les érudits qui viendront
après moi puissent connaître ma mise en garde, si,
comme je l'espère avec ferveur, notre jeune cité survit.

Moi, architecte de la grande salle des chaires,
premier édifice du rocher sacré de Sanctaphrax, et
fondateur de l'Ordre des érudits chevaliers, ai vécu de
nombreux événements au cours de ma longue existence.
J'ai vu les premiers érudits tirer des merveilles de l'air,
répandre la lumière de la connaissance depuis le flambeau étincelant de Sanctaphrax jusqu'aux confins des
Grands Bois, d'où toutes sortes de tribus et de créatures
variées ont migré pour s'établir sous notre rocher flottant. J'ai vu aussi les ténèbres aspirées des profondeurs
du ciel et rendues manifestes dans le grand laboratoire

des premiers érudits, abomination qui, aujourd'hui encore, me glace le sang.

Moi et mes camarades érudits chevaliers avons combattu la création monstrueuse des premiers érudits, libérée dans le nid de pierre; maints cœurs vaillants ont péri, le corps desséché. Mais nous avons vaincu et enseveli l'abomination dans une grotte au centre du rocher, qui ne présente aucune issue. Il y eut d'intenses lamentations lorsque le grand laboratoire fut aussi condamné à jamais, sa terrible histoire retracée dans les sculptures en noirier du Palais des lumières, mais les plus passionnés des premiers érudits ont eux-mêmes admis la sagesse de cette décision.

Comme j'aimerais affirmer que la triste histoire des manipulations célestes des premiers érudits s'est terminée là! Malheureusement, je ne le puis, car les faits le démentent. Les expériences menées sur la matière céleste ont eu des conséquences si funestes qu'elles n'étaient pas prévisibles. Le ciel au-dessus de Sanctaphrax est tombé malade, les brises tièdes et les zéphyrs parfumés se sont changés en interminables blizzards de neige et de glace. Il n'y a qu'un moyen pour annihiler ce fléau hivernal, que même la fermeture définitive du grand laboratoire n'a pu apaiser.

Il faut purifier le ciel. Or une seule et unique substance sur toute la Falaise possède les vertus nécessaires. Je parle du phrax sacré, distillation la plus précieuse de la Grande Tempête, dont j'ai été le premier, moi, Corentin Quisitix, érudit chevalier fondateur de Sanctaphrax, à rapporter des blocs depuis la forêt du Clair-Obscur.

À cette heure, je pars pour mon ultime voyage dans le ciel infini, au-delà de la Falaise, afin de guérir le ciel

334

malade, en y semant du phrax. Les érudits ne liront
donc ce texte, mon testament, que si ma tentative déses-
pérée est couronnée de succès.

    Adieu.

    – En es-tu certain, mon vieux Léo ?

    – Regarde toi-même !

    Léo se tourna et fourra la lunette en cuivre dans la
main de Rodérix tandis qu'il le rejoignait sur le gaillard
d'avant du vétuste navire.

    Un vent violent, venu du nord-est, giflait *Le Briseur*
de nuages à tribord, et le vaisseau branlant grinçait et

gémissait tout en s'agitant au bout de son amarre. En contrebas, sur la plate-forme de la roche de vol, Placide, le gobelin gris ouvrier de forge, s'efforçait de garder l'équilibre tandis qu'il attachait les derniers flotteurs chauffants et les lâchait.

Dansant à l'extrémité de fines chaînes d'argent, les flotteurs en métal tressé se déployèrent tout autour de la roche, comme un essaim de lucioles flamboyantes. Une nouvelle bouffée glaciale frappa la roche de vol, et les flotteurs formèrent des grappes à sa surface, tandis que les points les plus froids attiraient le charbon de gâtinier rougeoyant à l'intérieur. *Le Briseur de nuages* cessa d'osciller et de cahoter, et Placide se redressa, souriant jusqu'aux oreilles.

– Ils marchent ! s'exclama-t-il. Les flotteurs chauffants marchent ! J'ai toujours su qu'ils marcheraient – en théorie. Mais à présent…

Au même instant, dans le lointain, la cloche qui coiffait la Grande Salle sonna huit heures. Depuis les étages inférieurs de la tour de lancement, des voix sonores montèrent, ainsi qu'un fracas sourd et métallique de portes et de grilles claquées, puis verrouillées.

– Vite, Léo ! cria Rodérix, repliant vivement la lunette et se précipitant vers la barre. Largue la corde d'amarrage !

Léo ne se le fit pas dire deux fois. Il bondit à la proue du navire et, d'un seul coup d'épée, trancha la haussière.

– Corde larguée ! hurla-t-il en réponse.

Se découpant sur le soleil bas et laiteux, le grand navire s'éleva au-dessus de la tour, grinçant et gémissant plus que jamais. À la barre, les mains de Rodérix couraient, fébriles, sur les leviers de vol, haussant ou abaissant les poids et les voiles, tandis qu'une bourrasque glacée enveloppait *Le Briseur de nuages*.

– Cramponnez-vous! cria-t-il à ses compagnons, pendant que le vieux navire filait bien au-dessus des toits de l'Académie de chevalerie.

Ils virèrent autour de la Grande Bibliothèque, les poids effleurant au passage les toits pointus de l'édifice; ils continuèrent leur vol rasant entre deux grandes tours oscillantes qui tintaient et carillonnaient dans le vent. Ils évitèrent la haute flèche ajourée du Collège des nuages. Ils foncèrent au milieu d'un groupe d'académies secondaires, avec leurs beffrois à coupole...

– Attention à cette voûte! hurla Léo.

Rodérix tira énergiquement sur les leviers. Placide ferma les yeux très fort et s'agrippa au grand mât tandis que, tout autour de sa tête, les flotteurs chauffants vrombissaient dans une pluie d'étincelles. Le navire frôla le sommet de la passerelle voûtée, bousculant deux universitaires qui brandirent un poing furieux en direction du fuyard, alors qu'il reprenait de l'altitude.

– Observatoire céleste droit devant! s'époumona Léo. Vite, Rod! Vite!

Sur la plate-forme de la roche, Placide rouvrit les yeux et poussa une exclamation. Il comprenait soudain pourquoi ses deux amis avaient décollé aussi hâtivement.

– Quint! s'écria-t-il. Tenez bon! Nous arrivons!

Dans les hauteurs de l'observatoire, tout près de la cime, une plate-forme en surplomb s'était effondrée. Là, une porte ouverte et, s'y retenant précairement, Quint. Vêtu d'une vieille armure de chasse à la tempête, il s'accrochait au bouton de la porte d'une main gantée, tandis que,

de l'autre, il serrait le poignet d'une jeune fille suspendue au-dessus du vide. Quelques instants plus tôt, debout sur la plate-forme, tous deux se dévisageaient, stupéfaits. Puis, avec un affreux craquement métallique, la plate-forme avait cédé.

– Sauve-toi, Quint ! hurla Maria. Sauve-toi !

Les épaules de Quint le brûlaient. La sueur l'aveuglait, et il sentait que la porte commençait à lâcher : l'un après l'autre, les boulons des charnières jaillissaient de leur logement et cliquetaient sur son armure dans leur chute.

– Il faut… tenir… grogna-t-il, alors qu'une horrible secousse ébranlait la porte. Tenir… Tenir !

– Aaahhh ! hurla Maria.

Soudain, les charnières se rompirent dans un grincement épouvantable. Durant un instant, Quint fut presque soulagé de tomber, délivré de la douleur intense. Sa main serrait toujours le poignet de Maria lorsque la lourde porte de la plate-forme passa en sifflant...

Oumpf !

Ses poumons se vidèrent subitement lorsque sa chute s'interrompit sans prévenir et que le rugissement à ses oreilles fut remplacé par la plainte du bois et d'étranges murmures vrombissants.

– Je l'ai ! lança une voix bien connue, quelque part au-dessus de lui.

Quint grimaça dans la pâle lumière jaune. Là, en contre-haut, tandis que quelqu'un le treuillait par le col de sa lourde cape noire, la coque noueuse et piquetée du *Briseur de nuages* s'approchait de seconde en seconde. La douleur était revenue, elle lui déchirait les muscles de l'épaule droite, mais il s'en moquait à présent.

– Léo ? C'est toi ? demanda-t-il d'une voix rauque, la gorge sèche et cuisante.

– Accroche-toi, Quint, lui cria son ami. Encore un peu...

Son armure résonna contre la rambarde branlante lorsque Léo, aidé par Placide, les hissa à bord, lui et Maria, inanimée, dont il serrait toujours le poignet dans sa main gantée.

Ils s'affalèrent tous sur le pont, pêle-mêle. Et, pendant que le vieux navire cinglait à pleine vitesse au-dessus de la cité gelée, ils restèrent immobiles un moment, hors d'haleine, peinant à reprendre leur souffle. Léo fut le premier à se relever. Il détacha le grappin planté dans la cape de Quint et sourit au jeune écuyer.

– J'ai cru un instant que nous ne pourrions pas te secourir, dit-il. Et qui est-ce ?

Il montra Maria, qui avait repris connaissance et le regardait d'un air ahuri. Elle détourna les yeux et inspecta son poignet.

– Tu n'es plus obligé de me tenir, Quint, dit-elle avec douceur.

– Mais c'est Mlle Maria, l'amie de maître Quint, intervint Placide. Bons vieux fermoirs de gantelets ! murmura-t-il tandis qu'il se remettait péniblement debout et se penchait sur Quint, toujours pantelant.

Le gobelin gris actionna le mécanisme au poignet de Quint, et les doigts du gantelet s'ouvrirent.

Avec un gémissement de douleur, Quint se dressa sur son séant et considéra Maria.

– J'ai cru… J'ai craint…

Il secoua la tête.

– Maria, que faisais-tu donc là-haut ? demanda-t-il, la voix rauque et nouée par l'émotion.

– Moi ? Que veux-tu dire ? s'enquit-elle, sa propre voix commençant à trembler, incertaine. C'est toi qui m'as donné rendez-vous là-haut…

Quint fronça les sourcils.

– Moi qui t'ai donné rendez-vous ?

– Oui, toi. Dans ta dernière lettre, répondit Maria.

Ses joues se couvraient de taches roses.

– Oh, ces horribles lettres, Quint. Tout ce conflit sur les questions d'argent…

Quint se débarrassa des gantelets et lui prit les mains.

– Maria, dit-il doucement. Maria, je ne sais pas de quoi tu parles…

– Comment, au nom du ciel, as-tu pu prétendre que je n'étais pas une véritable amie ?

Elle sanglotait maintenant.

– Une véritable amie ! Eh bien, j'ai fait tout ce que tu me demandais dans ces lettres, gémit-elle. Je suis une véritable amie pour toi, comme Vilnix Pompolnius !

– Vilnix ? demanda Quint, stupéfait. Qu'a-t-il à voir dans l'affaire ?

Maria se tut un instant et s'essuya les yeux.

– Il m'apportait tes lettres… commença-t-elle.

– Non, mademoiselle, l'interrompit Placide, c'est moi qui vous ai apporté les rouleaux d'écorce de Quint. Glissés dans un poêle en fer forgé que j'avais fabriqué moi-même, ajouta-t-il. Vous vous souvenez ?

– Pas cette lettre-là, dit Maria, souriant au gobelin gris. Cette missive était charmante…

Elle se retourna vers Quint.

– Je parle des autres lettres que tu m'as envoyées. Celles que tu as confiées à Vilnix, pour qu'il me les remette…

Quint fronça de nouveau les sourcils.

– Je n'ai confié aucune lettre à Vilnix Pompolnius, dit-il, une colère froide enflant dans sa voix.

– Mais c'était ton écriture, Quint, je le jure… affirma Maria.

– Oh, ce sale mollusque retors ! s'exclama Léo, secouant la tête. Il imitait ton écriture, pendant qu'il te léchait les bottes. Le culot de ce Vilnix Pompolnius ! Pensait-il vraiment pouvoir s'en tirer à si bon compte ?

Quint baissa la tête.

– Il a failli réussir, dit-il avec un frisson.

Il serra doucement la main de Maria.

– Laisse-moi m'occuper de Vilnix. L'important, c'est que tu ne risques plus rien à cette heure. Ou, du moins, tu ne risqueras plus rien lorsque nous t'aurons déposée à Infraville…

— Me déposer! s'indigna Maria, bondissant sur ses pieds. Personne ne me déposera! Maintenant que je suis revenue à Sanctaphrax, j'y reste, et je me fiche du qu'en-dira-t-on!

— Mais, Maria, objecta Quint, nous quittons Sanctaphrax…

Maria demeura bouche bée.

— Vous partez? demanda-t-elle, éberluée.

C'était vrai. Le navire avait déjà dépassé le débarcadère ouest (d'ailleurs, une certaine agitation semblait régner sur les manèges) et survolait Infraville.

— Mais pour quelle destination?

Quint s'avança vers la proue et montra les volutes de nuages noirs au-delà du Jardin de pierres.

— Le ciel infini, déclara-t-il.

Maria quitta des yeux l'antique rouleau d'écorce, couvert de la belle écriture penchée, anguleuse, décorée de grandes fioritures. La nigriracine s'était à peine fanée depuis l'époque où Quisitix avait trempé sa fine plume d'oiseau des neiges dans l'encrier.

— Et Philius Braisetin a trouvé ce document dans la Grande Bibliothèque? demanda-t-elle.

Léo confirma d'un signe de la tête. Ils étaient tous groupés autour de la barre, où Rodérix s'activait à régler les leviers de vol tandis que *Le Briseur de nuages* continuait sa route, les flancs battus par le vent chargé de flocons.

— Le vieux chevalier vit désormais enfermé dans la Bâtisse du haut nuage, expliqua Léo. Hax l'y retient prisonnier, ou presque.

— Prisonnier? répéta Maria, n'en croyant pas ses oreilles. C'est terrible!

Elle se tourna vers Quint.

— Je savais bien qu'il était malade, mais un tel sort...

— La vérité, reprit Léo, c'est que Philius a mesuré toute l'importance de ce rouleau d'écorce. Voilà pourquoi il a déployé de tels efforts pour se procurer du phrax. Il voulait que Forlaïus Tollinix annule son expédition de chasse à la tempête et parte pour le ciel infini, car il s'imposait «non pas de prendre au ciel, mais de redonner» – je cite. Je n'ai saisi le sens de ces paroles qu'après avoir lu le rouleau d'écorce...

— Mais son ami Forlaïus a embarqué avant qu'il puisse lui révéler sa découverte, expliqua Placide.

— Ainsi, Léo, Placide, Quint et moi avons compris que notre devoir était de réaliser les souhaits du vieux maître de bâtisse, déclara Rodérix, tout en réglant les poids de la carlingue.

— De partir pour le ciel infini et de le purifier avec cette substance, précisa Quint, montrant le coffret à lumière.

Maria écarquilla les yeux.

— Du phrax de tempête, souffla-t-elle. Mais comment?

— N'est-ce pas limpide? dit Quint d'un ton pressant. En redonnant au ciel, au lieu de lui prendre.

— Et nous le ferons, nous les Chevaliers de l'hiver! ajouta fièrement Rodérix.

Maria tendit la main et toucha le petit loquet sur le haut de la boîte illuminée.

— Attention! l'avertit Quint. Il n'est stable que dans la pénombre, souviens-toi! Le moment venu, l'un de nous le répandra dans le ciel infini...

— Lequel d'entre vous? demanda Maria, qui avait toutes les peines du monde à croire ce récit.

– Nous n'avons pas encore décidé, répondit Léo. Rodérix est le plus âgé, mais Quint pense qu'il devrait s'en charger, lui, au prétexte qu'il se sent responsable de tout ce qui est arrivé…

Quint rougit.

– Mais pourquoi? commença Maria, qui s'interrompit et plaqua une main sur sa bouche. C'est parce que tu as été l'apprenti de mon père, hein, Quint, dis-moi? Il a rouvert le grand laboratoire, et tu l'as aidé…

Son ami plongea les yeux dans les siens et, gardant le silence, hocha la tête d'un air sinistre.

– Oh, Quint, soupira Maria.

– Il est encore temps pour nous de te déposer dans un endroit sûr, proposa-t-il. Si tu préfères.

Mais la jeune fille refusa.

– Je pensais que tu me connaissais mieux, Quint, répliqua-t-elle. Une fois ma décision prise, je ne change jamais d'avis… En utilisant le grand laboratoire, continua-t-elle dans un murmure, mon père a tiré un luminard du néant; qui plus est, à cause de ses expériences…

Elle baissa les yeux vers le rouleau et, du doigt, suivit une ligne:

– *Le ciel au-dessus de Sanctaphrax est tombé malade*, lut-elle, *les brises tièdes et les zéphyrs parfumés se sont changés en interminables blizzards de neige et de glace.*

– Oui, dit Quint, et il m'incombe de remédier à cette situation, déclara-t-il d'une voix sourde, mais résolue.

– Il nous incombe à tous d'y remédier, mon vieux, rectifia Rodérix. Bon, remuez-vous, la compagnie. Nous survolons le Jardin de pierres!

Quint et Maria traversèrent le pont et, les mains posées sur la rambarde de la proue, à bâbord, regardèrent au-dessous d'eux. Les grandes colonnes étaient ensevelies sous la neige, trouée çà et là par les rochers gelés qui se libéraient. Quint se tourna vers Maria et, voyant ses yeux pleins de larmes, se rappela leur dernière visite au Jardin de pierres.

— Tu penses à ton père, n'est-ce pas ? dit-il, mettant la main sur la sienne et la serrant avec chaleur.

— Oui, répondit-elle. Je le pensais si intelligent, si courageux… Pourtant, il est mort à cause du monstre qu'il avait créé. Et aujourd'hui, ce désastre…

D'un ample geste du bras, elle montra le paysage couvert de neige en contrebas.

— S'il est vraiment responsable de cet interminable hiver, au lieu d'unir Sanctaphrax en réconciliant les érudits terrestres et les érudits célestes, il n'aura réussi qu'à…

Sa voix se brisa.

— Qu'à détruire tout ce qu'il avait de plus cher…

Elle se tut, incapable de continuer.

Quint lui enlaça les épaules.

– Pas tout, dit-il. Tu es encore là…

La voix nerveuse de Léo résonna au-dessus du vent qui sifflait dans le gréement et faisait claquer la grand-voile contre le mât :

– Nous approchons de la Falaise !

Quint regarda en contrebas. Sans conteste, loin au-dessous d'eux, se découpait la Falaise elle-même. La neige s'était remise à tomber, tourbillon d'énormes flocons blancs et doux qui collaient au gréement et tapissaient les ponts. Telles des guêpes des bois furieuses, les flotteurs chauffants vrombissaient et bourdonnaient autour de la roche de vol gagnée par le froid, et un tremblement secoua la charpente du vieux navire. Quint eut un coup au cœur.

La voix de son père résonna dans sa tête : « Écoute bien les trois règles de la navigation aérienne, Quint. N'embarque jamais avant d'avoir établi un itinéraire. Ne monte jamais si haut que ta plus longue corde à grappin deviendrait inutile. Et ne t'aventure sous aucun prétexte dans les zones non cartographiées du ciel infini. » Pourtant, se dit Quint, c'était exactement ce que lui et ses compagnons s'apprêtaient à faire.

Au-dessous d'eux maintenant, à l'extrémité même du rebord rocheux, se dessinait l'Orée, cascade figée. Telle la coulure d'une immense chandelle, la rivière gelée formait une énorme stalactite qui pendait dans le vide. Durant un instant, elle se découpa, claire et scintillante, puis les brumes tournoyantes et les blizzards compacts enveloppèrent *Le Briseur de nuages* et, comme un rêve, l'immense pilier de glace s'évanouit.

Quint saisit la rambarde alors que le navire commençait à tressauter et à osciller. Les flotteurs chauffants de Placide avaient beau agir, il était évident que le vieux vaisseau ne résisterait plus très longtemps à l'assaut du froid. La neige s'épaississait sur ses ponts tandis que le mugissement et la plainte des vents chargés de flocons enflaient, jusqu'à noyer tous les autres bruits, y compris les appels de l'équipage et les craquements terribles du bois soumis à rude épreuve.

Un amas de brouillard givrant passa comme une flèche, et les lourds nuages se déchirèrent soudain. À cet instant, Quint leva la tête et découvrit un spectacle que seul Corentin Quisitix, érudit chevalier fondateur de Sanctaphrax, avait vu avant lui…

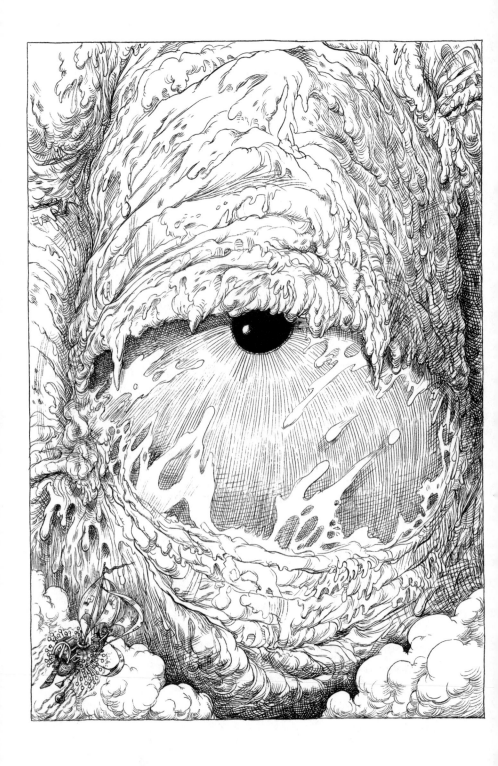

CHAPITRE 21

Le mange-nuages

'ŒIL GIGANTESQUE – AUSSI GROS QUE LA FENÊTRE OVALE percée dans le mur de la caserne, à l'Académie de chevalerie – tournait dans une orbite criblée de glace, la lumière reflétée par sa surface gélatineuse. Un voile de mucus épais s'y déplaçait et s'accumulait dans un coin, formant une masse visqueuse.

Un instant plus tard, dans un tintement de glaçons brisés, une énorme paupière encroûtée de neige se leva et un deuxième œil apparut, puis un troisième, un quatrième, et ainsi de suite… en tout, douze globes oculaires bombés, groupés autour du premier, tels des raisins luisants. Au centre de chaque sphère, un cercle indigo palpitant se contractait et se dilatait tour à tour – grossissant comme une tache d'encre sur un parchemin jauni – tandis qu'il accommodait sur le minuscule navire fonçant dans sa direction.

– Rod ! Attention ! hurla Quint.

Lâchant la rambarde, il se précipita vers la barre, où le jeune chevalier demeurait pétrifié par les yeux monstrueux, fixes, dans le ciel face à lui.

Poussant Rodérix de côté, Quint ramena les leviers d'un coup sec et tourna vivement vers la droite la lourde roue de gouvernail en ricanier. Soudain, les énormes yeux devinrent flous : *Le Briseur de nuages* faisait un violent écart, penchait sur le flanc et se dressait avec un crissement de bois et un claquement de voiles.

– Accrochez-vous ! cria Quint, son souffle formant des volutes dans l'air glacial, alors que le vieux navire montait presque à la verticale, que le vent sifflait dans son gréement, que des glaçons déchiquetés et des flocons tourbillonnants giflaient sa coque piquetée.

Le jeune pilote luttait contre la roue entre ses mains, qui tressautait, vibrait et menaçait de lui échapper – mais il ne cédait pas. Il savait que, s'il lâchait prise, *Le Briseur de nuages* se détraquerait. L'ascension deviendrait alors incontrôlable et le vaisseau serait réduit en miettes…

Lentement, s'efforçant de tenir la roue d'une seule main, Quint tendit l'autre vers les leviers. Tour à tour, il les poussa vers l'avant, ajustant les voiles avec délicatesse et réglant les poids, de quelques millimètres à chaque fois. Pendant qu'il s'appliquait, le rugissement du vent à ses oreilles se calma peu à peu, tout comme les protestations du bois. Et, par étapes, *Le Briseur de nuages* modéra sa folle montée en chandelle.

Bientôt, Quint réussit à distinguer le bourdonnement sonore des flotteurs chauffants qui s'agitaient, rougeoyants, autour de la roche de vol, ainsi que les cris enthousiastes des Chevaliers de l'hiver.

– Léo, es-tu sain et sauf?

– Oui, mademoiselle Maria. Où est Placide?

– Ici, maître Léo! Avec maître Rodérix, qui s'est cogné la tête.

– Ce n'est rien, mon cher, le rassura Rodérix, dont la voix venait du gaillard d'arrière, au-dessous de la barre. Grâce à mon armure...

Un fracas retentit alors qu'il se remettait debout, tant bien que mal.

– Vraiment, je suis désolé, Quint. La surprise m'a cloué sur place...

Quittant des yeux les manches en os des leviers, Quint vit la figure attristée de Rodérix apparaître au pied des marches. Il avait les lunettes de travers, une bosse rouge sur le front, mais il ne semblait pas avoir souffert outre mesure de sa chute.

– Ne t'inquiète pas, Rod, lui dit Quint, tournant la roue vers la droite.

Le Briseur de nuages se stabilisa, une forte brise agitant ses voiles rapiécées, déchiquetées. Quint le fit pivoter en douceur, jusqu'au moment où la proue piqua du nez.

– Regardez ça !

Ses compagnons accoururent à la barre, se groupèrent autour de lui et scrutèrent l'espace en contrebas.

– Au nom du ciel, quel est… ? souffla Rodérix.

Loin au-dessous d'eux, flottant dans le ciel, une monstrueuse créature se dessinait. Elle était bosselée, difforme et entourée d'une carapace de glace et de neige scintillante, sa surface marquée et piquetée, semblait-il, de plaies et de furoncles suintants. Quant à sa taille… Sa seule tête bulbeuse était deux fois plus grosse que le rocher de Sanctaphrax, et son corps torsadé, sinueux, qui s'étirait dans le ciel en direction de la Falaise, aurait pu former trois boucles autour d'Infraville. L'immense corps gelé de la créature s'affinait en gigantesques brins effrangés, terminés par de minces tentacules raidis, comme retenus par une force invisible.

Au-delà, dans le lointain, à la faveur d'une éclaircie, la grande colonne de glace accrochée au rebord rocheux brilla quelques instants. Et, plus loin encore, le contour indistinct du Jardin de pierres et du rocher flottant se laissa deviner.

Avec un soupir (bruit sec et rauque, semblable au vent qui souffle dans les pins ferreux), l'immense créature se courba et ses multiples yeux étincelèrent, avides. Un impressionnant amas de nuages au bord argenté s'approchait, venu du ciel infini, poussé vers la Falaise par une brise tiède dont les douces bouffées enveloppaient *Le Briseur de nuages*, si différentes des vents glacés auxquels Quint s'était habitué, dans la cité flottante figée par le gel. Le texte de l'antique rouleau lui revint : *Les brises tièdes et les zéphyrs parfumés se sont changés en blizzards de neige et de glace…*

À cet instant, lançant un cri grave et sonore (tel un coup de tonnerre voilé), la créature fit volte-face et glissa dans le ciel, présentant sa grosse tête aux nuages qui arrivaient. Ses mâchoires s'ouvrirent toutes grandes et, avec un profond gargouillis, elle se mit à ingurgiter l'amas cotonneux.

Elle l'engloutit, d'énormes blocs de neige compacte et des glaçons tombant de son corps qui enflait et se contractait, à la manière d'un python des bois avalant un fromp. Devant les yeux des Chevaliers de l'hiver, la créature aspira les ultimes bribes de nuages dans sa vaste gueule béante, ne laissant rien que le ciel vide. La gueule se referma et, durant une minute, la créature sembla marquer une pause.

Puis ses yeux tournoyèrent, et son long corps sinueux se tordit et se balança. Tandis qu'elle

ondulait, se contractait, un roulement sourd sortit de ses profondeurs…

Soudain, un spasme particulièrement violent secoua sa tête bulbeuse et descendit jusqu'aux brins effrangés à l'extrémité de sa queue. Les minces tentacules tremblèrent et se tendirent, mais ils demeurèrent raidis dans le ciel, comme prisonniers d'un étau invisible. La créature avait beau agiter son immense corps, sa queue semblait la clouer au ciel.

Le roulement enfla de plus en plus, et un long sifflement plaintif s'y ajouta. Maria étouffa une exclamation. Quint retint son souffle…

Un instant plus tard, fusant des conduits le long de son grand corps encroûté de glace, d'énormes volutes d'air froid frappèrent le ciel comme de grandes pointes étincelantes, avant de s'agréger en nuages blancs. Alors, le ciel même sembla se figer, et la créature émit une sourde lamentation mugissante.

Depuis leur position avantageuse, en hauteur, les Chevaliers de l'hiver regardèrent les nuages expulsés par la créature filer vers la Falaise, sous forme de grands blizzards tournoyants. Bientôt, le rebord rocheux, le Jardin de pierres et le rocher flottant disparurent, masqués par la neige et la glace que rejetait le corps contracté de la créature.

Même à cette distance, l'équipage du navire ne fut pas épargné. Il y eut une brusque stridulation, et *Le Briseur de nuages* se trouva soudain englouti par une bourrasque glaciale, qui le fit tanguer dangereusement. Plusieurs flotteurs chauffants s'éteignirent dans la tourmente. La roche de vol vibra violemment, menaçant à tout moment de devenir ultralégère et de précipiter les voyageurs dans les profondeurs du ciel infini, d'où ils ne reviendraient jamais.

– C'est donc cette... cette... cette *chose*, dit Léo avec un frisson, se cramponnant à la rambarde, qui provoque l'hiver interminable ?

– Il semble bien, répondit Rodérix, sévère. À gober les nuages et à recracher ainsi de la glace et de la neige... Quisitix avait sans doute découvert un monstre semblable, qu'il a tué grâce au phrax.

Il fit la moue.

– Hideuse, répugnante, malveillante créature...

– Non, dit Maria avec douceur. Pas malveillante...

Quint observa le corps encroûté de gel, la carapace extérieure piquetée et craquelée. Suintant par les fentes, d'épais liquides pâles tantôt se figeaient, tantôt fondaient, au rythme de la respiration laborieuse de la créature asthmatique. Ses yeux étaient ternes et voilés. Ils tournoyaient, bleu délavé pour certains, blanc laiteux pour d'autres, dégoulinant d'un fin mucus. Ses mâchoires tremblèrent, sa gueule s'entrouvrit, et un épais filet visqueux, à moitié gelé, coula de chaque côté.

– Non, pas malveillante, répéta-t-il. Malade, en revanche.

Il continua d'observer la créature. Elle avait un aspect terriblement familier. Elle lui rappelait le monstre informe qui avait hanté le nid de pierre, la brasine rouge sang que les premiers érudits avaient créée dans leur grand laboratoire, à partir des curieuses brasines impalpables habitant les profondeurs du rocher de Sanctaphrax. Ces créatures de l'air, aspirées dans les tubes en verre du laboratoire, y avaient subi d'horribles altérations. Le corps contracté, agité, les grappes d'yeux luisants, les longs tentacules qui branlaient et ballaient dans le ciel comme des rubans loqueteux secoués par le vent...

– Quoi qu'il en soit, c'est une créature de l'air, affirma-t-il en secouant la tête. Quand ton père a rouvert le grand laboratoire et essayé de créer la vie, elle a dû arriver des profondeurs du ciel infini. Et maintenant, soupira-t-il, elle est prisonnière, regardez...

Quint montra la longue queue effilochée. Les Chevaliers de l'hiver suivirent son doigt pointé. Alors que la créature se contorsionnait en tous sens, les filaments tendus de sa queue ressemblaient plus que jamais à des liens dont elle s'efforçait de se libérer.

– Elle est paralysée jusqu'à la queue, dirait-on, observa Placide. Chaque fois qu'elle avale des nuages tièdes et qu'elle souffle pour se détacher, elle ne réussit qu'à geler encore un peu plus...

– Et elle gèle Sanctaphrax et Infraville, du même coup, l'interrompit Rodérix. Nous allons devoir la tuer...

– La pauvre bête n'a pas le choix. Elle essaie juste de se libérer, dit Maria. Nous ne pouvons pas la tuer, purement et simplement...

Quint fit signe à Rodérix de reprendre la barre et s'éloigna. Lorsqu'il revint, quelques minutes après, il portait une paire d'ailachutes et tenait le coffret à lumière dans ses mains gantées.

– Si nous ne la tuons pas, Sanctaphrax sera condamnée, dit-il d'un ton lugubre. Mais j'étais l'apprenti de ton père, Maria. Je suis fautif. Je ne peux pas vous demander de risquer votre vie, à tous.

Il se tourna vers Rodérix.

– Penses-tu pouvoir t'approcher assez pour me permettre de sauter ?

Rodérix sourit.

– Oh, je crois être en mesure de nous rapprocher suffisamment, mon vieux, affirma-t-il. Mais nous sommes les Chevaliers de l'hiver, n'oublie pas. Nous restons unis. Tu ne sauteras pas.

Léo et Placide hochèrent la tête en chœur, et Maria saisit la main de Quint.

– Les Chevaliers de l'hiver restent unis, Quint, insista-t-elle. Tu ne dois pas commettre de folie. Promets-le-moi.

– Je te le promets, répondit Quint.

Loin au-dessous d'eux, la créature se balançait d'avant en arrière dans le ciel, des bouffées glaciales d'air floconneux jaillissant des conduits le long de son corps tandis qu'elle avalait un nouvel amoncellement de nuages.

– Allez, on s'attache ! cria Rodérix. Je lance la phase d'approche !

Ses voiles déchirées, rapiécées, se gonflant, ses poids de vol oscillant, le vieux navire décrivit un grand arc de cercle, tout en prenant de la vitesse. Les protestations de ses bois emplirent l'air tandis que le mât de hune grinçait, que le gouvernail craquait et que la plate-forme avant se gauchissait et gémissait. Des grêlons et des rafales de neige, voletant vers eux, adhéraient aux poids de la coque, se déposaient dans les replis des voiles désormais gelées, commençaient à obstruer la roche de vol poreuse, malgré les flotteurs chauffants.

Attaché à la barre, Rodérix, les mâchoires crispées, maniait les leviers. Postés sur la plate-forme centrale, Placide et Léo, le visage blême, le corps tremblant, s'étaient liés au mât. Derrière eux, à l'extrémité de leurs chaînes en argent, les flotteurs chauffants – dont le charbon de gâtinier orange, sifflant et rougeoyant, répandait des volutes de fumée noire et parfumée – se déployaient autour de la roche comme les ailes d'un gigantesque oiseau des neiges.

Là-haut, à la proue délabrée, Quint se dressait telle une figure sculptée en armure de chevalier, ses deux mains plaquant le coffret à lumière contre son plastron, tandis que Maria se pelotonnait derrière lui, retenue par la taille à la rambarde du pont. Livide, les traits tirés, elle regardait son ami.

Ils s'enfoncèrent davantage dans le ciel infini, puis virèrent et revinrent à toute allure vers la Falaise, parmi les nuages de plus en plus denses. Devant eux se dessinait le mange-nuages. Et, à mesure qu'ils s'approchaient, les yeux luisants accommodèrent de nouveau sur le minuscule navire.

Avec un frisson, Quint s'aperçut que les globes oculaires avaient une teinte jaunâtre et bilieuse, et que leur surface était couverte d'un réseau de capillaires rompus. Les sécrétions s'étaient épaissies, devenant aussi opaques et visqueuses que de la colle de rôdailleur. Elles demeuraient suspendues sous les paupières inférieures, rubans plissés de mucus gelé.

Dans son dos, Quint entendit Maria étouffer une exclamation. Et, à la barre, la voix de Rodérix résonna :

– Je vais suivre ces nuages le plus possible, Quint, mon vieux. Ensuite, je stopperai net. Mais nous ne ferons qu'une tentative, alors tiens-toi prêt à lancer le phrax, à mon commandement !

Devant lui, à travers les nuages plus vaporeux, Quint vit les lèvres de la grande créature s'écarter lentement sur une immense gueule caverneuse. Un long rugissement silencieux en sortit.

Durant un instant, un air tiède, douceâtre, enveloppa le navire ; la neige et la glace fondirent, la roche de vol descendit à pic... Mais pour un instant seulement. La créature prit alors une énorme inspiration goulue, et

Le Briseur de nuages se précipita vers la grande gueule béante.

Quint serra les dents et leva le coffret à lumière étincelant.

– Vas-y, Quint! hurla Rodérix. Vas-y!

Quint regarda la gueule caverneuse du monstre qui emplissait le ciel devant lui et dont les bords rougeoyants disparaissaient au milieu dans les ténèbres du gosier. Il lui suffisait d'actionner le loquet au sommet du coffret, et le précieux fragment de phrax s'envolerait. Ses doigts se crispèrent à l'intérieur des gantelets.

Clic!

Les gantelets se bloquèrent… Il remua, força, mais ils refusèrent de s'ouvrir. Ils étaient coincés! Ses mains étaient immobilisées autour de la boîte flamboyante…

– Vas-y, Quint! s'époumona Rodérix.

Quint essaya désespérément d'arracher la corde qui le reliait au navire. S'il ne pouvait pas lancer le cristal de phrax, eh bien il se jetterait dans le gouffre béant – coffret à lumière, phrax et tout le reste!

Gémissant sous l'effort, il parvint à se libérer… mais Maria lui attrapa le bras.

– Non, Quint! cria-t-elle. Tu m'as promis!

Elle tendit une main preste et, d'une chiquenaude, fit jouer le loquet du coffret. La porte s'ouvrit aussitôt. Il y eut un sifflement sourd et l'odeur forte des amandes grillées s'exhala tandis que le minuscule cristal jaillissait de la boîte, comme propulsé par une arbalète. Clignotant et scintillant, il décrivit une trajectoire brûlante à travers ciel jusqu'à la vaste bouche sombre de la créature.

Un instant plus tard, comme Rodérix ramenait brutalement les leviers, Quint perdit l'équilibre. *Le Briseur de nuages* s'arrêta net, vibrant au-dessus du gouffre, évitant ainsi d'être dévoré par la créature gargantuesque.

Un éclair éblouissant illumina le ciel lorsque le cristal explosa dans les entrailles du mange-nuages. Chaque cellule, chaque tentacule, chaque écaille de sa carapace glacée rayonna tandis que le fragment de phrax, solidifié dans la forêt du Clair-Obscur, reprenait son aspect d'origine dans le ciel infini – énergie pure, aveuglant éclat, chaleur brûlante.

Soudain, *Le Briseur de nuages* fut renvoyé en arrière, bousculé et ballotté par des tourbillons houleux tandis que les ondes de choc de l'énorme explosion se propageaient. Durant un moment, il sembla que les bois du navire, soumis à trop rude épreuve cette fois-ci, allaient voler en éclats sous les pieds des Chevaliers de l'hiver. Le mât de hune se fendit, le gouvernail cassa et une grande partie de la plate-forme avant se brisa en mille morceaux – mais, ô prodige, *Le Briseur de nuages* ne se disloqua pas.

Lorsque le vaisseau se redressa enfin et que Rodérix eut repris les commandes, Quint se releva péniblement et scruta le ciel infini.

– L'avons-nous tué ? demanda-t-il.

Un vent tiède soufflait, et la carapace de neige et de glace qui avait enveloppé le mange-nuages se désagrégeait. Les glaçons dégoulinaient, se détachaient et plongeaient dans le vide, telles des lances abandonnées. De gros blocs en cours de désintégration craquaient et glissaient du dos de la créature, se rompaient en pleine chute et

formaient des pluies de fragments glacés qui semblaient presque pétiller. Alors qu'ils fondaient dans l'air agité, mille rideaux de lumière chatoyants, aux couleurs de l'arc-en-ciel – rouge et jaune, violet et vert –, s'entrecroisèrent et se heurtèrent, courbes changeantes aux nuances exquises.

Les Chevaliers de l'hiver regardèrent, fascinés, le reste de la carapace glacée s'évanouir. De la gangue de glace, grise et bosselée, une créature extraordinaire était sortie.

Elle était diaphane, translucide, comme moulée dans l'air pur. De longs tentacules souples se déployaient en éventail autour de son corps éthéré, jouant avec les rayons du soleil telle une lumineuse frange à pompons. Ses yeux, clairs désormais, étincelaient à la façon des joyaux des marais. Et, tandis que la lumière la traversait de part en part, seules ses ondulations la révélaient. Sa bouche s'ouvrit comme un frémissement à la surface d'un lac cristallin, son grand corps éthéré sembla se gonfler et bondir en avant.

Tout à coup, avec un ondoiement léger de sa queue presque invisible, les brins qui la terminaient se libérèrent enfin du ciel tiédi, dans un fracas de vitres brisées au même instant. Puis, ondoyant de nouveau, telle une fontaine d'eau limpide, le mystérieux mange-nuages disparut au cœur du ciel infini, dans une longue ondulation langoureuse.

Maria se tourna vers Quint, le regard brillant.

– Nous ne l'avons pas tué, Quint, dit-elle. Nous l'avons guéri !

CHAPITRE 22

L'oisorat

AVEC UN CRI PERÇANT ET UN BATTEMENT DE SES AILES
rugueuses, le minuscule oisorat quitta les mains
tendues de Quint et s'élança par la fenêtre ouverte
à l'extrémité nord des Salles supérieures. Durant une
minute, il fit du surplace dans le ciel, le chaud soleil palpitant sur son petit corps mince. Il regarda l'Académie
de chevalerie en contrebas : les treize tours, les Salles
inférieures, la vaste étendue de la cour intérieure ; puis il
leva la tête vers les gros nuages jaunes qui ondoyaient au-
dessus des flèches et des tourelles de Sanctaphrax.

– Que le ciel te protège, Grignotin, petit compagnon,
souffla Quint alors que l'oisorat fluet disparaissait de sa
vue. J'espère seulement que mon père possède la réponse
à la question que tu transportes.

Puis, comme s'il se décidait, le messager ailé poussa
un second cri et, remuant les moustaches et agitant la
queue, il prit son vol dans le ciel en direction des Grands
Bois lointains.

Trois jours auparavant, un navire du ciel délabré, ses voiles réduites en lambeaux et les bois de sa coque gémissant, avait abordé la Falaise dans une atmosphère chaude et ensoleillée. Loin en contrebas, l'Orée tourbillonnait et se tordait comme un énorme verrondin, alors qu'un vaste flot de neige fondue redonnait vie à son cours gelé.

Tout au bout de la corniche rocheuse, la grande stalactite gémissait et vibrait, peu à peu libérée par la rivière qui, récemment ranimée, cascadait autour d'elle. Au moment où le navire isolé la survolait, un craquement magistral retentit et l'immense colonne de glace – trois fois plus longue que le rocher de Sanctaphrax – se détacha enfin, se fendant et se fractionnant en mille éclats fragiles alors qu'elle plongeait dans le vide.

Le navire continua sa route solitaire, loin au-dessus du bouillonnement écumeux de la rivière gonflée qui se déversait à nouveau sans entrave des hauteurs de la Falaise. Au-devant du vaisseau délabré s'étendait le Jardin de pierres.

Rasant presque les empilements de pierres jadis considérables, qui évoquaient des îlots parmi les remous de la neige fondante, l'équipage du navire se rassembla contre les rambardes, enthousiaste, et regarda le paysage. Les roches semblaient avoir conservé leur calotte neigeuse, mais, de plus près, les voyageurs comprirent que cette couverture blanche était vivante, en réalité. Des milliers de corbeaux blancs s'étaient posés là, criant et croassant au sommet des piles, occupés à battre des ailes et à se disputer les meilleures places.

Un ordre fut lancé à la barre, et les membres de l'équipage regagnèrent en toute hâte leurs postes respectifs.

Rodérix au gouvernail, Placide et Léo à la roche de vol, Maria et Quint à la proue, *Le Briseur de nuages* perdit encore de l'altitude en s'approchant des toits et des tourelles chaotiques d'Infraville. Les rues grouillaient d'activité, comme si un géant venait de lancer un coup de pied dans une fourmilière des bois.

Des tractitrolls dégageaient à coups de pelle les restes de congères, des gobelinets et des troglos ploucs balayaient l'eau ruisselante vers les égouts. Du bord de tous les toits, des glaçons dégoulinaient, avant de casser et de tomber, tandis que de gros blocs de neige tassée bougeaient soudain au-dessus d'eux, glissaient sur les tuiles en pente et s'abattaient bruyamment à terre. Après ces si longs mois de neige et de glace, il n'était enfin plus nécessaire de se calfeutrer contre le froid, et toutes les portes et fenêtres de la ville tentaculaire paraissaient grandes ouvertes.

Il y avait de l'eau partout : elle jaillissait des tuyaux et dévalait les caniveaux, emportant la crasse hivernale dans un vaste et fiévreux nettoyage de printemps. Et si Infraville avait changé de visage maintenant que le gel et la neige avaient enfin desserré leur étau, Sanctaphrax, quant à elle, était presque méconnaissable.

– Regarde, souffla Maria, s'accrochant au bras de Quint.

La neige fondue se déversait des moindres toits, pignons et rebords ; des moindres rangées de linteaux et d'arcs-boutants ; des moindres voûtes, avenues, ponts et

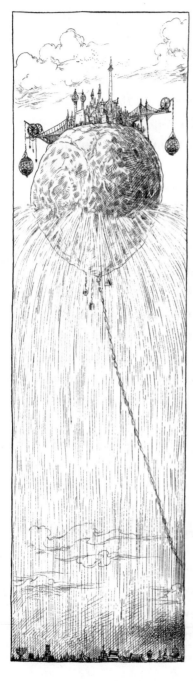

passerelles aériennes. Depuis que le dégel avait commencé, l'eau s'infiltrait sans relâche dans le rocher poreux et demeurait stockée à l'intérieur du nid de pierre.

Alors, soudain, la pression accumulée se révéla trop forte. Avec un sifflement sonore et une plainte aiguë, l'eau enfermée fusa de toutes parts. D'innombrables jets sortirent des failles et des fentes de l'énorme sphère, halo de gouttelettes qui, sous le soleil, devint un magnifique arc-en-ciel, baignant la cité d'une éblouissante lumière colorée. La neige continuant de fondre, les jets plus épais, plus puissants, se déversèrent en cascade sur Infraville, tandis que le gros rocher flottant glissait à travers ciel au bout de sa chaîne d'amarrage.

Actionnant un levier d'une main tranquille, Rodérix fit virer le vieux vaisseau et mit le cap sur la cité flottante. Devant lui, à l'extrémité est de l'Académie, la tour de lancement dominait la ligne des toits. Comme *Le Briseur de nuages* s'approchait, les membres de l'équipage perdirent leur sourire et, le front plissé, ils échangèrent des regards inquiets. La neige fondait peut-être, mais, de toute évidence, la situation n'en demeurait pas moins critique à l'Académie de chevalerie.

Tenez, la cour intérieure, par exemple. Elle ressemblait à un champ de bataille…

Il y avait des cadavres partout. Certains gisaient encore là où ils étaient tombés, corps horriblement tordus dans des positions grotesques, le sang tachant la terre autour d'eux. D'autres avaient été déplacés et alignés, les épais linceuls blancs qui les recouvraient laissant croire, un instant, que la neige n'avait pas fondu, en définitive. De l'autre côté de la cour, les grandes portes en plombinier de la caserne pendaient, arrachées à leurs gonds, tandis que, au loin, les arbres à joutes, éparpillés sur le sol, formaient un tas de fragments et de branches cassées.

Pendant que, sous la conduite prudente de Rodérix, *Le Briseur de nuages* descendait dans le ciel, Léo sauta sur le débarcadère et noua la haussière à l'anneau d'amarrage de la tour. L'un après l'autre, les Chevaliers de l'hiver quittèrent le navire, les jambes soudain vacillantes alors qu'ils posaient le pied sur la terre ferme. La joie et l'allégresse qu'ils avaient tous ressenties en ralliant l'Académie s'étaient évanouies, remplacées par la stupeur et la confusion.

Restant groupés, ils gagnèrent le bas de la plateforme et se faufilèrent dans l'étroite entrée latérale qui menait au foyer des Salles supérieures. Alors qu'ils franchissaient le seuil, l'atmosphère les frappa : les conversations sonores, la chaleur suffocante, l'odeur du sang…

Quel contraste avec le lieu désert et feutré qu'ils avaient laissé le matin même !

Les chaires, maintenant bondées, étaient le théâtre de discussions bruyantes et animées, tandis qu'au-dessous, la pièce avait des allures de vaste infirmerie : rangées de petits lits démontables en gâtinier, grosses couvertures jetées sur leurs occupants... Grands professeurs comme écuyers des Salles inférieures circulaient parmi eux, pansant les plaies des blessés, fermant les yeux des morts.

Au bout de l'une des rangées, Rodérix remarqua un minuscule quarm accroupi au pied d'un lit flottant. La créature gémissait doucement tout en se balançant avec lenteur d'avant en arrière, d'avant en arrière. Un second quarm, inerte, était pelotonné dans les bras du corps allongé sur le lit.

– Fabien Tinctex, chuchota Rodérix, bouleversé en découvrant le visage cireux, sans vie, du professeur.

Il s'approcha du lit et, s'agenouillant, caressa d'un geste tendre le front tremblant du petit quarm.

– Allons, allons, Hurleur, murmura Rodérix. Ton maître a succombé.

Comme en réaction à ces paroles, le quarm se tourna, bondit sur les épaules de Rodérix et se cacha la figure dans les plis de sa cape.

– Tu viens de te faire un ami, je crois, déclara un écuyer des Salles supérieures, abordant le petit groupe rassemblé autour du lit du professeur.

Rodérix leva la tête.

– Lucilis ? dit-il, manifestement choqué par l'apparence de l'écuyer. Lucilis, c'est bien toi ?

L'écuyer s'efforça de sourire. Il avait le teint jaunâtre, l'air épuisé, les joues creuses et les yeux enfoncés.

Lorsqu'il prit la parole, ce fut d'une voix étranglée, rauque, et les mots semblèrent jaillir en un flot torrentiel, comme l'eau à la fonte des neiges.

– Daxiel Xaxis et ses portiers ont bloqué toutes les ouvertures à l'aube, et c'est le vacarme de la bataille dans la cour intérieure qui nous a réveillés… commença-t-il, posant un regard tourmenté sur Rodérix. Nous ne pouvions pas rester enfermés, les bras croisés. L'honneur des Salles supérieures était en jeu. Fabien Tinctex nous a réunis et nous avons descendu l'escalier central à la force des armes, payant de notre sang le moindre terrain conquis, mais faisant payer les portiers eux aussi !

Rodérix hocha la tête, son cœur battant plus vite.

– Flagel et Colpix ont péri sur le palier supérieur, continua Lucilis. Et Manilius… cher vieux Manilius. Il a expiré dans mes bras pendant que nous combattions dans le dortoir. Mais nous avons réussi à rejoindre la cour intérieure, sous la conduite de Fabien Tinctex, et… et…

Le visage de l'écuyer se plissa et il le couvrit de ses mains tremblantes, maculées de sang.

– C'est… là… que la mort l'a frappé…

Le petit quarm perché sur l'épaule de Rodérix frissonna et poussa un faible hurlement lugubre.

– Où étais-tu donc, Rodérix, sanglota l'écuyer, alors que les Salles supérieures avaient besoin de toi ?

Les Chevaliers de l'hiver échangèrent un regard. Tout à coup, se vanter de leur triomphe, là-bas dans le ciel infini, leur semblait inconvenant – pas ici, dans ce lieu de mort et de souffrance.

Rodérix avait pâli, et ses yeux brillaient derrière ses lunettes.

– J'étais dans la tour de lancement, à bord du *Briseur de nuages*… commença-t-il d'expliquer, mais l'écuyer ne l'écoutait pas.

Effondré au pied du lit flottant, il sanglotait et se balançait d'avant en arrière, tout comme le petit quarm un peu plus tôt.

Quint enlaça son ami par l'épaule et l'entraîna.

– Laisse-le, Rod, dit-il gentiment. Il n'est pas en état de comprendre, mais un autre comprendra, lui.

– Philius Braisetin ! s'exclama Léo. Venez, il faut lui annoncer, entre autres, que le rouleau d'écorce disait vrai de bout en bout !

Tous cinq se mirent en route ; quittant à la hâte les Salles supérieures, ils descendirent l'escalier et empruntèrent les longs couloirs sombres en direction de la Bâtisse du haut nuage et de l'étroite pièce oubliée où Philius Braisetin était retenu prisonnier. Partout, ils rencontraient des traces de la grande bataille qui s'était déroulée en leur absence : des portes fracassées, des fragments d'armes brisées et les robes abandonnées des portiers, avec leur verrondin stylisé maintenant déchiré et taché de sang.

Touchant au but, ils constatèrent que le corridor était vide, hormis le corps avachi d'un portier, une flèche d'arbalète plantée dans la poitrine.

– C'est l'un des gardes, dit Léo, qui enjamba le troglo plouc raidi et ouvrit lentement la porte.

Par l'entrebâillement, il scruta la pièce ténébreuse, une unique bougie brûlant près du lit, faible et crachotante. La douce lumière jaune éclairait le visage amaigri et fatigué du vieux maître de bâtisse, calé contre des oreillers crasseux, la respiration sifflante et saccadée.

– Maître Braisetin, chuchota Léo, entrant dans la pièce. C'est moi...

Soudain, il y eut un bruit derrière la porte et un robuste individu bondit de sa cachette, attrapa Léo par la chemise et le plaqua contre le mur, lui menaçant le cou avec une longue lame mince.

– Qui es-tu ? gronda-t-il. Parle, avant que je te tranche ta sale gorge d'une oreille à l'autre.

Pénétrant à pas de loup dans la pièce, Quint tira son propre couteau et en pressa la pointe dans le dos de l'agresseur.

– Lâche ce couteau, chuchota-t-il. Immédiatement.

L'objet tomba par terre avec fracas.

– Maintenant, tourne-toi et dis-nous qui tu es, ordonna Quint.

Comme le jeune inconnu obéissait, son uniforme révéla qu'il était un universitaire en armes – un gardien de roche, vu sa cuirasse et les arbalètes jumelles accrochées à sa ceinture.

– Je... je vous demande pardon, s'excusa-t-il. J'ai cru... j'ai cru...

Il indiqua la porte.

– Je vous ai pris pour des portiers, expliqua-t-il. Comme ce garde malveillant là dehors.

Quint hocha la tête.

– Ils ont frappé et affamé le maître de bâtisse, vous savez, dit le jeune universitaire en armes. Sur les ordres de Hax Vostillix, précisa-t-il, indigné. Le ciel maudisse son âme !

Rodérix écarquilla les yeux.

– Hax Vostillix est mort ?

– Oui, répondit le jeune universitaire. Assassiné dans sa chambre par des érudits terrestres ; du moins, selon certains. Empoisonné par des larves de guêpes des bois. Qui l'ont entièrement dévoré. C'est la raison pour laquelle les portiers nous ont attaqués : c'était le prétexte qu'ils cherchaient...

À cet instant, une voix faible s'éleva du lit.

– Quelqu'un... il y a quelqu'un, affirma-t-elle. Montrez-vous, s'il vous plaît.

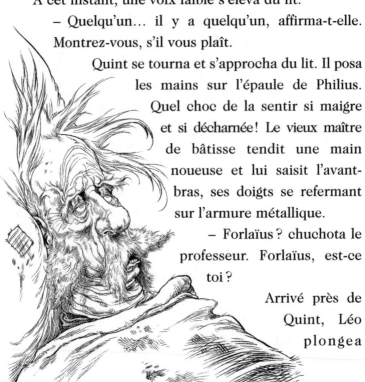

Quint se tourna et s'approcha du lit. Il posa les mains sur l'épaule de Philius. Quel choc de la sentir si maigre et si décharnée ! Le vieux maître de bâtisse tendit une main noueuse et lui saisit l'avant-bras, ses doigts se refermant sur l'armure métallique.

– Forlaïus ? chuchota le professeur. Forlaïus, est-ce toi ?

Arrivé près de Quint, Léo plongea

la main dans sa poche, en sortit l'antique rouleau et le donna à son ami.

– Nous... nous avons navigué dans le ciel infini, déclara doucement Quint. Tout comme Quisitix, ajouta-t-il, agitant le manuscrit jauni devant le visage du vieux professeur. Et nous avons emporté le phrax de tempête.

– Oh, Forlaïus, Forlaïus.

Les yeux las de Philius pétillèrent soudain de vie. Il se pencha en avant et saisit Quint par la main.

– Forlaïus, tu as rendu le phrax de tempête au ciel, tout comme Quisitix avant toi ? Et le remède a-t-il opéré ?

Sa voix frêle vibra, plaintive.

– As-tu guéri le ciel ?

– Oui, monsieur, lui assura Quint. Tout comme Quisitix, nous avons guéri le ciel et l'hiver a pris fin...

– L'hiver a pris fin, répéta le vieux professeur d'un ton serein, le visage soudain éclairé d'un sourire de béatitude. Le ciel en soit remercié. Mon vieil ami, Linius Pallitax, serait si heureux de savoir que le ciel est guéri. Si heureux de savoir que le mal qu'il a causé, en rouvrant le grand laboratoire, a été réparé... Mais tu dois me promettre une chose, Forlaïus, par égard pour Linius Pallitax !

Le maître de bâtisse resserra son étreinte tandis qu'il attirait Quint plus près de ses yeux aveugles.

– Par égard pour le plus grand, le plus honorable, le plus authentique Dignitaire suprême qui ait jamais existé...

Derrière lui, Quint entendit Maria étouffer un sanglot.

– Tout ce que vous voudrez, chuchota-t-il à Philius. Dites, simplement.

– Plus jamais, à qui que ce soit, répondit le vieil homme, tu ne devras parler de ton voyage. Le laboratoire ancien est condamné, le nid de pierre obstrué. Si Sanctaphrax apprenait que Linius Pallitax était responsable de ce terrible hiver, sa réputation serait ruinée, sa statue serait arrachée du Viaduc et réduite en miettes… Les brutes envoyées par Hax m'ont frappé et affamé, mais je ne leur ai rien révélé sur le rouleau d'écorce et le phrax de tempête. Et toi, Forlaïus, tu m'as récompensé… Maintenant, promets-moi de ne plus jamais en parler !

– Je le promets, dit doucement Quint.

Philius Braisetin sourit et libéra le bras de Quint.

– Merci, Forlaïus Tollinix, chevalier de l'Académie, souffla-t-il. Je peux maintenant partir pour mon propre voyage vers le ciel infini…

Sur ces mots, ses paupières battirent lourdement et se fermèrent. Puis, gardant son sourire serein, il émit un long soupir rauque et ne bougea plus.

Quint avança le bras et tira lentement le drap sur le visage du vieux professeur.

– Il est en paix à présent, murmura l'universitaire en armes. Ils ne peuvent plus le torturer…

Il se tourna et regarda les deux chevaliers, le premier en armure polie et brillante, comme forgée de peu, le second en armure bosselée, d'aspect très ancien. Puis leurs trois compagnons : un petit gobelin gris, une jeune fille au visage grave, les joues ruisselantes de larmes, et un universitaire en armes qu'il croyait avoir déjà vu à la caserne – un apprenti épéiste.

– Qu'a-t-il raconté avant de mourir ? demanda-t-il. Ces histoires de voyages, de laboratoire ancien... et de ciel infini ?

Le petit groupe se consulta du regard, puis le chevalier en armure bosselée répondit :

– Rien.

Une esquisse de sourire flotta sur ses lèvres tandis qu'il jetait un coup d'œil à la jeune fille.

– Rien du tout.

Durant les quelques jours qui suivirent, la vie reprit son cours à l'Académie de chevalerie. Graduellement, progressivement, les restes et les traces du terrible hiver comme de la sanglante bataille furent effacés.

Les défunts reçurent les honneurs qu'exigeait la tradition. Les gobelinets, les trolls des bois et les nabotons furent incinérés sur des bûchers funéraires flottants, afin que leur esprit libéré monte vers le ciel infini. Les troglos ploucs furent enterrés dans le Bourbier à l'extérieur d'Infraville, et les rares écoutinals parmi les domestiques des bâtisses tués dans le combat de l'escalier central furent déposés sur les eaux de l'Orée dans de petites barques décorées de fleurs.

Philius Braisetin et Fabien Tinctex bénéficièrent d'un autre rituel, conforme à leur statut : transportés dans le Jardin de pierres sur de hauts cercueils, leurs corps furent exposés entre les piles de roches et dévorés par les vols de corbeaux blancs. C'était la première cérémonie de cette nature depuis les funérailles de Linius Pallitax lui-même.

Par ailleurs, les habitants veillèrent à ce que l'existence reprenne ses couleurs d'avant les cataclysmes. Ils démontèrent les grands manèges en bois de fer et les poêles flottants qui avaient circulé le long du rocher menacé, ramenèrent les fromps géants dans les Grands Bois et, sur les instructions de Flavien Vendix, les relâchèrent. La Bâtisse du nuage gris retrouva ses troupeaux de rôdailleurs. Et les montures des chevaliers de l'Académie, y compris Barbichu, regagnèrent leurs branches sur le perchoir central. Les universitaires en armes, quoique moins nombreux, remplirent le rôle des anciens portiers, dont le verrondin rouge détesté fut remplacé par de simples tuniques noires avec de multiples pièces de duel.

Les Chevaliers de l'hiver se remirent à leurs tâches respectives comme si rien ne s'était passé: Placide à la forge, Léo à la caserne, Quint et Rodérix dans les Salles supérieures. Alors même que les grands professeurs entreprenaient de réorganiser les locaux dévastés, Quint céda son bureau à Maria et déménagea chez Rodérix – mais ils savaient tous deux que cet arrangement ne pouvait pas durer.

Trois jours après leur expédition dans le ciel infini, Quint dit à Maria:

– Il faudra que tu ailles voir les Dignitaires suprêmes jumeaux dès que la grande enquête sera close. Par l'intermédiaire de Grignotin, j'enverrai un message à mon père. Je lui demanderai ce qu'il te conseille de faire.

– Et Vilnix Pompolnius? s'enquit Maria.

– Laisse-moi m'occuper de lui, répondit Quint. Il se cache quelque part dans l'Académie, mais il ne pourra pas rester indéfiniment à l'abri. Entre-temps, j'ai ma propre enquête à terminer…

Il tapota la miniature sertie dans la poignée de son épée – mais lorsque Maria voulut en savoir plus, il refusa de lui révéler ses plans.

Le lendemain, les professeurs de Lumière et d'Obscurité réunirent les habitants pour les résultats de la grande enquête sur le décès de Hax Vostillix. Comme le soleil montait dans le ciel, les universitaires se mirent à affluer des quatre coins de Sanctaphrax sous le dôme de conférences resplendissant de la Bâtisse du haut nuage, les vitres cassées durant l'insurrection avortée maintenant réparées.

Les deux professeurs, respectivement vêtus de leurs nouvelles robes blanche et noire, étaient déjà installés sur le lutrin flottant sculpté lorsque les premiers arrivants se présentèrent. Et, tandis que les professeurs et sous-professeurs, apprentis et adjoints prenaient place sur les gradins et les balcons, les Dignitaires suprêmes jumeaux les observaient avec sévérité, leurs visages barbus ne laissant transparaître aucune émotion. Le professeur d'Obscurité attendit que chacun soit assis pour se lever.

Durant une minute, les chuchotements s'amplifièrent, résonnant sous le vaste dôme comme une foule d'aérovers sifflants. Le professeur de Lumière agita son bâton, et la salle se tut.

– En tant que Dignitaires suprêmes de Sanctaphrax, commença-t-il de sa petite voix flûtée, nous avons le triste devoir de vous rendre compte du décès prématuré de Hax Vostillix, maître de la Bâtisse du haut nuage.

– Nous avons examiné les circonstances et la nature de ce malheureux événement, continua le professeur d'Obscurité de sa voix grave et grondante, et nous en sommes arrivés à une conclusion inéluctable...

– Hax Vostillix a été assassiné! annonça le professeur de Lumière de son timbre aigu.

Un silence absolu régnait sous le dôme de conférences. Tout le monde savait que Hax Vostillix avait été assassiné, et chacun avait sa propre théorie sur l'identité de l'assassin. Au fond, depuis les escaliers du Viaduc bruissant de commérages jusqu'aux bancs remplis de rumeurs du grand réfectoire, le sujet était sur toutes les lèvres. Mais, comme l'exigeait la tradition, le dernier mot revenait aux Dignitaires suprêmes jumeaux.

– Plusieurs personnes avaient de bonnes raisons de détester le défunt maître de la Bâtisse du haut nuage, reprit le professeur d'Obscurité. Les autres maîtres de bâtisse, injustement chassés de l'Académie.

– Flavien Vendix, Arboretum Brancharquée, feu Philius Braisetin, précisa le professeur de Lumière.

– Nous les déclarons innocents! annonça le professeur d'Obscurité.

– Le soir du meurtre, alors qu'il emportait un plateau-repas dans la chambre de Hax Vostillix, un jeune écuyer des Salles supérieures a été intercepté par le capitaine des portiers, Daxiel Xaxis, expliqua le professeur de Lumière.

– L'écuyer affirme que Daxiel Xaxis lui a pris le plateau et y a placé une coupe de bonbons, avant d'entrer seul dans la chambre du maître de bâtisse, compléta le professeur d'Obscurité.

– Des œufs de guêpes des bois enrobés de miel et roulés dans du sucre de cicatre ressemblent à la plus savoureuse friandise, pépia le professeur de Lumière, avant que…

– Avant que les insectes n'éclosent dans le ventre du gourmand et ne s'ouvrent un chemin à coups d'aiguillon! tonitrua le professeur d'Obscurité.

Sa voix fut noyée par le flot de colère et de répugnance qui montait dans la salle, alors que les universitaires réunis commençaient à exprimer leurs sentiments. Le professeur de Lumière leva son bâton pour réclamer le calme.

– Le résultat de notre grande enquête est le suivant: Daxiel Xaxis, capitaine des portiers, persuadé que les fréquentes sautes d'humeur de son maître menaçaient sa propre position, a bel et bien assassiné Hax Vostillix, maître de la Bâtisse du haut nuage, avec du poison de guêpes des bois! annoncèrent, à l'unisson, les professeurs de Lumière et d'Obscurité. L'ordre a été rétabli à l'Académie de chevalerie, et le terrible hiver a pris fin, le ciel soit loué!

Sur les plates-formes et les balcons du grand dôme de conférences, le cri de louange fut repris en chœur.

– Maintenant, laissons cette affaire, enjoignit le professeur de Lumière.

– Et retournons à nos études, conseilla le professeur d'Obscurité.

Au signal du professeur de Lumière, le lutrin flottant regagna la jetée, puis les Dignitaires suprêmes jumeaux se dirigèrent vers l'entrée du dôme, où un écuyer des Salles supérieures, au visage maigre et aux yeux sournois, attendait. Il dardait des regards nerveux sur la foule, comme s'il craignait à tout moment d'être repéré.

– Puisque le dossier est clos, dit l'écuyer d'un ton enjôleur tandis que les deux dignitaires s'approchaient, je dois vraiment retourner à mes études, moi aussi.

– Et de quelles études pourrait-il bien s'agir ? répliqua le professeur de Lumière avec mépris. Retourneras-tu te cacher dans la tour de lancement ? Ou rôder dans la réserve de bois de la Bâtisse du nuage orageux ?

L'écuyer lui lança un regard assassin et s'adressa, implorant, au professeur d'Obscurité.

– Je vous ai dit tout ce que je savais. Ne puis-je pas m'en aller à présent ? supplia-t-il.

– Pas encore tout à fait, répondit le professeur de sa voix grave, posant une main sur l'épaule de l'écuyer et l'entraînant à l'extérieur. Il reste un dernier point sur lequel tu peux nous aider, dit-il en souriant avec gentillesse.

En général, rien ne déconcertait Vilnix Pompolnius ; pourtant, alors qu'il suivait les Dignitaires suprêmes dans les rues de Sanctaphrax en direction de l'École de la Lumière et de l'Obscurité, l'ancien rémouleur se sentait indéniablement mal à l'aise. Il franchit le porche imposant, avec ses lourdes portes cloutées en plombinier ; il gravit le majestueux escalier de marbre ; il suivit les corridors décorés avec faste, le cœur battant un peu plus vite à chaque pas.

Soudain, il se trouva face aux portes jumelles – l'une blanche, l'autre noire – des bureaux des professeurs. La dernière fois qu'il était venu ici remontait à ce début de soirée, bien des mois auparavant, où le professeur d'Obscurité lui avait confirmé qu'il allait parrainer son admission à l'Académie de chevalerie. Comme ce jour-là semblait lointain…

Et puis, bien sûr, il n'avait pas été le seul à attendre de rencontrer les éminents professeurs. Non, ce fils de pirate du ciel pleurnichard, Quintinius Verginix, était alors présent lui aussi.

Vilnix sentit une fureur froide sourdre en lui et lui nouer la gorge.

Où son plan avait-il échoué ? Comment Quint et cette idiote d'enfant gâtée ne s'étaient-ils pas tués en tombant de l'Observatoire céleste ? Mystère. Il était vrai que tous deux semblaient garder le silence ; mais combien de temps se tairaient-ils ? Sans compter qu'en attendant, Vilnix en avait assez de dormir dans la réserve de bois et de se cacher dans la tour de lancement. Non, cette situation ne pouvait pas durer. La prochaine fois, il allait devoir les éliminer pour de bon…

– Entre, Vilnix, l'invita le professeur d'Obscurité tandis qu'il poussait la porte noire et pénétrait dans l'immense bureau.

Les yeux de Vilnix mirent du temps à s'accoutumer à la lumière (au manque de lumière, plutôt) qui baignait la grande pièce. Car, si un violent éclairage caractérisait le bureau du professeur de Lumière, inondé de lanternes, de lampes et de torches flamboyantes se reflétant à l'infini dans les miroirs qui tapissaient les murs, le bureau du professeur d'Obscurité était son parfait contraire : sombre et ténébreux, avec de lourds rideaux opaques pendus aux fenêtres, seul le lustre en pierre de lune phosphorescent répandant quelques lueurs.

Vilnix n'était jamais véritablement entré, même lorsqu'il avait rendu la lunette au professeur, un an plus tôt. À présent, il n'était pas certain de se réjouir de cet honneur. Scrutant les alentours d'un air interrogateur, tandis que ses pupilles se dilataient lentement, il découvrit peu à peu les environs. Il distingua des rayonnages chargés de livres contre les murs. Il distingua des vitrines remplies de flacons et de bouteilles, d'instruments en cuivre et en verre, d'appareils compliqués, à plusieurs bras, équipés de plateaux, de cadrans, de lentilles et d'ampoules incandescentes. Et, au fond, près de la grande statue d'un érudit antique, un long sofa rembourré sur lequel étaient installés Quint et Maria, leurs regards fermement braqués sur lui.

– Vous ne pouvez rien prouver ! s'écria étourdiment Vilnix, reculant vers la porte... mais le professeur de Lumière lui barra la route. Je n'étais que le porteur de ces rouleaux d'écorce. Un écuyer masqué (par de grosses lunettes et une écharpe) me les a donnés en me demandant de les apporter à la fille, bredouilla-t-il, sa voix montant vers des aigus coupables. Comment pouvais-je savoir qu'il s'agissait de faux ? Sans doute une farce d'un ami à lui, parmi ces prétentieux natifs de Sanctaphrax...

Implorant, il se tourna vers le professeur d'Obscurité – sentant les yeux de Quint et de Maria continuer à le transpercer.

– Il faut me croire ! Je suis innocent ! Cette plateforme de l'Observatoire céleste est dangereuse, elle aurait pu s'effondrer à n'importe quel moment. Les conséquences du gel... Oui, c'est sûrement l'explication. Les conséquences du gel.

Il s'arrêta, les joues écarlates et le dos ruisselant de sueur.

Le professeur d'Obscurité posait sur lui un regard inflexible, son visage ne trahissant aucune émotion. Il secoua la tête.

– Oh, Vilnix, Vilnix, dit-il doucement.

Pendant ce temps, le professeur de Lumière s'était approché de la fenêtre.

– Montrez-vous, Luisin, ordonna-t-il.

Un froufrou sortit de derrière le lourd rideau opaque, lequel s'écarta brusquement pour révéler un personnage maigre, au nez crochu et aux yeux jaune pâle.

Vilnix dévisagea le faussaire de l'École d'art pictural.

– Je n'ai jamais vu cet universitaire de ma vie ! protesta-t-il, au désespoir.

– Mais il t'a vu, lui, mon cher Vilnix, dit gentiment le professeur d'Obscurité.

Le peintre sourit et approuva de la tête.

– Nous ne pouvons pas prouver que tu as intercepté la correspondance entre Maria et Quint ici présents, déclara le professeur de Lumière, indiquant du menton les deux amis sur le sofa, spectateurs silencieux de la scène. Nous ne pouvons pas prouver que tu as, par la ruse, convaincu Quint de te fournir un échantillon de son écriture, apporté ensuite à Fulbert Luisin que voici, de sorte qu'il fabrique des lettres pour Maria.

Vilnix regarda le professeur de Lumière droit dans les yeux, une haine odieuse lui déformant les traits.

– Nous ne pouvons pas prouver que tu as utilisé ces fausses lettres pour soutirer des pièces d'or à Maria. Ni que, une fois certain d'être démasqué, tu as saboté la plate-forme, afin de précipiter Maria et Quint vers la mort, dissimulant ainsi tes crimes…

— Alors, qu'êtes-vous capables de prouver ? cracha Vilnix, jetant des coups d'œil farouches sur les visages autour de lui.

— Tu as été très utile, mon cher Vilnix, continua le professeur de Lumière. Sans tes manigances, que nous ne pouvons pas prouver, bien sûr, Quint n'aurait jamais découvert que Fulbert Luisin avait également fabriqué le document qui fait de Gonzague Vespius et de son épouse Doria les tuteurs de Maria. Pour le punir, la garde du trésor a obligé Gonzague à verser tout l'or qu'il possède !

Le professeur de Lumière s'accorda un petit sourire.

— Que m'importe ? grogna Vilnix, essayant de ne pas regarder Quint et Maria.

— Que t'importe-t-il, en effet ? lança le professeur, sarcastique. Que t'importe-t-il ? Mais une seconde découverte de Quint, je crois, t'importera : Fulbert Luisin dispose d'autres informations précieuses.

Le professeur fit signe au peintre de parler. Fulbert posa ses yeux jaune pâle sur Vilnix.

— Je vous ai déjà vu, jeune maître, je vous ai vu en effet, grinça-t-il. Non pas dissimulé derrière une écharpe et des lunettes protectrices, déguisant votre voix, dans mon atelier. Oh non ! Mais d'une incroyable effronterie, dans une situation bien différente : vous sortiez de l'École des potions et des poisons juste en face, vous jetiez un coup d'œil à l'enseigne du cisailleur empaillé, un vilain petit ricanement sur le visage, tandis que vous glissiez dans votre poche une fiole d'œufs de guêpes des bois.

Vilnix ouvrit la bouche, mais aucun son n'en sortit. Durant un instant, il y eut un silence absolu, puis le professeur de Lumière prit la parole.

– Bien sûr, dit-il, nous ne pouvons pas prouver que ce sont ces mêmes œufs de guêpes qui ont fini dans le ventre de notre pauvre maître de bâtisse défunt.

Un lent sourire se dessina sur la figure de Vilnix. Ils s'en tiendraient donc là ? Ils ne pouvaient pas faire mieux ? Il s'en tirait à bon compte, en définitive. Naturellement, il l'avait toujours su. Il était trop intelligent ; bien trop intelligent pour eux tous.

– Alors, veuillez m'excuser, dit-il, la mine réjouie. Je vais me dépêcher de rentrer à l'Académie de chevalerie.

– Je crains que non, objecta le professeur d'Obscurité, le prenant par le bras et l'escortant vers la porte. Tu étais si plein de promesses, Vilnix, quand je t'ai connu ; pourtant, tu m'as déçu, et tu t'es déçu toi-même. Je le regrette, mais en tant que Dignitaires suprêmes jumeaux, nous n'avons d'autre choix que t'expulser de l'Académie.

– Sous quel motif ? s'indigna Vilnix, d'une voix aiguë et perçante. Le professeur de Lumière dit que vous ne pouvez rien prouver...

– Tu as été identifié alors que tu sortais de l'École des potions et des poisons.

– Et alors ? protesta Vilnix.

Se penchant sur le jeune écuyer, le professeur lui parla doucement, distinctement, comme s'il s'adressait à un petit garçon.

– Il est interdit à quiconque, excepté aux universitaires chevronnés, de pénétrer dans cette école, pour des raisons évidentes. Tous les habitants de Sanctaphrax le savent.

– Tous les natifs de Sanctaphrax, du moins, rectifia le professeur de Lumière d'un ton dégagé.

– Pour un universitaire débutant (un écuyer, par-dessus le marché), y pénétrer est une complète insubordination de la plus grande gravité.

– Je... Je... bégaya Vilnix.

– C'est vrai, je le crains, dit le professeur d'Obscurité, ouvrant la porte à Vilnix. Tu vas rassembler tes affaires et quitter l'Académie ce soir même. Je t'ai trouvé une place au Collège de la pluie, à la Faculté des goûte-pluie – une existence humble et servile après ce que tu as vécu ici, préférable cependant à l'aiguisage. Au revoir, Vilnix. Je suis vraiment désolé.

Le professeur d'Obscurité secoua la tête avec tristesse tout en poussant Vilnix dehors et en refermant la porte derrière lui.

Dans le couloir, l'écuyer se redressa, son expression ébahie et choquée se changeant en sombre haine.

– Insubordination, siffla-t-il. Je me vengerai de toi, Quintinius Verginix, et de vous deux aussi, pathétiques bouffons, même si je dois y laisser ma peau !

Sortant de l'École de la Lumière et de l'Obscurité, Quint et Maria levèrent les yeux vers le ciel crépusculaire.

– Le professeur d'Obscurité avait raison ! s'écria Quint, se tournant avec enthousiasme vers Maria. C'est bien *Le Cavalier de la tourmente* !

– Le professeur est un érudit céleste, répondit Maria en riant. Quand il regarde dans son télescope, rien ne lui échappe. C'est ce qu'il a juste sous le nez, les rémouleurs rusés par exemple, qu'il ne voit pas.

Au-dessus d'eux, le navire pirate projetait une ombre immense sur le sol, masquant presque les derniers éclats du jour tandis qu'il s'approchait des grands anneaux d'amarrage scellés dans les murs supérieurs de l'école. Quelques instants plus tard, le Chacal des vents apparut à bâbord derrière la rambarde.

– Quint, mon garçon ! cria-t-il.

Une longue échelle de corde descendit, tout en se déroulant, et oscilla devant eux.

– J'ai reçu ton message, je revenais te chercher lorsque l'oisorat m'a trouvé. Grimpe, nous n'avons pas une seconde à perdre !

– Mais, Père, et l'Académie de chevalerie ? Mes études ? Et Maria ? demanda Quint, perplexe, alors qu'il saisissait l'échelle de corde souple et posait le pied sur le premier montant.

– Je t'expliquerai tout à bord, répondit le Chacal des vents.

– Pas sans Maria, insista Quint, comme sa camarade lui attrapait le bras.

– La fille de mon plus vieil ami ? répondit le Chacal des vents. Loin de moi l'idée de la laisser. Maintenant, dépêchez-vous !

Ils escaladèrent l'échelle oscillante et, dès qu'ils posèrent le pied sur le pont, *Le Cavalier de la tourmente* décolla et fila dans le ciel assombri. À son côté, Quint sentit Maria lui reprendre le bras et le serrer très fort.

– Je reste avec toi. Je ne me retrouverai pas seule. Pas cette fois, dit-elle avec ardeur. Plus jamais !

Épilogue

Dans les profondeurs du Bourbier, alors que les derniers rayons du soleil couchant se déployaient en éventail à travers la plaine décolorée, la carcasse abîmée d'un navire du ciel (un chasseur de tempête) projetait de longues ombres épaisses sur le sol marécageux. Manifestement, le vaisseau s'était écrasé, non sans dommages. Son mât était brisé, sa coque enfoncée d'un côté, tandis que la roche de vol s'était scindée en deux. Une moitié était demeurée dans le support disloqué au centre du navire, l'autre s'était enlisée dans la boue molle, à quelque distance.

Juste à côté, assis sur un tonneau retourné, un limonard cru et en partie dévoré entre les mains, se tenait un chevalier universitaire. Son armure était sale, les tuyaux et les cadrans maculés de la même boue blanche. À sa gauche, son lourd casque gisait, abandonné.

Tout en se balançant lentement, inlassablement, d'avant en arrière, il regardait droit devant lui, sans ciller, la forêt du Clair-Obscur. Là, comme le soleil se couchait et que le ciel alentour s'assombrissait, le perpétuel demi-jour orange éclairait les amas de nuages qui moutonnaient au-dessus des arbres.

– Perdu, murmura-t-il, la voix rauque et fêlée par le manque d'usage. Tout est perdu.

Et, alors qu'il maintenait son regard, quatre silhouettes apparurent, leurs contours squelettiques se découpant sur la lumière crépusculaire.

Il se laissa glisser du tonneau et, à pas trébuchants, s'avança dans leur direction. De plus près, il vit qu'il s'agissait d'une famille de gobelinets, groupe isolé qui, abandonnant ses Grands Bois d'origine pour aller construire une nouvelle vie à Infraville, avait bravé les dangers de la forêt du Clair-Obscur.

Apercevant le grand chevalier à l'allure noble qui s'approchait d'eux, les gobelinets lui firent signe.

– S'il vous plaît, monsieur, dit la doyenne (une petite vieille ratatinée) en arrivant à sa hauteur. Nous avons besoin d'aide.

– D'aide, murmura le chevalier.

– Il nous faut un abri pour la nuit, expliqua-t-elle. Et un guide pour nous aider à traverser ce désert…

– Un abri, répéta le chevalier. Un guide.

Il semblait presque n'avoir pas remarqué la gobelinette, car il parlait sans la regarder. En revanche, il avait l'air fasciné par les minuscules grains brillants qui scintillaient dans la boue prisonnière des touffes de poils drus, entre les orteils et sous les ongles de la voyageuse.

Tandis que ses yeux restaient braqués sur les pieds de la gobelinette, une étrange expression passa sur son visage tourmenté, comme s'il affrontait un problème et prenait lentement une décision.

– Tout n'est pas perdu, déclara-t-il enfin, sa main effleurant le manche du couteau à son côté. Suivez-moi.

TABLE DES MATIÈRES

Chroniques du bout du monde
Le cycle de Quint

1. La malédiction du luminard
de Paul Stewart et Chris Riddell

Sanctaphrax la Grande. Sanctaphrax la Puissante. Une ville flottant sur son rocher, dont le nom seul inspire le respect et la crainte.

Mais une ville en danger : c'est ce que Linius Pallitax, Dignitaire suprême de Sanctaphrax, et son jeune assistant, Quint Verginix, viennent de découvrir. Au plus profond de son rocher flottant, Sanctaphrax abrite un terrible secret. Pire qu'un secret, une vérité : quand la terre et le ciel s'unissent pour de sombres raisons, ils peuvent donner naissance à la pire créature qui soit. Une créature synonyme de destruction. Le luminard...

Chroniques du bout du monde
Le cycle de Spic

1. Par-delà les Grands Bois
de Paul Stewart et Chris Riddell

Lieu de ténèbres et de mystère, les Grands Bois offrent un asile rude et périlleux à ceux qui les habitent. Et ils sont nombreux : trolls des bois, égorgeurs, gobelins de brassin, troglos... C'est là que vit Spic, du clan des trolls des bois. Il est troll et pourtant...

Trop grand, trop maigre, il est différent. Tellement différent qu'il doit fuir, par-delà les Grands Bois. Mais surtout, surtout, sans jamais sortir du sentier. Jamais...

Chroniques du bout du monde Le cycle de Spic

2. Le Chasseur de tempête
de Paul Stewart et Chris Riddell

Ville de mystères et de danger, Sanctaphrax peut tout offrir au visiteur: argent, bonheur, pouvoir, mort... Spic, nouvellement enrôlé dans l'équipage du Chasseur de tempête, est envoûté par la cité flottante. Mais Sanctaphrax est en danger... Sa survie dépend du phrax de tempête, une substance qui maintient son équilibre. Sans lui, la ville briserait ses amarres, et s'envolerait dans le ciel à tout jamais...

Or le phrax ne peut être récolté qu'au cœur même de la Grande Tempête, à l'instant où elle est la plus violente. Un seul navire est capable d'affronter une telle violence : *Le Chasseur de tempête*...

Chroniques du bout du monde
Le cycle de Spic

3. Minuit sur Sanctaphrax
de Paul Stewart et Chris Riddell

Loin, très loin dans le ciel infini, un redoutable danger menace : c'est la Mère Tempête. Celle qui détruit tout sur son passage. Celle par qui tout meurt et tout renaît. Sanctaphrax se trouve sur son chemin, mais personne ne le sait. Seul Spic pourrait éviter le désastre.

Avec son nouvel équipage, le jeune pirate du ciel s'est aventuré bien au-delà du bout du monde. Il a découvert ce qui se prépare. Mais lors de son voyage, il est projeté au cœur du Jardin de pierres. Et Spic perd la mémoire...

Chroniques
du bout du monde
Le cycle de Rémiz

1. Le dernier des pirates
du ciel
de Paul Stewart et Chris Riddell

Maladie de la pierre.

Quatre mots qui ont tout changé. Tout : la cité volante de Sanctaphrax ne flotte plus, les bateaux de la Ligue sont cloués au sol, les pirates du ciel ont disparu à jamais... Comble de malheur, une lutte à mort a placé l'usurpateur Vox Verlix au pouvoir. Les érudits, qui régnaient jadis en maîtres, sont désormais condamnés à vivre clandestinement, dans la fange des égouts d'Infraville.

C'est là, au cœur d'un dédale de salles souterraines, que vit Rémiz, un jeune sous-bibliothécaire de 13 ans. Orphelin, il ne sait rien de sa naissance. Il ne sait rien non plus de l'intérêt que les érudits lui portent. Et surtout, il ne sait rien du destin qui l'attend...

Chroniques
du bout du monde
Le cycle de Rémiz

2. Vox le Terrible
de Paul Stewart et Chris Riddell

Vox Verlix. Dignitaire suprême de Sanctaphrax. Un tyran. Mais un tyran de papier, qui vit reclus dans un palais délabré. Un obèse alcoolique qui, dans ses moments de lucidité, élabore des plans de vengance. Quand Rémiz, le jeune chevalier bibliothécaire, découvre ses projets, il est glacé d'effroi. Car c'est toute la Falaise qui est menacée.

Chroniques du bout du monde
Le cycle de Rémiz

3. Le chevalier
des Clairières franches
de Paul Stewart et Chris Riddell

Infraville est détruite. Ses habitants ont tout perdu. Une seule issue, pour tous les Infravillois : l'exode. Direction : les Clairières franches, le seul espace de liberté qui subsiste encore, au cœur des Grands Bois. Un long et périlleux voyage…

L'ordre des sorciers

**Ravenscliff
Livre 1**
de Geoffrey Huntington

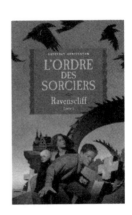

« Tu es plus fort qu'eux ! »
L'héritage de Devon March tient dans cette unique phrase, la dernière prononcée par son père avant de mourir. À 14 ans, c'est tout ce qui lui reste pour affronter les créatures et démons qui le poursuivent depuis son enfance. Qui sont-ils ? Pourquoi s'attaquent-ils à lui ? Devon l'ignore. Mais il sait une chose : les réponses sont à Ravenscliff, le manoir où il doit vivre désormais. Ravenscliff, dont les murs sombres abritent des secrets terrifiants...

La sorcière des ténèbres

Ravenscliff
Livre 2
de Geoffrey Huntington

Isobel l'Infidèle.

Isobel la Terrible.

Isobel la Cruelle.

Accompagnée de sa horde de démons, elle fut en son temps la femme la plus redoutée d'Europe. Défiant sorciers et rois, elle faillit faire triompher le Mal...

Sur son bûcher, elle a juré de revenir.

Elle a tenu parole. La revoilà. À Ravenscliff. Toujours aussi puissante. Toujours aussi dangereuse. Toujours aussi ensorceleuse...

Face à elle, un jeune sorcier de 14 ans, Devon March. Il est le seul capable de la vaincre. À condition qu'il sache lui résister...

Lune de sang

Ravenscliff
Livre 3
de Geoffrey Huntington

Devon le sait. Il le sent. Il est tout près du but. Tout près de découvrir qui il est vraiment. Mais pour que la vérité éclate, il faudra de nouveaux combats, de nouvelles victimes. Le jeune sorcier devra affronter les fantômes du passé. Plus vivants que jamais...

Le Cavalier sans nom

Livre 1
La Compagnie des oubliés
de Gérard Moncomble

Perdre son nom et tous ses souvenirs ; n'être plus qu'une ombre dans la nuit... Y a-t-il pire cauchemar ?
Telle est l'histoire d'Achille Bouzouk, dont on a volé la mémoire, un terrible soir d'orage. De quoi sombrer dans la folie... À moins de se révolter, et de combattre l'oubli.

Le Cavalier sans nom

Livre 2
La Colère des dieux
de Gérard Moncomble

Bouzouk a retrouvé son nom, ses parents et ses souvenirs d'enfance. Mais cela ne lui suffit pas. Son passé est encore noyé d'ombres et de mystères. Il veut tout savoir. Tout reconquérir. Au risque de ne plus se reconnaître. Au risque de provoquer la colère des dieux.

Les sortilèges d'Alinore
de Madeleine Crubellier
Illustré par Frédéric Pillot

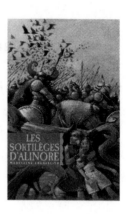

Alinore est en danger. En grand danger. Sorcières, li-
cornes, magiciens, guerriers des royaumes des Terres
émergées... tous savent qu'il va falloir lutter contre le
Sans-Nom et ses rêves de conquêtes. Le Sans-Nom qu'on
ne peut nommer sans trembler. Le Sans-Nom qu'on ne
peut tuer, parce qu'il est déjà mort. La solution se trouve
dans un autre monde. Le Deuxième Monde.